Nora Coxhead: Glückseligkeit

Nora Coxhead

Glückseligkeit

Aquamarin Verlag

Titel der englischen Originalausgabe:
The Relevance of Bliss (Wildwood House)

Übersetzung aus dem Englischen: Susanne Harrington
Titelbild nach einem Gemälde von R.S.M. Schrover

1. Auflage 1987

Voglherd 1 · D-8018 Grafing

Druck: Wiener Verlag, Himberg
Herstellung: J. Mayer KG, Haunwang

Umschlaggestaltung:
Mandala Werbung, Landshut

ISBN 3-922936-60-1

Inhaltsverzeichnis

Danksagung

Die Verfasserin dankt allen, die zu diesem Buch wertvolle Ideen geliefert haben: Dr. Peter Fenwick, Dr. Richard Petty, David Bohm, Tom Sensky, Dr. Jonathan Meads, Warren Kenton, Peter Russell, Fred Alan Wolf, Stanley Krippner, C. Meaywell Cade, Andrew Duncan, Hazel Guest, Rupert Sheldrake, Geoffrey Read und Margot Grey. Sie dankt außerdem Glen Schaefer, Fritjof Capra, Gary Zukav, Joseph Campbell, Jacob Needleman, Sir Alister Hardy, David Hay, Stanislaf Grof, R.D. Laing, John Lilly, Gopi Krishna, Paramahansa Yogananda, Swami Muktananda, Arthur J. Deikman, Walter Pahnke, Alan Watts und F.C. Hapold für ihre persönliche Zustimmung oder die ihres Verlegers, aus ihrem Werk zitieren zu dürfen (siehe Bibliographie bezüglich der Einzelheiten über Verleger, Ort und Datum der Veröffentlichung). Sie spricht ebenfalls ihren Dank der New York Times für die Erlaubnis aus, aus der Andrew Greeley / William McCready Umfrage „Sind wir eine Nation von Mystikern?" zitieren zu dürfen. Sie dankt den Verlegern von »Mysticism: Spiritual Quest or Psychic Disorder" für Auszüge, die über "The group for the Advancement of Psychiatry« berichten, dem Wrekin Trust für die Genehmigung aus Vorlesungen zitieren zu dürfen, die anläßlich der jährlichen Mystiker- und Wissenschaftler-Konferenzen in Winchester gehalten wurden, den Verfassern des Brain/Mind Bulletin, Re-Vision Journal, The International Journal of Parapsychology, Science of Mind Magazine, Journal of Nervous and Mental Disease.

Der religiöse Mensch glaubt,
der Mystiker weiß.

William James

Einleitung

Das Thema Mystik zu erforschen, bedeutet ein außerordentliches Vorhaben. Es gibt nicht nur umfangreiche, gelehrte und tiefschürfende Literatur dazu, sondern sie nimmt ständig zu und umfaßt neue Einzelheiten. Was die mystische Erfahrung angeht, sind hier die Interpretationen und die Vielfältigkeit genauso breit gefächert und vielgestaltig wie der individuelle Glaube des Menschen bezüglich seiner eigenen Person, über Gott, über das Wesen der Realität. Glücklicherweise besteht meine Absicht nicht darin, das Thema der Mystik per se zu erweitern, und ich bin auch nicht bestrebt, die zahllosen Stufen und Formen dessen aufzuzeigen, was weithin unter mystischer Erfahrung verstanden werden mag. Statt dessen möchte ich diese Untersuchung auf ein bestimmtes Gebiet lenken, auf eine bestimmte Art der Erfahrung und ihre Bedeutung für das gegenwärtige Leben, für die Menschheit im großen und ganzen; während ich gleichzeitig für bereits vorhandene Studien über die Mystik als Quelle meiner Beobachtungen und historischer Daten dankbar bin. Ich möchte diese einzigartige Erfahrung mit dem Wort »Glückseligkeit« bezeichnen, da Glückseligkeit in diesem Zusammenhang als häufigstes Charakteristikum genannt wird, und ich habe aus dem gleichen Grund jenes Wort trotz des Risikos der Assoziation mit unwichtigeren Inhalten als meinen Titel verwandt. Die Erfahrung selbst wird wiederholt charakterisiert von jenen, denen sie zuteil wurde, und sie wird in Unterlagen definiert, die so alt wie die Geschichte sind. Sie wird »unverwechselbar« genannt, sie wird als »Verschiebung« der Wahrnehmung bezeichnet und als ein überwältigendes Gefühl der Erleuchtung, das mit keinem anderen Geistes- oder Bewußtseinszustand verwechselt werden kann. Es besteht die Empfindung vollkommener Transformation und Transzendenz auf einer höheren Seinsebene, ein Verschmelzen mit jenem, das fraglos Güte und Liebe ist und das »Wissen« mitsichbringt, daß alles gut und richtig ist, ein Gefühl des Friedens und der Freude, »der Einheit«, der absoluten, höchsten Glückseligkeit.

Natürlich läßt sich das Vorhandensein dieser Erfahrung nicht beweisen, es sei denn, man macht sie selbst, doch die Offenkundigkeit der spirituellen Erlebnisberichte hat sich im Laufe der Jahrhunderte als so wohlbegründet erwiesen wie jedes andere Phänomen, mit dem sich die Wissenschaft befaßt hat. Es hat mich immer außergewöhnlich berührt, daß dieser Erfahrungsbereich übersehen, in der modernen Forschung seltsamerweise fast ausgelassen werden sollte. Es scheint, als ob sie sich in Nichts auflösen würde, da man sie ignorierte oder noch besser als Ausdruck religiöser Hysterie beiseite schob.

Berücksichtigt man den Zeitgeist, unter dem die meisten der bekannten Heiligen und berühmten Mystiker lebten, so wurden sie verehrt und man achtete ihr Wort, begründete Lehren und geistige Systeme aufgrund ihrer mystischen Ekstase und Begeisterung. Es ließe sich eine glaubwürdige Theorie auf diesem Phänomen aufbauen, würden moderne Anthologien nicht beweisen, daß es sich in unserer Zeit um die mystische Erfahrung von Menschen handelte, die nicht danach strebten, Mönche und Nonnen zu werden, sondern denen die Erfahrung schlichtweg »zuteil wurde«.

Da ich als Kind selbst mystische Neigungen mit der bestehenden Tendenz zu Ausbrüchen ekstatischer Freude, Bewunderung und der Liebe zu einer unsichtbaren und allgegenwärtigen Wesenheit verspürte, die einer vagen undefinierten Bewußtheit wich, als weltliche Angelegenheiten die Oberhand gewannen, empfand ich das zunehmende Bedürfnis so zu handeln, wie ich es mit diesem Buch getan habe, nämlich die Tatsachen ans Licht zu bringen und einer Überprüfung zuzuführen – einschließlich der Spekulation der modernen Psychologie und Wissenschaft.

Unter den ersten Fragen, die ich stellen möchte, lauten einige: Sind jene, die man als »Mystiker« bezeichnet, wirklich etwas Besonderes, das sich vom Rest der Masse abhebt? Müssen wir spirituell »begabt« oder begnadet sein, höher entwickelte Menschen? Muß je-

mand wenigstens für eine religiöse Erfahrung prädisponiert sein, damit sie sich ereignet?
Ich vermute, die Antwort lautet nein, da wir alle Mystiker im Anfangsstadium sind, aber ich verspüre keinen Wunsch, diesen Anspruch zu erheben. Da ich mir der Ansichten der Psychoanalytiker wohl bewußt war, die sich weigerten, sich mit mystischen Dingen in Zusammenhang bringen zu lassen, da sie fürchteten, als mental labil, ja sogar ernsthaft krank hingestellt zu werden, begann ich unter größter Vorsicht mit meinen eigenen Untersuchungen.
Ich verschaffte mir einige vor kurzem durchgeführte statistische Erhebungen, die die Häufigkeit mystischer Erfahrungen in der Bevölkerung sowohl Großbritanniens als auch in der USA aufzeigten. Ich verglich die mystische Erfahrung im Osten mit der im Westen, und ich suchte durch Anzeigen Menschen, die solche Erfahrungen durchlebt hatten, sich persönlich dazu äußern wollten und auch zustimmten, namentlich genannt zu werden.

Ich glaubte, es würde schwierig werden, sie zu finden. Doch die Reaktion auf die Anzeigen war so gewaltig, daß ihr Erscheinen eingestellt werden mußte und mein Hauptbestreben darin lag, die Erfahrungen durchzusehen und zu sortieren. Ich entschloß mich, einige ausgezeichnete Berichte unberücksichtigt zu lassen, da sie Phänomene wie Visionen, Stimmen, Bilder und okkulte Tendenzen beinhalteten, die für meine spezielle Untersuchung nicht von direkter Bedeutung waren, da ich mich auf die »Glückseligkeitserfahrung« in Einsamkeit und Abgeschiedenheit konzentrieren wollte. Ich war erstaunt festzustellen, wievielen Menschen derartige Erfahrungen zuteil geworden waren und wie willig, ja gerne sie darüber zu sprechen bereit waren. Nur vier Personen bestanden auf Anonymität und zwei davon änderten ihre Meinung, nachdem sie ein besseres Verständnis über meine Absichten gewonnen hatten.
Bei dieser Untersuchung beinhalten viele Berichte gewisse Aspekte dessen, was man die »Erweiterung mystischer Daten« nennt. Denn

obgleich das wiederholte Element nicht zu einer konkreten Wissenschaft führt, kann es als »sanfte« Wissenschaft betrachtet werden – wie David Bohm, der hervorragende Theoretiker unter den Physikern sagte: „Das Nichtmeßbare ist die vorrangige und unabhängige Quelle der Realität... Das Maß ist ein zweitrangiger und abhängiger Aspekt dieser Realität."
Um die Komponenten mystischer Erfahrung zu klären, die zu dieser statistischen Untersuchung beitrugen, sammelte ich ebenfalls beträchtliches Material darüber, was Schriftsteller und Mystiker als die »Typologie« des »Blitzes der Erleuchtungserfahrung« bezeichnen. John Ferguson z.B. führt in der »Encyclopedia of Mysticism« diese Charakteristika auf, indem er W.T. Stace zitiert:

1. Einheit (a) äußerlich: ein Sinn kosmischer Einheit (b) innerlich: ein Dahinschwinden des Ego zu einem Zustand reiner Bewußtheit
2. Transzendenz von Zeit und Raum
3. Positive Empfindungen: Freude, Glückseligkeit, Liebe, Frieden.
4. Empfindung des Göttlichen, der Zugehörigkeit zur Gottheit.
5. Empfindung der Gewißheit über die Realität der mystischen Erfahrung
6. Paradoxon. Wie es in der Isha Upanishad (5) heißt:
   Es bewegt sich. Es bewegt sich nicht.
   Es ist weit. Es ist nah.
   Es ist im ganzen Universum. Es ist außerhalb des Universums.
7. Unaussprechlichkeit
8. Vergänglichkeit: die Erfahrung dauert nicht an.
9. Daraus resultierende Veränderung der Einstellung und des Benehmens.

Raynor C. Johnson, dessen Werke »Watcher on the Hill« und »The Imprisoned Splendour« die mystischen Erfahrungen vieler »gewöhnlicher« Männer und Frauen der heutigen Zeit beinhalten, berichtet:

1. Jene, die tiefgreifendere mystische Erfahrungen gemacht haben, wobei Alter, Nationalität und Glauben ohne Belang waren, erzählen von den gleichen fundamentalen Dingen: Die Empfindung der Getrenntheit löste sich im Empfinden einer allumfassenden Einheit auf; es stellte sich eine Gewißheit über die Unsterblichkeit ein, eine zunehmende Anerkennung von Werten und das Wissen, daß am Herzen des Universums Freude und Schönheit zu finden ist.
2. Jene, denen eine solche Erfahrung widerfahren ist, sind stets von ihrer Bedeutung als Offenbarung der Wahrheit tief beeindruckt. Von diesem Zeitpunkt an trachtet man nicht mehr nach einer intellektuellen Antwort auf die letzten Fragen des Lebens, sondern eine Gelassenheit stellt sich ein, die aus dem Wissen ersteht, daß alles eine Ordnung besitzt und der verborgene Sinn des Universums trotz allem Anschein im Guten gründet.

Ebenso spricht auch Sir Alister Hardy, der anerkannte britische Zoologe, Schriftsteller und Begründer der »Religious Research Unit« in Oxford von diesen sich überschneidenden Elementen: „Empfindung der Freude, des Glückes, Wohlbefindens, Friedens, gewonnener Kraft, der Ehrfurcht, Achtung, Klarheit, Erleuchtung, Erhebung, Harmonie, Ordnung, Zeitlosigkeit, Einheit, des Schutzes, der Liebe, Glückseligkeit."

Nachdem ich die Art der Erfahrung untersucht hatte, fügte ich auch Fragen bezüglich zweier weiterer Klassifizierungen hinzu: der »spontanen« Erfahrung, die einfach vollkommen unerwartet und unfreiwillig geschieht und der Erfahrung, die durch bestimmte Methoden »gefördert« wird, wie Meditation verschiedener Art, Drogen, Fasten, Derwischtänze, inniges Gebet usw. Ich erkundigte mich nach den Unterschieden, falls es überhaupt welche gibt, hinsichtlich der endgültigen Wirkung und des endgültigen Wertes.
Um die Untersuchungen von jedem Standpunkt zu beleuchten und

abzurunden, enthält das Buch ein breites Spektrum von Hypothesen von Fachleuten verschiedener Gebiete darüber, was bei einer mystischen Erfahrung geschieht. Die Meinungen der Physik, Biologie, Neurophysiologie, Psychologie, Psychoanalyse, Theologie, Philosophie, Medizin und des Biofeedbacks sind hier vertreten, aber auch viele andere.
Nachdem ich letztendlich alle diese Ideen und Entdeckungen überprüft, aufgenommen und hoffentlich auch verarbeitet habe, möchte ich die Leser bitten, das gleiche zu tun.
Sollte es dieser Untersuchung gelungen sein, das Licht sowohl auf objektive als auch auf subjektive Ansätze der Analyse zu richten, klarere und schärfer umrissenere Fragen zu stellen, die zu einer tiefgreifenderen Bewertung der Bedeutung der Glückseligkeit führen, dann hat sie ihren Dienst getan.

I. Kapitel

Glückseligkeitserfahrungen in der Geschichte

„Um die mystische Erfahrung zu studieren, sollte man sich unwissenschaftlichem Material zuwenden, das vollkommen subjektiv erscheint und in religiöse Worte gekleidet ist ... " – Arthur J. Deikman (Psychiatry, 1966)

Die moderne Sicht der mystischen Erfahrung beinhaltet als Basis den geschichtlichen Bezug, durch den eine Perspektive für das Neue gewonnen wird. Um dies in Kürze zu erreichen, wird einem so weitreichenden Thema beträchtliches Unrecht getan, doch andererseits hat man sich anscheinend noch nicht ausgiebig damit befaßt. Vieles aus den Hunderten von Studien und Analysen mystischer Erfahrung – wer die Mystiker waren, was sie im Osten und Westen im Laufe der Jahrhunderte lehrten und glaubten – entstammt eher einer allgemeinen anstatt chronologischen Geschichte. Man erfährt viel über die Mystiker als andere 'Klasse' der Menschheit, über die bestimmbaren Elemente ihrer Erfahrung und von ihren Bestrebungen und Zielen; doch man gewinnt keinen Einblick in ihre Existenz und Entwicklung in Zeit und Raum.

Deshalb verleiht die Verallgemeinerung Sicherheit, die Anmerkung, das »mystische Element« könne in allen Überlieferungen urzeitlicher Religionen zurückverfolgt werden. Es ist in den meisten der spirituellen Philosophien wie dem Hinduismus, Buddhismus, Taoismus, den griechischen Mysterienkulten, im hebräischen alten Testament sowie im christlichen neuen Testament, im östlichen

Christentum sowie westlichen Katholizismus und Protestantismus und dem islamischen Sufismus anzutreffen.

Im Osten, vor allem in Indien, wurde es mit der Geschichte verwoben und ist untrennbar von Tausenden von Jahren Tradition »der Suche nach Erleuchtung« durch jene, die erleuchtet wurden. Die mystische Erfahrung des einzelnen wird nicht als Ereignis niedergelegt. Millionen streben nach ihr in ihrer Lebensführung, aber nur die großen Begründer jeder Lehre schreiben Zeitgeschichte, und sie gehen bis auf wenige in der neuen Vergangenheit auf die Vorgeschichte zurück. Meistens sind es die Erben, manchmal die Reinkarnationen des ursprünglichen Meisters.

Die europäische Geschichte der Mystik hingegen ist ziemlich unterschiedlich; sie besitzt das, was Evelyn Underhill in ihrem klassischen Werk »Mystik« als »Chronologischen Bogen« bezeichnet. Indem sie sie vom Beginn der christlichen Ära bis zu William Blake zurückverfolgte, entdeckte sie, daß »die großen Zeiten mystischer Aktivität mit den großen Zeiten künstlerischer, materieller und intellektueller Zivilisation« übereinstimmen.
Um dies zu illustrieren, hat Evelyn Underhill im Anhang ihres Buches einen vollständigen »historischen Entwurf« geliefert, der die Namen und Lebzeiten aller Mystiker umfaßt, die eine weltgeschichtliche Anerkennung erreichten, und es wird sogleich offensichtlich, daß sie zu bestimmten Zeiten besonders hervortraten und zu anderen Zeiten kaum existent zu sein schienen.
Elmer O'Brian, ein gelehrter Jesuit, der »Varieties of Mystic Experiences« schrieb, meint, die Erklärung dessen laute wie folgt: „... es ist nicht so, daß Raum und Zeit, die sich gerade günstig für die Mystik erweisen, auch Mystiker hervorbringen. Es scheint eher, daß Raum und Zeit, die günstig für die Mystik sind, die Aufzeichnungen der Erfahrungen der Mystiker bewirken, durch die allein wir von ihrer Existenz wissen. Zu anderen Zeiten gab es an anderen Or-

ten ebenso viele Mystiker, es gibt keinen Grund anzunehmen, es habe keine gegeben. Die Mystik jedoch stieß auf keinerlei Wohlwollen. So umhüllte sie ganz und gar das sogenannte sprichwörtliche Schweigen."

Was auch immer der Grund dafür im Westen gewesen sein mag, so scheinen Mystiker und Heilige im Mittelalter in kirchenbeherrschten Gesellschaften besonders zahlreich vertreten gewesen zu sein, nahmen zahlenmäßig bis zum Ende des 17. Jahrhunderts ab und schrumpften auf eine sehr kleine Zahl zusammen, da es schien, als könnten sie der forschenden Prüfung durch Psychologie und Wissenschaft im 19. Jahrhundert nicht standhalten.

Betrachtet man alles in entsprechender Reihenfolge, so entsteht der Eindruck, die Heiligen und Mystiker der westlichen Welt stellten ein Phänomen oder Ergebnis vergangener Zeiten dar. Obgleich ihre Lehren weiter fortbestanden, um zu inspirieren und zu beeinflussen, verschwand die mystische Hingabe oder existierte nur noch insgeheim, die innige Beziehung zu einer unsichtbaren Wesenheit, die zu vollkommener Selbstaufgabe, quälerischem Asketentum und in einigen Fällen zum Tod als Strafe für Ketzerei führte.
Überdies war der Ruf überragender religiöser Mystiker der Vergangenheit, wie z.B. Plotin, Augustinus, Jan van Ruysbroek, Theresa von Avila, oder Johannes vom Kreuz, nicht mehr heilig oder unverletzlich. Psychoanalytiker untersuchten den »heiligen« Aspekt der mystischen Erfahrung und stellten fest, er paßte in die Kategorie des Fanatismus. Kein Heiliger wurde als frei von Geisteskrankheit angesehen, bei der es sich um eine leichte oder schwere Form handeln konnte.

Dergleichen verschloß jenen den Mund, die anderer Meinung waren. Ansprüche auf mystische Erfahrungen wurden selten genug bestätigt, es hieß, sie gehörten einer alten Vergangenheit an. Wer wagte

es schon zu widersprechen und als »seltsam« betrachtet zu werden, indem man ihm nicht nur Labilität, sondern auch die Symptome einer Neurose anlastete?
Die Fortsetzung der mystischen Tradition im Osten stellte für die vorherrschende westliche Meinung kaum eine Hilfe dar – da sie darin bestand, daß in Indien die Menschen auf den Straßen starben, viele Mystiker sich dem täglichen Leben entzogen, indem sie sich in »kosmische Glückseligkeit« versenkten und in diesem Zusammenhang ihren Magen und ihr Verlangen nach Nahrung schrumpfen ließen oder mit einer Bettelschale umherwandernd den spirituellen »Verdienst« der Geber bestätigten. Alles in allem entsprach die westliche Meinung über mystische Erfahrungen am Ende des 19. Jahrhunderts einem grauen und fragwürdigen Gebiet moderner Zivilisation.
In dieser Dunkelheit wurde ein Licht zur Verteidigung der Mystik entfacht, als sie aus einem vollkommen unerwarteten Bereich, der Welt der Medizin, Unterstützung erhielt. Im Jahre 1872 erlebte Richard Maurice Bucke, ein kanadischer Arzt und Psychologe, anläßlich eines Besuches in England eine so tiefe mystische Erfahrung, daß sie zum Mittelpunkt seiner Betrachtungsweise des Lebens werden sollte. Er berichtet: „Ich hatte den Abend mit zwei Freunden in einer großen Stadt verbracht; wir lasen und sprachen über Poesie und Philosophie. Wir verabschiedeten uns voneinander um Mitternacht. Vor mir lag eine lange Fahrt in einem Kabriolett zu meiner Unterkunft. Mein Geist, der tief unter dem Einfluß der Ideen, Bilder und Emotionen stand, rief sich das Gelesene und Gesprochene ins Gedächtnis zurück und war ruhig und friedvoll. Ich befand mich in einem Zustand ruhiger, fast passiver Freude ohne wirklich zu denken, sondern ließ die Ideen, Vorstellungen und Emotionen als solche durch meinen Geist fließen. Plötzlich fand ich mich ohne irgendeine Vorankündigung in eine flammenfarbige Wolke gehüllt. Einen Augenblick dachte ich an Feuer, an eine Feuersbrunst irgendwo in der Nähe der großen Stadt, doch dann wußte ich, das

Feuer war in mir selbst. Danach erlebte ich eine Empfindung der Erhebung, großer Freude, der sogleich die intellektuelle Erkenntnis folgte, an die man unmöglich glauben kann; ich sah, daß das Universum keine tote Materie war, sondern im Gegenteil etwas Lebendiges. Ich wurde mir innerlich des ewigen Lebens bewußt. Es war nicht die Überzeugung ewig zu leben, sondern das Bewußtsein, das ewige Leben zu besitzen; ich sah, alle Menschen sind unsterblich, und ich begriff, daß die kosmische Ordnung so beschaffen ist, um alles zum Guten eines jeden und der Gesamtheit zu führen. Schlagartig wurde mir bewußt, daß das Gründungsprinzip der Welt, aller Welten, auf Liebe basiert und das Glück eines jeden auf lange Sicht gewiß ist. Die Vision dauerte nur wenige Sekunden und verschwand dann, doch die Erinnerung daran und die Empfindung der Realität dessen, was sie mich lehrte, blieben im Laufe der seit damals vergangenen fünfundzwanzig Jahre bestehen. Ich hatte einen Standpunkt erlangt, an dem ich die Wahrheit erkannte. Dieser Standpunkt, diese Überzeugung, ich darf sagen jene Bewußtheit, ging niemals, selbst in Zeiten tiefer Depression, verloren.

Richard Bucke war zu jener Zeit sechsunddreißig Jahre, und diese Erfahrung sollte zum Ausgangspunkt aller seiner Bestrebungen werden. Seine ersten Aufzeichnungen zu diesem Thema mit dem Titel »Kosmisches Bewußtsein« übergab er der American-Medico-Psychological-Association in Philadelphia; weitere Aufzeichnungen erhielt die British Medical Association in Montreal. Vier Jahre später schrieb er »Kosmisches Bewußtsein« (1901), ein Buch, das das erste dieser Art darstellte und als grundlegende Studie mystischer Erfahrung vom Standpunkt der Psychologie weltberühmt wurde.
Seine detaillierte Auslegung und Beschreibung der mystischen Erfahrungen entwickelte sich aus dem eingehenden Studium der letzten dreitausend Jahre der Geschichte. Indem er fünfzig Beispiele auswählte, begann er bei Gautama Buddha, Jesus Christus und Paulus und fuhr mit vielen großen und berühmten Namen religiöser Füh-

rer, Poeten und Schriftsteller fort, um mit neueren Beiträgen abzuschließen, die sich nur durch die Initialen identifizieren ließen.
Dr. Bucke stellte fest, unter diesen fünfzig Fällen befanden sich wenigstens vierzehn, die unleugbar die Verwirklichung vollkommener und beständiger »Erleuchtung« darstellten, dazu viele unvollkommene und vorübergehende Berührungen einer höheren Wirklichkeit. Er deutete auch darauf hin, daß einige der anerkanntesten Autoritäten auf dem Gebiet der Mystik keinerlei Beweis erbrachten, daß sie tatsächlich jene Erfahrung gemacht hatten: er sprach von Plotin, der sie verzweifelt zu erlangen suchte, was so weit ging, daß er sie schilderte, als ob er sie selbst erlebt hätte, und so wurde niemals in Frage gestellt, ob er zu den Mystikern gehörte.
Bucke fand im Rahmen seiner Untersuchungen heraus, die Menschheit befinde sich in einem allmählichen Entwicklungsprozeß zu einer erweiterten Form des Bewußtseins, die sie schließlich aller ihrer gegenwärtigen Unvollkommenheiten entheben werde.
In der Abschlußanalyse stellte er jedoch Mystiker nicht nur als etwas Außergewöhnliches hin und sprach von ihren besonderen Voraussetzungen, sondern er setzte hinsichtlich des Alters und Geschlechtes Grenzen, wann am wahrscheinlichsten die Erfahrung des kosmischen Bewußtseins auftreten kann: die Mehrheit der Mystiker seien Männer, meinte er, und die mystische Erfahrung finde meistens in den Dreißigern statt.

Diese potentiellen Kandidaten, schloß er ab, erschienen in Intervallen in der menschlichen Geschichte, indem sie die ersten zarten Anfänge einer anderen Rasse aufzeigten, die auf der Erde wandelten und die 'gleiche Luft wie alle alle' atmeten, jedoch gleichzeitig auf einer anderen Erde lebten und 'eine andere Luft' atmeten, von denen wir wenig oder gar nichts wissen. Doch diese großen Menschen sind es, die unser spirituelles Leben prägen, so wie ihr Nichtvorhandensein unser geistiger Tod wäre ...
Während »Kosmisches Bewußtsein« als Studie ein Pionierwerk von

gewaltigem Wert bleibt, sind Bücher mit einer weniger eingegrenzten Auffassung erschienen, darunter ausführliche Anthologien mystischer Erfahrung aus allen Lebensbereichen, wie z.B. jene von Raynor C. Johnson, auf die ich mich in der Einführung zu diesem Buch bezog. Sie führen neben anerkannten Mystikern zahlreiche 'gewöhnliche' Menschen dieses Jahrhunderts auf, von denen die meisten befürchteten, bloß aufgrund ihrer Initialen erkannt zu werden. Einige der Erfahrungen wurden Romanen oder romanhaften Biographien entnommen. Während sie gleichzeitig die ekstatische Schönheit in der Sprache der Mystiker übermitteln, neigen sie auch dazu, Antworten für eine umfassende Deutung zu liefern.

Drei Beschreibungen der Glückseligkeit

Betrachtet man allein die Berichte über mystische Erfahrungen aus erster Hand, wie jene, die das Thema dieser Untersuchung darstellen, so setzt dies einen historischen Standpunkt voraus. Betrachten wir zum Beispiel die folgenden drei aufrichtigen und mühevollen Bestrebungen, die Unmittelbarkeit dieses Ereignisses zu beschreiben – eines im Mittelalter durch die Wirkung der Offenbarung Gottes, eines der kurz zurückliegenden Vergangenheit, das die Empfindung liebevoller Einheit mit der gesamten Menschheit ausdrückt und eines der Gegenwart, wo man durch die Erfahrung die ureigenste Essenz der natürlichen Welt wahrnimmt und sich mit ihr identifiziert.

Die erste Erfahrung betrifft Angela von Foligno (1248 - 1309), die einem weltlichen Leben den Rücken kehrte, um bei einem Franziskanerorden Einsiedlerin zu werden. *„Die Augen meiner Seele öffneten sich, und ich erkannte die Fülle Gottes, durch die ich die ganze Welt verstand, hier und jenseits des Meeres, die Unterwelt, den Ozean, alles. In allen diesen Dingen erkannte ich nichts anderes als die göttliche Macht auf eine Weise, die sich nicht beschreiben läßt. Meine Seele floß über vor Ver-*

wunderung und rief mit lauter Stimme aus: "Die ganze Welt ist von Gott erfüllt."
Und in einem anderen Auszug: *"Ich schaute etwas, das unbeschreiblich war, und mehr vermag ich nicht zu sagen außer dem, was ich schon oft gesagt habe, nämlich daß alles gut war. Obgleich meine Seele keine Liebe sah, war sie von einer unaussprechlichen Freude erfüllt, als sie jenes erblickte, und sie wurde aus dem Zustand, in dem sie sich befand herausgehoben und in jenen großen und erhabenen Zustand versetzt. Doch wenn Sie wissen wollen, was ich sah, vermag ich keine Worte zu finden, außer daß ich Fülle und Klarheit wahrnahm und sie in mir so überreichlich verspürte, daß ich es nicht zu beschreiben noch ein Bild davon zu vermitteln vermag, denn was ich wahrnahm, war nicht körperlich, sondern als ob es im Himmel wäre. Ich erblickte so große Schönheit, daß ich nichts darüber zu sagen vermag, außer daß ich die höchste Schönheit schaute, die in sich alles Gute enthält."*
Die zweite Erfahrung widerfuhr dem indischen Poeten Rabindranath Tagore (1861-1941), während er den Sonnenaufgang über Baumwipfeln in Kalkutta beobachtete. Er berichtete sie seinem Freund C.F. Andrews, der in seiner Sammlung von Briefen dieses Zeugnis aufbewahrte:
„Während ich den Sonnenaufgang beobachtete, schien sich plötzlich ein Schleier von meinen Augen zu heben. Ich fand die Welt in unbeschreiblicher Herrlichkeit gehüllt, mit ihren Wellen der Freude und Schönheit, die sich überall brachen. Die dichte Wolke der Sorge, die oft auf meinem Herzen lag, wurde vom Licht der Welt durchbrochen, das überall leuchtete ...
Es gab nichts und niemanden, die ich in jenem Augenblick nicht liebte ... Ich stand auf der Veranda und beobachtete die Kulis, die die Straße entlang eilten. Ihre Bewegungen, ihre Gestalt, ihre Mienen erschienen mir seltsam wunderbar, als ob sie sich wie Wellen im großen Ozean der Welt bewegten. Als einer der jungen Männer seine Hand auf die Schulter eines anderen legte, war dies ein bemerkenswertes Ereignis für mich ... Ich schien in der Ganzheit meiner Vision Zeuge der Bewegungen des Körpers der ganzen Menschheit zu werden und den Takt der Musik und den Rhythmus des mystischen Tanzes zu spüren."

Die dritte Erfahrung entstammt der Gegenwart und wurde Derek Gibson im Alter von sechsundvierzig Jahren zuteil." Gibson charakterisiert sich selbst als einen ernsten, suchenden Menschen. Er arbeitete für eine Firma am Rande von Portsmouth und fuhr jeden Morgen mit dem Motorrad zur Arbeit. Eines Tages war er auf der üblichen Route unterwegs, als ihm seine erste Begegnung mit dem Transzendenten widerfuhr.

„Auf der Straße gab es absolut keinen Verkehr, und es waren auch keine Menschen zu sehen. Ich hatte die Geschwindigkeit herabgesetzt, um um eine Ecke zu biegen, als ich zunächst bemerkte, daß der Ton des Motors meines Motorrades zu einem Summen wurde. Ich dachte, etwas stimme nicht und sah nach unten. Der Rhythmus des Motors war trotzdem normal, und ich blickte wieder auf. Ich stellte fest, wie schön der Morgen sei (obgleich alles in Halbdunkel gehüllt war).

Dann veränderte sich plötzlich meine Umwelt. Ich vermochte alles so klar zu erkennen wie zuvor – Form und Substanz – doch anstatt alles zu betrachten, sah ich in alles hinein. Ich sah hinter die Rinde der Bäume und durch die Stämme. Ich blickte ebenfalls ins Gras hinein, und alles war voller Herrlichkeit, die über alles Maß hinausreicht. In welcher Intensität vermochte ich sich bewegende, mikroskopische Organismen wahrzunehmen. Ich sah es nicht nur, sondern war sprichwörtlich in allem. Während ich in die Masse des Grüns hineinblickte, war ich mir gleichzeitig jedes einzelnen Grashalmes, jedes Baumes bewußt, so als ob jeder von ihnen vor mir stehen würde und ich mich in sein Inneres hineinbegeben hätte.

Meine Welt wurde zu einem Märchenland lebhafter Grün- und Brauntöne, von Farben, die ich eher fühlte anstatt sah. Im gleichen Moment beobachtete mein Geist nicht nur, sondern erlebte alles, was er feststellte. "Ich" existierte nicht. Macht und Wissen durchfluteten meinen Geist. Worte formten sich in mir. Ich erinnere mich deutlich an das "jetzt weiß ich". " Es gibt nichts, das ich nicht zu beantworten vermag. Ich bin Teil all dessen". Ich sah zum Himmel auf und erblickte das schönste Sternenlicht, das ich jemals gesehen hatte. Am Himmel standen vollkommen funkelnde Sterne, größer als sonst und so

nah, daß ich unter ihnen gewesen wäre, hätte es nicht das Gras und die Bäume gegeben. Wieder bildeten sich die Wörter "du weißt, du weißt".
Jetzt begann ein zweites Wunder. Die vollkommene Empfindung von Frieden und Freude überwältigte mich. Ich verlor jedes Gefühl für mein "ich". Ich besaß Identität, doch es war nicht so wie ich mich selbst sehe. Ich war Teil dessen, was ich vor mir sah, und ich war nicht allein. Es gab eine unsichtbare "Wesenheit", derer sich meine Sinne bewußt waren.
Dann stellte ich fest, wie alle Empfindungen langsam verblaßten. Der Klang des Motors wurde immer vernehmbarer, bis ich mich fast so wie immer fühlte, jedoch ein Gefühl von Leichtigkeit im Kopf verspürte.

Das Geschehene umgab mich den ganzen Tag. In Gedanken versuchte ich alles wiederauferstehen zu lassen. Noch nach Wochen wunderte ich mich darüber, doch ich war nicht bestrebt, es zu ergründen, sondern erfreute mich daran. Zwei- oder dreimal in dieser Zeit gelang es mir schwach, das Gefühl jenes Friedens wiederzugewinnen.
Diese Erfahrungen "des Friedens und der Freude" können jederzeit und überall eintreten, doch vollziehen sie sich gewöhnlich draußen im Freien. Da ist jenes herrliche Gefühl, aus mir selbst gehoben und Teil alles dessen um mich herum zu werden. Ich habe keinerlei weitere Visionen oder Röntgenaugen erlebt, wie dies 1969 der Fall war. Mein Geist füllt sich einfach mit Frieden und Glück und verliert das Gefühl der Eigenheit. Ich bin einfach nicht mehr "ich". Ich bin Teil der Luft um mich. Es ist, als ob ich "dort oben" am Himmel wäre. "Von draußen nach innen schauen und von innen nach außen". Wie können Worte solche Dinge übermitteln. Ich kann nur versuchen, sie so gut wie möglich zu beschreiben."

Bei den Erfahrungen der Mystiker verschiedener Zeiten und Kulturen scheinen die Unterschiede nur noch die Ähnlichkeiten zu betonen. Soll man immer noch glauben, daß Mystiker über seltene und besondere Qualitäten verfügen? Stirbt die mystische Erfahrung zusammen mit dem charismatischen Element aus oder nimmt sie zu? Oder ist sie immer weit verbreitet gewesen, schweigsam durch eine

Verschwörung des Unbehagens? Bestand Angst vor Lächerlichkeit, wenn man für unkontrollierte Höhenflüge über das Normale und die Realität hinaus empfänglich war?
Vor einigen Jahren begann die Idee der Erforschung des Themas, so wie es sich heutzutage darbietet, in Form von Untersuchungen hier und dort an die Oberfläche zu dringen. Vielleicht jedoch fehlt bei den folgenden statistischen Erhebungen einiges.

II. Kapitel

Erforschung der Glückseligkeit

Moderne wissenschaftliche Forschungs- und Überprüfungsmethoden

"... das nationale Beispiel mag den einzigen Weg darstellen, mit der Studie mystischer Erfahrung in der modernen Gesellschaft zu beginnen." – Andrew M. Greeley und William C. McCready (New York Times Magazine, 1975)

In den vielen nachfolgenden Jahren, die sich Richard Buckes Pionierarbeit anschlossen, nahm die Erforschung des Themas der mystischen Erfahrung einen langen und abweichenden Weg. Da es sich um eine in sich geschlossene Wissenschaft handelte, war es sicherer, solche vagen und verdächtigen Studien der Religionspsychologie zu überlassen, die nachforschte, warum Menschen zur Kirche gingen oder ihr fernblieben, an Gott glaubten oder nicht glaubten, warum sie überhaupt Gott oder den Glauben brauchten. Es bestand eine zugrundeliegende Neigung für die Freudschen Anschauungen und gegen die Normalität jener, die mit "dem Göttlichen" vertraut waren. Das Klima der sechziger Jahre, mit seiner Loslösung von konventionellen Starrheiten, erwies sich dagegen als günstiger. Die mystische Erfahrung rückte unter dem Mäntelchen einer etwas achtbareren Untersuchung ins "Bewußtsein" und zurück in den Mittelpunkt. Die Erhältlichkeit von "bewußtseinserweiternden" Drogen, und die Verbreitung der Meditation im Westen durch Meister aus dem Osten führten zu einem weitverbreiteten Interesse an "Innenräumen". In einem solchen Rahmen wurde die Offenkundigkeit eines möglichen spirituellen Lebensinhaltes zulässig – eines Lebensinhaltes, der sich einwandfrei in die Bereiche von Meßgeräten, Tests, Erhebungen und Untersuchungen einfügen ließ.

Der Ausdruck “mystische Erfahrung” wurde immer noch vermieden. “Ekstase” oder “transzendente Erfahrung” hießen die Worte, die Marghanita Laski in ihrem gut aufgenommenen Buch “Ecstasy, A Study of Some Secular and Religious Experiences” (1961) verwandte. “Gipfelerfahrung” lautete der Ausdruck, den Abraham Maslow in “Religions, Values and Peak Experiences” (1964) benutzte, um das zu beschreiben, was er als den “Selbstverwirklichungsprozeß” bezeichnete, dessen Pionier er in Amerika wurde. Er beobachtete, daß die “Gipfelerlebnisse” für einige Menschen von höchstem therapeutischen Wert waren, und bei anderen veränderte sich für immer die gesamte Lebenseinstellung durch einen großen Augenblick des Einblickes, der Inspiration oder Verwandlung.
Zusammen mit der “Bewußtseinserforschung” und anderen psychologischen Annäherungen, die man immer noch im Rahmen der Religion zusammenfaßte, entstand ein zunehmendes theoretisches Interesse am statistischen Element religiöser Erfahrung. Wie viele Menschen in einer repräsentativen Bevölkerungsschicht machten diese Erfahrungen? Wie sahen diese Erfahrungen aus? Wie lange dauerten sie? Wie häufig traten sie auf? In welchem Alter? Worin bestand ihre anschließende Wirkung?

1969 entschied Sir Alister Hardy, es wäre an der Zeit eine systematische Erforschung zu betreiben. Mit der Einrichtung seiner Religious Experience Research Unit (RERU) am Manchester College, Oxford, begann die groß angelegte Untersuchung eines nicht wissenschaftlichen, rein subjektiven Phänomens mit den Methoden und der Objektivität der Wissenschaft.
Sir Alisters Ziel bestand darin, fünftausend Beispiele über die spontanen religiösen Erfahrungen gewöhnlicher Menschen zu sammeln (womit weniger jene Erfahrung gemeint war, die durch bewußt-

seinserweiternde Drogen hervorgerufen wurde), indem er ihnen vollständige Anonymität zusicherte. Sie brauchten nur ihre Erfahrungen zu schildern und sie an RERU zu senden. Zuerst ließ er seinen Aufruf in religiösen Schriften veröffentlichen, und er war enttäuscht, als nur zweihundertfünfzig Antworten eingingen, doch später wurde er von verschiedenen führenden Zeitungen befragt und schrieb Artikel über seine Untersuchungen, was zu zahlreichen Antworten führte.

Die Zusendungen über die Erfahrungen nahmen allmählich zu, wurden verglichen, kategorisiert und sorgfältig studiert. Sir Alister wurde von einer Anzahl qualifizierter Akademiker unterstützt, die ein besonderes Interesse am Endergebnis einer solchen Studie besaßen. Einige von ihnen unternahmen später ausführliche Untersuchungen über verwandte Themen – viel darüber enthält Sir Alisters Buch "The Spiritual Nature of Man" (1979).

Die ersten tausend Zuschriften erwiesen sich als enttäuschend. Es gab eine Überschneidung der Inhalte, was mehr Fragen erhob anstatt Antworten zu erbringen und bewirkte eine verwirrende Komplexität der Klassifikation. Da es sich um persönliche und heikle Fragen handelte, wollte Sir Alister die Leute nicht darum bitten ein Formular auszufüllen, doch jetzt, im zweiten Stadium der Untersuchungen, meinte er, es könnte notwendig werden.

Es wurde ein Fragebogen von ihm und seinen Mitarbeitern entworfen und an jene verschickt, die ihm bereits einen Bericht über ihre religiöse Erfahrung zugesandt hatten. Ihre Antwort erbrachte eine hilfreiche, doch begrenzte Klärung.
"The Spiritual Nature of Man" verleiht eine Übersicht über die ersten acht Schaffensjahre der Gesellschaft, wo Sir Alister zwölf Hauptaufteilungen und Unterteilungen der verschiedenen Punkte vornimmt, die er in den ersten dreitausend Berichten über tiefe reli-

giöse Erfahrungen findet; diese Punkte bilden nach seinen eigenen Worten eine Beitragsstudie zu diesem bedeutenden, doch noch so wenig verstandenen Thema. Die Zahlen jeder Kategorie stehen für das Durchschnittsvorkommen pro Tausend jedes einzelnen Punktes in den insgesamt dreitausend Berichten.

1. Sensorische oder fast sensorische Erfahrung: visuell
   (a) Visionen (181.3)
   (b) Erleuchtung (45)
   (c) Ein besonderes Licht (88)
   (d) Gefühl der Einheit mit der Umgebung und/oder mit anderen Menschen (59.3)
   (e) Austreten aus dem Körper (59.7)
   (f) Déjà vu (53)
   (g) Transformation der Umgebung (24.3)

2. Sensorische oder fast sensorische Erfahrung: auditiv
   (a) Stimmen, "beruhigend" (73.7)
   (b) Stimmen, "führend" (70)
   (c) Verwendung als Medium, Kanal (31)
   (d) Musik und andere Klänge (23)

3. Sensorische oder fast sensorische Erfahrung: Berührung
   (a) Heilung (15.3)
   (b) Trost (29)
   (c) Gefühle der Wärme (53.7)
   (d) Schock (18.3)
   (e) Führung (5.3)

4. Sensorische oder fast sensorische Erfahrung: Geruch

5. Angenommene außersensorische Wahrnehmung:
   (a) Telepathie (36.7)

(b) Vorahnung (69.3)
(c) Hellsicht (15.3)
(d) Wahrscheinlicher Kontakt mit den Toten (79.7)
(e) Erscheinungen (34)

6. Verhaltensänderungen: übermenschliche Kräfte, die dem Menschen zuteil werden:
   (a) Tröstende und führende Eigenschaften (27)
   (b) Heilen (34.3)
   (c) Exorzismus (3.7)
   (d) Heldenhaftigkeit (6.3)

7. Kognitive und affektive Punkte
   (a) Empfinden von Sicherheit, Schutz, Frieden (253)
   (b) Empfinden von Freude, Glück, Wohlbefinden (212)
   (c) Empfinden einer inneren Stärke (65)
   (d) Empfinden von Führung, Inspiration, Berufung (157.7)
   (e) Ehrfurcht, Ehrerbietung (66)
   (f) Empfinden von Sicherheit, Klarheit, Erleuchtung (194.7)
   (g) Emporgehobensein, Erregung, Ekstase (47.3)
   (h) Unfähigkeit, das Erlebte in Worte zu fassen (25.3)
   (i) Empfinden von Harmonie, Ordnung, Einheit (66.4)
   (j) Gefühl der Zeitlosigkeit (37.7)
   (k) Gefühl der Liebe, Zuneigung (56.7)
   (l) Sehnsucht, Verlangen, Nostalgie (14.3)
   (m) Empfinden von Vergebung, Heilung, Erneuerung (40)
   (n) Gefühl der Integration, Ganzheit, Erfüllung (12.7)
   (o) Hoffnung, Optimismus (15.3)
   (p) Befreiung von der Angst vor dem Tode (36.3)
   (q) Schreck, Angst (41.7)
   (r) Gewissensbisse, Schuldgefühle (23.7)
   (s) Gefühl der Loslösung (11.3)
   (t) Erkennen eines Sinnes hinter den Geschehnissen (113.7)

(u) Antwort auf Gebete (138.3)
(v) Empfindungen der Anwesenheit höherer Wesen (202.3)

8. Entwicklung der Erfahrung
(i) Beim Einzelnen
(a) Ständige Verfassung: wenig oder keine Entwicklung (1.3)
(b) Allmähliches Bewußtseinswachstum: mehr oder weniger fortgesetzt (91.3)
(c) Plötzliche Veränderung zu einem neuen Bewußtsein, Umwandlung, der "Augenblick der Wahrheit" (175.3)
(d) Besondere Erfahrungen, es wird von keinem Wachstum berichtet (13.7)
(e) Besondere Erfahrungen, von denen jede zur Bewußtseinserweiterung beiträgt (145.7)

(ii) In Beziehung zu anderen
(k) Identifizierung mit dem idealen Menschen, Schülerschaft, Heldenverehrung (6)
(l) Entwicklung durch persönliche Begegnungen (113)
(m) Teilnahme am kirchlichen oder sozialen Leben (297)
(n) Entwicklung durch Kontakt mit der Literatur und den Künsten (117.7)
(o) Sehr wesentliche Erfahrung durch Isolation von anderen Menschen oder Abweisung durch andere (27)

(iii) Zeiten bedeutender Entwicklung
(r) In der Kindheit (117.7)
(s) In der Jugend (123.7)
(t) Im mittleren Alter (70.3)
(u) Im Alter (7.7)

9. Dynamische Erfahrungsmuster

(i) Positive oder konstruktive

(a) Die Initiative über das eigene Selbst hinauszugehen, Gnade (12)
(b) Veranlassung, im Selbst zu ruhen, Antwort aus dem Jenseits, beantwortete Gebete (322.7)
(c) Einweihung und Antwort, die innerlich verspürt werden, "Selbstverwirklichung" (Maslow) (4.7)
(d) Unterscheidung zwischen Einweihung und Antwort als Illusion, Verschmelzung des Selbst mit dem All, Einheitserfahrung (22.3)

(ii) Negative oder zerstörerische

(m) Empfinden, als ob eine äußere böse Kraft die Führung hätte (44.7)

10. Traumerfahrungen

11. Erfahrungsauslöser

(i) (a) Schönheit der Natur (127.7)
(b) Heilige Orte (26)
(c) Teilnahme am Gottesdienst (117.7)
(d) Gebet, Meditation (135.7)
(e) Musik (56.7)
(f) Visuelle Kunst (24.7)
(g) Literatur, Drama, Film (82)
(h) Kreative Arbeit (20.7)
(i) Physische Aktivität (9.7)
(j) Erholung (16.7)
(k) Sexuelle Beziehung (4)
(l) Glücklichsein (7.3)
(m) Depression, Verzweiflung (183.7)
(n) Krankheit (80)
(o) Geburt (8.7)

(p) Todesnähe (15.3)
(q) Der Tod anderer (28)
(r) Krisen in persönlichen Beziehungen (37.3)
(s) Schweigen, Einsamkeit (15.3)

(ii). (w) Drogen: betäubend (10)
(x) Drogen: psychedelisch (6.7)

12. Konsequenzen der Erfahrung
(a) Gewinn eines neuen Lebenssinnes (184.7)
(b) Veränderung des religiösen Glaubens (38.7)
(c) Veränderung der Haltung und Einstellung gegenüber anderen (77)

Sir Alister fährt fort und erklärt im Einzelnen die subtilen Punkte dieser weitreichenden Vielfalt innerer Erfahrungen, von der bis zu einem gewissen Maß viel mit der gegenwärtigen Untersuchung in Zusammenhang steht. Aus diesem Grund finden wir die Hauptabteilungen und Unterabteilungen, um die es in unserer Studie der Glückseligkeitserfahrung geht; sowie sich darauf beziehende Komponenten unter Punkt 7 "Kognitive und affektive Elemente".
Während es selbst in dieser Kategorie Überschneidungen gibt, sind jedoch niemals grundsätzliche Widersprüche vorhanden; die Erfahrung bringt nicht nur überwältigendes Entzücken, ist unverwechselbar, sondern ist überdies weder an Zeit, Raum, einen Menschen noch irgendwelche andere Dinge gebunden. Gemäß Sir Alister erscheinen die "kognitiven" Augenblicke der Freude in 636 von 3000 Berichten; das sind mehr als 21 % der eingesandten Berichte.

Seit diesem bemerkenswerten Versuch der statistischen Klassifizierung, von der Sir Alister meint, sie sei nur ein Anfang, hat sich eine quantitative Erforschung verschiedener Zweige des Hauptstammes

entwickelt, wobei der Fragebogen diese oder jene Bedeutung der religiösen Erfahrung in einer zunehmenden Annäherung an die tiefsten Wurzeln des Baumes selbst erfaßt.
Im Jahre 1974 erzielten in Amerika zwei Forscher, Andrew Greeley und William McCready vom National Opinion Research Center, an der Universität von Chicago zwei unterschiedliche Ergebnisse im Vergleich zu denen von Richard Bucke vor siebzig Jahren. Während Bucke sich nur mit fünfzig Personen in der gesamten Geschichte befaßt hatte, die jemals "kosmisches Bewußtsein" erfahren hatten, stellten Andrew Greeley und William McCready bei einer nationalen Erhebung unter eintausendfünfhundert Personen fest, daß ungefähr sechshundert berichteten, wenigstens einmal eine mystische Erfahrung gehabt zu haben, dreihundert hatten solches mehrere Male erlebt und fünfundsiebzig oft; mit anderen Worten, mehr als drei von zehn Amerikanern (35 %)!
Dies bedeutete eine ziemliche Überraschung für die Forscher, die selbst "durch und durch unmystisch" waren, von Neugier motiviert und denen es gelungen war, einigen Fragen über mystische Erfahrungen in einer Repräsentativumfrage über die "grundlegenden Werte" von eintausendfünfhundert amerikanischen Erwachsenen Platz einzuräumen. Sie wollten nur wissen, wieviele Menschen eine solche Erfahrung gemacht hatten und welche Wirkung diese Erfahrung bei ihnen hinterlassen hatte. Sie hatten sich dabei für die Frage entschieden: "Haben Sie sich jemals einer mächtigen spirituellen Kraft sehr nahe gefühlt, die Sie über sich selbst hinaus zu erheben schien?"

Da ihnen die Zeit und das Geld fehlte, um ihre Untersuchungen auf weitere Einzelheiten auszudehnen, legten die Forscher den Teilnehmern zwei Fragebögen zur Beantwortung vor. Ein Bogen enthielt mögliche Ursachen, durch die die Erfahrung "ausgelöst" worden war ("der Auslösefaktor" ist ein Ausdruck, der von Marghanita Laski in ihrem Buch "Ecstasy" geprägt wurde, um die Umstände

oder das Gefühl zu beschreiben, die die Erfahrung auszulösen scheinen). Der andere Boden enthielt Vorschläge darüber, wie die Erfahrung verlaufen war.
Die Antworten gaben zu erkennen, daß die richtigen Fragen gewählt worden waren: "ich erlebte ein Gefühl, das ich nicht zu beschreiben vermag", "die Empfindungen, daß meine Persönlichkeit von etwas viel Mächtigerem als ich es bin ergriffen wurde", "das Empfinden eines neuen Lebens oder des Lebens in einer neuen Welt"; diese Aussagen vereinigten sich zu einem so klaren Muster, daß die Forscher sie als "doppelten Faktor" bezeichneten.

Ohne Mittel des sicheren Beweises, daß ein so wesentlicher Teil der amerikanischen Bevölkerung "Mystiker" waren, mußte man eine Beurteilung und weitere Analyse der Antworten aufschieben:
"Wer sind diejenigen, die mystische Erfahrungen machen?" fragten sie. Es war wahrscheinlich, 30- oder 40-jährige würden eher darüber berichten als jüngere oder ältere Menschen. Protestanten würden eher davon erzählen als Juden und Juden bereitwilliger als Katholiken (eine weitere Aufschlüsselung dieser Kategorie gab zu erkennen, unter den Gläubigen der Episkopalkirche, die zur protestantischen Kirche gehört, waren häufiger Mystiker zu finden als bei den Fundamentalisten). Schließlich gehörten vor allem die Iren – sowohl Protestanten als auch Katholiken – eher zu den "Mystikern" als alle anderen Gruppen.

"Was sind es für Menschen, denen solche Erfahrungen oft zuteil werden?" Es schien, als seien sie unverhältnismäßig oft männlichen Geschlechtes, farbig, mit Hochschulbildung, einem Jahreseinkommen über der 10.000 Dollar-Grenze und dem protestantischen Glauben angehörend.

Diese Menschen gehörten nicht zu den sozial oder wirtschaftlich Benachteiligten, und selbst die Farbigen gehörten nicht zu den Armen, sondern besaßen Hochschulbildung. Auch ihr sozialer Hintergrund war nicht gerade als unglücklich zu bezeichnen; sie entstammten Familien, die einen engen Bezug oder eine enge Verbindung zur Religion hatten. Obgleich keine Möglichkeit bestand, komplexe Persönlichkeitstests oder in die Tiefe gehende Befragungen durchzuführen, verwandten die Forscher die "Psychological Well Being Scale" (psychologische Wohlbefindensskala), die von Professor Norman Bradburn (vom National Opinion Research Center) entwickelt worden war. Das Resultat 40 entsprach der höchsten Wechselbeziehung zwischen häufigen ekstatischen Zuständen und psychischem Wohlbefinden, das Professor Bradburn jemals auf dieser Skala erzielt hatte.

Nach weiteren Zufallsbefragungen anderer Forscher, Studenten und Kollegen, die jetzt ebenfalls bereit waren, von ihren eigenen mystischen Erfahrungen zu berichten, kamen Andrew Greeley und William McCready zu gewissen Schlüssen. Es gab weitaus mehr Mystiker als man jemals vermutet hätte; diese Tatsache sollte eingehender untersucht werden. Darüber hinaus hatten sie nur Mutmaßungen anzubieten (ihre Ansichten finden wir in der Zusammenfassung dieses Kapitels).

Einige Jahre später (1978) wurden weitere zahlenmäßige Erhebungen über religiöse Erfahrungen in Großbritannien durchgeführt. David Hay, ein Zoologe, der ein beständiges Interesse an der Religion als biologischem und kulturellem Phänomen besaß und mit Sir Alister Hardys RERU in Verbindung stand, führte zwei Untersuchungen in Zusammenarbeit mit Ann Morisy, einer Soziologin, durch.

Eine davon gründete sich auf Fragen, die einer landesweiten Standarderhebung entnommen wurden, die vom National Opinion Polls durchgeführt wurde und bei der man 1865 Personen (853 Männer und 1012 Frauen) bat, Fragen über religiöse Erfahrungen zu beantworten. Die andere Untersuchung gründete sich auf persönliche und tiefgehende Fragen, indem diskrete Befragungen bei zufällig gewählten Personen in und um Nottingham eingesetzt wurden. Diese Ergänzungsfragen, die in beträchtlichem Umfang veröffentlicht und im Fernsehen Großbritanniens gesendet wurden, erbrachten ein ähnliches Ergebnis wie es Andrew Greeley und William McCready erzielten. 36 % der britischen Bevölkerung erlebte eine Erfahrung oder mehrere Erfahrungen mystischer Natur.

In seinem Buch "Exploring Inner Space" (1982) hat sich David Hay seitdem eingehend mit den vielen Aspekten dieser Studie beschäftigt und kommt zu den gleichen Schlüssen wie die amerikanischen Forscher, wobei er seine eigenen Interpretationen und Vorurteile zugunsten des objektiven Beweises einschränkt, daß mehr Menschen mystische Erfahrungen machen als es bis jetzt offensichtlich wurde und detailliertere Untersuchungen erforderlich sind.
"Ich zweifle sehr am Aussterben der Religion", äußerte er sich. "Das Bewußtsein, aus dem sie erwächst, ist zu weitverbreitet. Gefährlicher, da auch wahrscheinlicher, ist es, daß sie vom Hauptstrom des modernen Lebens isoliert bleibt. Menschliche Realitäten, die vollkommen ignoriert werden, neigen dazu, wie Freud andeutete, bizarre und fanatische Formen anzunehmen. Wir sollten aufgeschlossener unser religiöses Bewußtsein pflegen, damit letztlich seine Konstruktivität und Kreativität zum Segen der Menschheit gereicht."

Bericht von der Gruppe für Zukunftspsychiatrie

> "Erfahrung mag als untauglich und verrückt oder als gültig und mystisch eingestuft werden. Die Unterscheidung ist nicht leicht." – R.D. Laing, The Politics of Consciousness

In unserem Jahrhundert reduzierte allmählich zuerst die Psychoanalyse, dann die Psychiatrie, die Geist-Körper-Beziehung des Menschen auf ein Wechselspiel der unbewußten, unterbewußten und bewußten Aspekte seines Seins. Alles, das nicht der rationalen, wahrnehmbaren, 'normalen' Realität entsprach, wurde in verschiedenen Abstufungen als mentale Unausgeglichenheit klassifiziert und kategorisiert, was sich von der leichten Neurose bis zur Psychose erstreckte. Die Ursachen wurden auf die Kindheit zurückgeführt, und die Heilung bestand darin, indem man die Kranken dazu brachte, jene traumatischen, verletzenden Ereignisse erneut zu erleben und sich von ihnen zu befreien, wonach sie sich besser und wirksamer an die Realität der "Welt wie sie ist" anpassen würden.

Die mystische Erfahrung fiel fast ganz unter den Tisch, da sie zu den verdächtigsten aller Symptome gehörte, so daß selbst jene, die sie erfuhren und keine weiteren offensichtlichen Zeichen von Labilität aufwiesen, sich selbst verdächtigten. Sie zogen es vor, falls 'es' doch wahr war, darüber zu schweigen, daß sie Halluzinationen hatten, hysterisch reagierten, sich dem Erwachsensein entzogen, Regressionen zum Mutterleib oder verräterische Anzeichen einer der furchtbaren Geisteskrankheiten zeigten. Denn wurden letztendlich nicht auch die Heiligen des Altertums heutzutage als an Paranoia, Schizophrenie oder manischen Depressionen leidend diagnostiziert und die meisten Mystiker als unter der einen oder anderen Form des Masochismus oder der religiösen Manie leidend eingestuft? Selbst die Mystik wurde unter der Überschrift der "wissenschaftlichen Ignoranz" weggesteckt und abgelegt.

So selbstverständlich es am Anfang oder in der Mitte dieses Jahrhunderts erschienen wäre, war es in den Siebziger Jahren doch bemerkenswert, daß ein Kommitee von Psychiatern eine Untersuchung zum Phänomen der mystischen Erfahrung durchführte und zu den gleichen Schlüssen kam.
In ihrem Bericht "Mysticism: Spiritual Quest or Psychic Disorder" (USA, 1976) war die Gruppe für Zukunftspsychiatrie zunächst bestrebt, die subtile Trennungslinie zwischen mystischer Erfahrung

und mentaler Störung zu definieren, indem sie nichtpsychiatrische Definitionen zur Mystik und Charakteristika der mystischen Erfahrung vorlegte und dabei die verschiedenen Kategorien, Stufen und Phasen, angefangen bei den allgemeinsten Aspekten bis zum mehr oder weniger typischen Verlauf, den man auch den "mystischen Weg" (Evelyn Underhills Ausdruck) nannte, der zu religiöser Umwandlung führt, kategorisierte und beschrieb.
Der Bericht umfaßte ebenfalls die verschiedenen Interpretationen der Mystiker über ihre ehrfurchtgebietenden Erfahrungen, die Tatsache, daß einige "das Übernatürliche" als etwas Persönliches betrachten und von einer "spirituellen Heirat zwischen Gott und der Seele" (Theresa von Jesus) sprechen, während andere sie als Aufruf verstehen, aus ihrer Zurückgezogenheit zum religiösen Führer aufzusteigen, mit der Pflicht, die Welt zu retten. Der Bericht erwähnt auch, daß die Juden von einem "Anhängen an Gott" sprechen anstatt mit ihm zu verschmelzen und faßt das Abstrakte der Mystik mit einem kurzen Bezug auf die Mystik des Ostens zusammen, die "auf einem anderen Schritt auf dem mystischen Pfad beharrt: der totalen Auflösung des Selbst und seinem Eingehen ins Ewige, wie es als achte Stufe der Entwicklung bei den Sufis und im Nirvana der Buddhisten zum Ausdruck kommt."

Ein Versuch, die Probleme der Gruppe zu analysieren, indem man einen entsprechenden Bericht verfaßte, gestaltete sich aufgrund der verschiedenen Standpunkte der einzelnen Mitglieder als schwierig. Er lautete wie folgt:
„Die Unfähigkeit des Kommitees, eine genaue Unterscheidung zwischen einem mystischen und einem psychopathologischen Zustand zu treffen, mag wenigstens teilweise auf fundamentale theoretische Probleme in der Psychiatrie zurückzuführen sein. Die vielen Arten, auf die menschliches Verhalten und Denken verstanden werden kann, lassen zahlreiche Ansichten möglich erscheinen. Zum Beispiel gibt es jene, die zarte Linien zwischen den verschiedenen psy-

chiatrischen Diagnosen als belanglos erachten und die Schizophrenie als eine Manifestation zu einer besseren Anpassung verstehen. Die Pathologie mag das Wesen von – die Methode der Lösung von – Konflikten bei jemandem enthüllen, der vor geistiger Gesundheit nur so strotzt, während das Denken und Verhalten des geistig gestörtesten Patienten als Weg zu seinem Wohlbefinden aufgefaßt wird. Deswegen dürfen wir nicht erwarten, fähig zu sein Übereinstimmung darin zu erreichen, Mystik von Geisteskrankheit zu unterscheiden. Von einem gewissen Standpunkt aus betrachtet, dürfen alle mystischen Erfahrungen als Symptome mentaler Störung angesehen werden und von einem anderen aus als Anpassungsversuche. Wir hätten mit unserer psychoanalytischen Auslegung weitergehen können, gab der Bericht zu, hätten Vorsicht oder mangelnde Übereinstimmung uns nicht zurückgehalten. Zum Beispiel hättenwir unsere Diskussion über Kindheitserlebnisse ausweiten können, die zu einer Neigung des Erwachsenen zur Mystik beitragen. Um ein Beispiel aufzuführen, hätten wir uns über den Zusammenhang zwischen der Entwicklung von Ehrfurcht in der Kindheit und mystischen Zuständen im Erwachsenenalter ergehen können. Die heilige Katharina von Siena war eine Mystikerin, die berichtete, ausgeprägteste Gefühle der Ehrfurcht im Alter von fünf Jahren entwickelt zu haben, als sie den Herrn "im heiligsten und ehrfurchtgebietendsten Gewand, das man sich nur vorzustellen vermag" über der Kirche San Domenica von Siena erblickte. Phyllis Greenacre nahm in ihrem Werk "The Psychoanalytic Study of the Child" (1956) an, daß Kindheitsgefühle der Ehrfurcht und Religiosität sich oft von der Ehrfurcht vor dem Phallus ableiten. Beim Mädchen entsteht eher Ehrfurcht, wenn das Kind den Phallus des Erwachsenen sähe anstatt den des Knaben."

Die Ähnlichkeit zwischen den Wirkungen des kreativen Prozesses und jenen der mystischen Erfahrung stellte ein weiteres Thema des Berichtes dar. Gemäß der analytischen Psychologie von C.G. Jung,

die eine engere Verbindung zum mystischen Element beim Menschen entsprechend seinem Konzept der Archetypen und des kollektiven Unterbewußtseins besitzt, bezog sich GAP auf eine Erörterung über die Mystik Jungs von Erich Neumann (in "The Mystic Vision: Papers from the Eranos Yearsbook", 1968).
Nach Meinung dieses Schriftstellers ist C.G. Jungs Sicht des Menschen die eines "Homo mysticus", wobei mystische Phänomene zur Persönlichkeitsentwicklung beitragen, was wesentlich für den kreativen Prozeß ist. Mystische Erfahrungen sind nicht nur theistisch, extrovertiert und introvertiert, sondern "lassen Liebe entstehen, künstlerische Schöpferkraft, große Ideen und Selbsttäuschungen."

Indem er mit Sigmund Freud darin übereinstimmte, daß "Projektion" eine Rolle bei der mystischen Erfahrung spielt, glaubte Erich Neumann, daß viele Analytiker, indem sie es versäumten "die wesentliche Bedeutung der Archetypen und des kollektiven Unterbewußtseins" zu erkennen, zu Interpretationen gelangten, die "reduktionistisch und personalistisch waren ..." Denn die Mystik ist dem Menschen angeboren und jede mystische Erfahrung (oder, mit den Worten Jungs, jede Begegnung zwischen dem Ego und dem Göttlichen) verändert seine Persönlichkeit und – was noch wichtiger ist – "die Entwicklung der natürlichen Phasen des Menschen mit ihren archetypischen Begegnungen verleiht der Entwicklung des Menschen eine mystische Prägung, selbst wenn er sich dessen nicht bewußt ist."
Für die Psychiater sind mystische Phänomene von Interesse, da sie Verhaltensformen demonstrieren, die zwischen Normalität und offener Psychose liegen; eine Form der Ego-Regression im Dienst der Verteidigung gegen inneren und äußeren Stress; und ein Paradoxon der Wiederkehr unterdrückter Regressionen als unkonventioneller Ausdruck der Liebe.
Unter den "Fallbeispielen" eigneten sich die meisten für eine psychiatrische Interpretation, bei denen die sensorischen und visuellen

Phänomene eher betont wurden als die sogenannten "höheren Zustände" der Mystik – der hier beschriebene Fall stellt ein Beispiel einer typischen Regression dar. Die erwähnte Frau befand sich in therapeutischer Behandlung und machte eine Erfahrung, die jener der großen Mystiker glich: Ihre Interessen umschlossen ein Phantasieuniversum, das Gott repräsentierte und in dem es keine Probleme gab; sie fühlte sich eins mit diesem Gottes-Universum, ein Ersatz für einen nicht verfügbaren oder sie ablehnenden Elternteil. Die mystische Einheit glich die Ablehnung aus, die sie von Seiten des Vaters fürchtete und der jetzt vom Therapeuten repräsentiert wurde ... Der Bericht fügte hinzu, daß die "Illusion von Wissen, das sie erlangte, sie dazu anregte, nach weiterem Wissen zu streben und direkt zur Auflösung einer ernsthaften Lesehemmung und zunehmender Kreativität führte."
Schließlich berichtete die GAP in Abschnitten, in denen es um christliche und hinduistische Mystik ging, mit größerer Objektivität und urteilte über naive westliche Beobachter der indischen Szene:
„Werden sie mit den allgemeinen Symbolen wie denen der Darstellung göttlichen Wirkens in sexueller Form konfrontiert, und sind sie über die Vielfalt der Götter in einem Hindu-Pantheon verwirrt, könnten sie dem Hinduismus "Dekadenz" aus seinem Kern heraus zur Last legen und versäumen damit bei der Religion die Unterscheidung zwischen erleuchteter und abergläubischer Beobachtung einzusetzen, die sie gewiß für sich selbst fordern würden."
Während es hier und dort in der psychiatrischen Übereinstimmung einen Durchschlupf geben mag, wenigstens eine Konzession, die zugunsten des therapeutischen Nutzens der mystischen Erfahrung gemacht wird, bleibt die ausweglose Situation zwischen Psychiatrie und Mystik größtenteils bestehen.

ZUSAMMENFASSUNG DER STATISTISCHEN UND PSYCHIATRISCHEN ANALYSEN

"Das Wunder besteht darin, daß das Universum einen Teil von sich erschuf, um den Rest davon zu studieren... " – John C. Lilly, Center of the Cyclone (1961)

Während die Enthüllungen nationaler Erhebungen und Untersuchungen über religiöse oder augeprägte "spirituelle" Erfahrungen den statistischen Beweis erbringen, daß "Mystiker" und mystische Erfahrung kein so seltenes Phänomen darstellen wie vermutet, scheinen sie den Weg zu weiteren Fragen geöffnet zu haben anstatt zu Schlußfolgerungen zu führen.
Sir Alister Hardy schrieb am Ende dieser überaus detaillierten Befragung: „Vielleicht habe ich bis zum Überdruß verschiedene Male die Bedeutung betont, weitere Studien über die vielen unterschiedlichen Aspekte unseres zunehmenden Materials durchzuführen; wenn die vorgenannten Punkte tatsächlich die Hauptcharakteristika des spirituellen Lebens im religiösen Bereich des Menschen repräsentieren, sollten sie auf jegliche Art und Weise und in viele Richtungen erweitert werden. Diese Studien sollten auch bei anderen Kulturen, Glaubensrichtungen durchgeführt werden ... Es ist wesentlich, meine ich, herauszufinden, ob diese Charakteristika, über die wir sprachen, tatsächlich auf die ganze Menschheit übertragbar sind."
Sir Alister spricht auch von der möglichen Auseinandersetzung über die Bedeutung dieser Punkte für die Lebensphilosophie des Menschen, da sie dazu geeignet sind, "einige wohlgepflegte moderne Dogmen zu unterminieren ... (trotzdem) ... wird es noch viel mehr Veränderungen in unserer wissenschaftlichen Betrachtungsweise geben. Soviele Illusionen des Menschen wurden zerschlagen und im Laufe der Jahrhunderte beiseite gefegt, daß ich zweifle, ob eine Veränderung unseres Konzeptes über das Wesen und die Existenzform Gottes schockierender sein würde als die Entdeckung, daß die Erde

rund ist und sich nicht im Zentrum des Universums befindet, oder daß der Mensch nicht getrennt erschaffen wurde. Eine weitere Veränderung steht uns ins Haus. Das spirituelle Wesen des Menschen wird, so meine ich, als Realität dargestellt. Wir brauchen jetzt eine neue biologische Philosophie, die dies erkennt und das Bedürfnis, das Bewußtsein als fundamentales Attribut des Lebens zu studieren... Wieviel schneller würde sich der Fortschritt vollziehen, wenn nur ein Teil der Quellen, die mit der physikalischen und chemischen Forschung befaßt sind, verfügbar wären, um weitere Menschen an der Forschung teilnehmen zu lassen. Ich glaube daran, dies wird geschehen bevor es zu spät ist."

Trotz des wesentlichen Beweises, daß mehr als drei von zehn Amerikanern (35 %) eine tiefgreifende spirituelle Erfahrung erlebten, vielleicht mystischer Art, wundern sich die National Opinion Poll Forscher, Andrew Greeley und William McCready immer noch, ob eine solche Frage (Hatten Sie jemals das Gefühl der Nähe einer mächtigen, spirituellen Kraft, die Sie über sich selbst erhob?) wirklich die klassische Bedeutung des Ausdrucks "mystische Erfahrung" traf.

„Solange keine weiteren Forschungen betrieben werden", schrieben sie, „läßt sich dies nicht mit Sicherheit sagen. Offensichtlich muß man weit mehr über die Erfahrung des einzelnen wissen, als das bietet, was im ersten Forschungsstadium gewonnen werden kann. Keine Frage in der Forschung ist jemals vollkommen, und vor allem diese eine ist in vielerlei Hinsicht unzulänglich. Sollte es weitere Untersuchungen zum Thema Mystik geben, wird derjenige, der sie durchführt, wahrscheinlich bessere Wege finden, um diese Frage zu stellen ...

Andererseits muß jemand diese Frage zum ersten Mal stellen, sonst gibt es nichts, auf das man aufbauen kann. Doch wir hegen die Hoffnung, daß die Wortwahl der Frage für unsere gegenwärtigen Forschungszwecke genau genug ist. Falls mehr als zwei Drittel von jenen, die die Erfahrungen gemacht haben, welche die Frage beinhal-

tet, trotzdem jene klassische "mystische" Erfahrung nicht erlebt haben, ist es jedoch ein verblüffendes Phänomen, daß ein großer Teil der Bevölkerung bereit ist, über eine so tiefgreifende Erfahrung zu berichten. Was immer auch das Wesen jener Erfahrung sei und wie sehr sie auch der Definition der traditionellen Mystik entsprechen mag, ist sie es selbst doch wert untersucht zu werden...
Ist die Welt letztendlich doch jener freudvolle und gute, jener freundliche und überwältigende Ort, als den ihn die Mystiker bezeichnen, jene der klassischen Literatur als auch jene der Fragebögen?"
"Nun", endet der Erhebungsbericht, „als Soziologen können wir nichts mit Gewißheit behaupten. Doch es wäre schön, wenn es so wäre."
Die Untersuchungen von David Hay und Ann Morisy, die nach privateren und detaillierteren Dingen der spirituellen Erfahrung fragten, enthüllten den Forschern viele Überraschungen. Sie hatten es vor allem mit einer Vielfalt von Erfahrungen zu tun, ihrer weiten Verbreitung und der Bereitwilligkeit der Befragten, offen und so gut sie es vermochten die "Schlüsselfragen" zu beantworten, die man ihnen stellte.
In Berichten, die 1978 und 1979 im "Journal for the Scientific Study of Religion" veröffentlicht wurden, faßten die Forscher die Ergebnisse ihrer britischen Erhebungen in einer Reihe von Tabellen zusammen, die den Prozentsatz von Antworten folgender Kategorien zeigten: Allgemeine Häufigkeit der Erfahrung; Antwort im Vergleich zur Bildung, zum Alter, zur sozialen Schicht, zum psychischen Wohlbefinden; geographische Streuung, Konfessionszugehörigkeit, Häufigkeit des Kirchenbesuches, die Bedeutung der spirituellen Erfahrung, ihre Dauer, allein oder in Begleitung anderer Menschen, geistige Verfassung bevor sie sich ereignete; ob es sich um eine religiöse Erfahrung handelte, Wirkung auf die Lebenseinstellung.
Obgleich viele der erwähnten Erfahrungen nur in weitem Sinn als „mystisch" angesehen werden konnten, erwiesen sich einige der all-

gemeinen Schlußfolgerungen von Interesse für die weitere Erforschung.

Was z.B. die Kategorie der Häufigkeit angeht, ob es sich um eine "allgemeine Erfahrung" handelt, so läßt sich nicht von allgemeinem Auftreten sprechen, da eine solche Erfahrung vorwiegend nur einmal oder zweimal (spontan) im Leben geschieht; ältere Menschen hatten eher spirituelle Erfahrungen als die jungen; je besser die Bildung ist, um so mehr Menschen behaupten eine solche Erfahrung gemacht zu haben; mehr Menschen der mittleren und Oberschicht verfügen über religiöse Erfahrungen verglichen mit ungelernten Arbeitern, Facharbeitern und der unteren Mittelklasse (was mit amerikanischen Studien übereinstimmt). Sowohl bei der amerikanischen als auch der britischen kamen die häufigsten Berichte aus Gegenden, wo die Menschen regelmäßig die Kirche besuchten – aus Wales, Schottland, dem Südwesten von Großbritannien, den südlichen Staaten der USA. Die wenigsten Berichte kamen aus Großstädten, die meisten aus Kleinstädten; einem verschwommenen Bereich, wo vielfältige Formen des christlichen Glaubens vorherrschen, denen sich die Juden anschließen, die Agnostiker und Atheisten und jene, die keine Auskunft über die Häufigkeit der Erfahrungen geben können, die jedoch eng mit der Kategorie der Kirchenbesucher verbunden sind; doch nur 56 % der Kirchgänger insgesamt behaupten, eine entscheidende spirituelle Erfahrung gemacht zu haben, der Rest weist mißverständlich darauf hin, daß ihm keine derartigen Erfahrungen zuteil wurden, die Bedeutung wird mit 74 % angegeben; die Erfahrung dauerte – für über die Hälfte der Antwortenden – zwischen wenigen Sekunden und zehn Minuten, einige erstreckten sich über einen Tag, wenige bis zu einem Monat, Jahr oder länger; manchmal kennzeichnen Verzweiflung oder Unbehagen diese Erfahrungen; die meisten Menschen waren vollkommen allein dabei. Befragt hinsichtlich der geistigen Verfassung danach antwortet die Mehrheit: friedlich, neu erlangtes Wohlbefinden, gehobene Stimmung, glücklich, erhoben, ehrfürchtig, doch eine kleine Anzahl fühlte Gegenteiliges: Erschöpfung oder Betäubung; die Erfahrung besaß religiösen Charakter und wurde mit Gott in Zusammenhang gebracht; ungefähr dreiviertel der Antwortenden fand, sie habe ihr Leben beträchtlich verändert.

In seinem Werk "Exploring Inner Space" schrieb David Hay über die Bedeutung dieser verschiedenen Antworten, die sich auf die religiöse Einstellung und Erfahrung in Großbritannien bezogen und faßte seine Entdeckungen mit folgenden Worten zusammen: Uns stellt sich hier ein außergewöhnliches Phänomen dar. Warum haben so viele Menschen von religiösen Erfahrungen zu berichten? Falls die Zukunftsprognose der Untersuchung stimmt, daß fünfzehn Millionen Erwachsene im Lande aussagen würden: „Sie seien sich einer Wesenheit oder Macht bewußt oder würden von ihr beeinflußt...", so liegen die Ergebnisse der Erhebung noch unter dem tatsächlichen Gesamtergebnis jener, die glauben diese Art der Erfahrung gemacht zu haben.

Trotz der Tatsache, daß "dieses Buch wie andere Bücher großzügig mit nicht untermauerten philosophischen Vermutungen versehen ist..." gibt es, schreibt er, „eine Annahme, die nicht von mir kommt..., daß diese Erfahrungen irgendwie die Existenz Gottes beweisen und der Befriedigung der Person dienen, der sie zuteil wurden.

Auf der anderen Seite handelt es sich bei diesen menschlichen Erfahrungen um Fakten, die nicht ignoriert werden sollten, will man sich ein zusammenhängendes Bild der Welt verschaffen. Falls sie sich nicht der traditionellen religiösen Sprache bedienen, fühlen sich die meisten Menschen hilflos beim Bemühen, ihre Erfahrung zu beschreiben. Dies beweist, wie arm gegenwärtige Modelle der Realität sind, wenn es darum geht, mit diesen tieferen Aspekten des Lebens umzugehen und nicht so zu tun, als existierten sie nicht."

Indem er von der Forschungsarbeit durch David Hay/Ann Morisy sprach, rundete Sir Alister Hardy den Wert dieser soziologischen Studien ab und fügte hinzu: "Solche zahlenmäßigen Analysen müssen jedoch Hand in Hand mit dem beständigen Bestreben gehen, ein tieferes Verständnis der Essenz jener bemerkenswerten Elemente im Wesen des Menschen zu gewinnen, die niemals Thema wissenschaftlicher Untersuchungen sein können; sie ähneln eher der Kunst, Poesie, Liebe und Zuneigung, die nur durch den sorgfältigen Vergleich der qualitativen Berichte menschlicher Erfahrung studiert werden können."

Was den GAP Bericht anbetrifft, erfolgte ein Widerspruch von einem der eigenen Psychiater, Arthur J. Deikman, im "Journal of Nervous and Mental Disease" (1977), der bemerkte, daß obgleich einige Abschnitte des Berichtes lobenswerte Objektivität und Wissenschaftlichkeit aufwiesen, der Bericht trotzdem als Ganzes extreme Engstirnigkeit zeigte, sowie Mangel an Unterscheidungsvermögen und naive Arroganz in bezug auf das Thema.

"Es ist wahrhaft bemerkenswert, daß 1976 eine Gruppe von Psychiatern einen Bericht herausgibt, in dem der einzige Kommentar zur mystischen Wahrnehmung der Einheit darin besteht, sie stelle "eine Wiedervereinigung mit den Eltern" dar. Nirgendwo im Bericht stoßen wir auf die Möglichkeit, daß die Wahrnehmung der Einheit, die sich bei den höherentwickelten Formen der Mystik vollzieht, korrekt sein mag und die gewöhnliche Wahrnehmung von Abgetrenntsein und Sinnlosigkeit eine Illusion darstellt, wie es die Mystiker behaupten. Genau genommen kann die mystische Wahrnehmung zutreffend sein, unabhängig davon, ob jetzt ein Mystiker/eine Mystikerin sich in seiner/ihrer Phantasie vorstellt, wieder eins mit seiner/ihrer Mutter zu sein."

In seinem Bestreben den GAP Bericht zu verstehen, kam Arthur J. Deikman zu zwei Hauptüberlegungen – erstens, um die mystische Erfahrung einschätzen zu können, müßten die Psychiater selbst diese Erfahrung machen, um über eigenes Wissen zum Thema zu verfügen – schließlich forderten die Psychiater unerschütterlich in ihrem eigenen Beruf, man sollte aus Erfahrung lernen und nicht allein aus der Theorie. Wer würde z.B. "Übertragung" verstehen, ohne sie erfahren zu haben, oder Meditation und ihre Wirkung? Das Eintauchen der Wissenschaftler in die Bereiche der Mystik würde zu einem weniger exotischen und dafür religiöseren Verständnis führen – und uns dazu verhelfen, uns vom Geschwätz zu befreien, das oft im Zusammenhang mit der Mystik besteht, was gleichermaßen eine Last für den Wissenschaftler wie für den Mystiker darstellt.

Was jedoch seiner Ansicht nach am deutlichsten auffällt, sind die im GAP-Bericht fehlenden Zeichen von Demut. "Vielleicht hat der lange Kampf der Medizin, sich der religiösen Kontrolle, der Dämonologie und "göttlichen Autorität" zu entziehen, bei uns (Psychiatern) zur automatischen Reaktion gegen alles geführt, das die äußeren Zeichen der Religion trägt...Doch die Verfasser des Berichtes ignorieren ebenfalls das Hauptanliegen der Mystik und geben traditionelle Interpretationen über die sekundären Phänomene von sich...

Wenn unser Berufsstand Fortschritte machen möchte, sollten wir unsere Abwehr gegen Ideen erkennen, die unsere Vermutungen ändern würden. Befaßt man sich ernsthaft mit der Mystik, stellt sie eine Herausforderung für die grundlegenden Lehrmeinungen der westlichen Kulturen dar:

(a) für die Vorrangstellung von Vernunft und Intellekt,

(b) das getrennte, individuelle Wesen des Menschen,

(c) die Linearität der Zeit...

Indem wir die Einengung unserer Sicht zulassen, um das nicht Vertraute auszuschließen, betrügen wir uns in unserer Integrität als Psychiater und zeigen, daß wir genauso wenig frei von Vorurteilen sind wie Menschen, die die Psychodynamik vollkommen ignorieren ...vielleicht noch weniger..."

Alles in allem scheint es gewiß, daß das Wesen der mystischen Erfahrung noch weit von Klarheit entfernt ist, selbst unter dem Mikroskop der modernen Forschung. Doch genau so sicher ist, es wurde ein Anfang gemacht in dem Bestreben, diese Erfahrung als Phänomen menschlicher Existenz verstehen zu wollen.

III. Kapitel

Glückseligkeit als spontane Erfahrung

"Interpretationen der Erfahrung, einschließlich jener, die vom Mystiker selbst stammen, besitzen niemals die gleiche fast unzweifelhafte Autorität wie seine Beschreibungen der Erfahrung selbst." – W. T. Stace, Mysticism and Philosophy (1960)

Studieren wir das umfangreiche Material der gegenwärtigen Berichte über die Glückseligkeitserfahrung aus erster Hand, enthüllt uns dies ein bemerkenswertes Element. Die Berichte lassen sich in zwei verschiedene Kategorien aufteilen: in die Spontanerfahrungen und jene, die durch bestimmte Methoden "gefördert" wurden.
Die Spontanerfahrung widerfährt einfach ohne Vorankündigung allen, die sie "verdienen" und "nicht verdienen", dem Gläubigen und Agnostiker wie dem Atheisten, jungen oder alten Menschen, den Gebildeten und Ungebildeten, Mann oder Frau jeder Rasse, Hautfarbe oder jeden Berufes, zu jederzeit an jedem Ort der Welt.
Die hervorgerufene Erfahrung ist das Ergebnis von Mühe, täglicher Praxis, beständigem Streben, von überlegter Anwendung einer großen Anzahl von Methoden und Techniken, einschließlich der Anwendung von Drogen, von geistigen Übungen des Ostens oder Westens.

Es gibt natürlich Zeiten, zu denen das Unterscheidungsvermögen sich verwischt, und das Ungesuchte mag unbewußt schon lange gesucht worden sein. Dabei entsteht eine dritte Kategorie, die hier als beabsichtigt oder unbeabsichtigt definiert wird. Zum Beispiel kann der Mensch, der schon lange den tiefen Wunsch nach einer mystischen Erfahrung hegte, nicht in die zweite Kategorie eingereiht werden, wo die Erfahrung durch bestimmte Bemühungen hervorgerufen wird: der erfüllte Wunsch ist immer noch ein spontanes Ereignis. Eine Erwartung mag schlummernd bestanden, er oder sie mögen vielleicht sogar Hinweise der Möglichkeit erhalten, die Empfindung der Annäherung und sogar die Erregung geringfügiger Inspiration und einer Ekstase an der Grenze des Normalen verspürt haben: doch der große Augenblick, in dem sich die Erfahrung vollzieht, muß als spontan gewertet werden.

Jede Art von mystischem Leben, das Beschreiben des geistigen Pfades, die fortgesetzte Anwendung bestimmter Methoden darf als "fördernd oder begünstigend" angesehen werden. Mit anderen Worten stellt die eine Erfahrung eine Belohnung, die andere ein Geschenk dar. Bei der Spontanerfahrung braucht man sich auf kein bestimmtes mystisches System zu beziehen, es besteht keine Notwendigkeit, die verschiedenen Stufen zu analysieren, über die die Erfahrung erreicht wurde; man muß sich auch nicht über den richtigen oder besten Weg zur Erleuchtung auseinandersetzen. Es mag denjenigen als unfair erscheinen, die ihr Leben dem gewidmet haben, die Spitze der spirituellen Leiter zu erklimmen, daß jeder Mensch, der keinen Versuch zur Läuterung unternommen hat, der flucht, trinkt, stiehlt, lügt, Unzucht treibt, Ehebruch begeht und gemein über seinen Nachbarn denkt, in diese leuchtenden "heiligen Sphären" wie jeder Erleuchtete emporgehoben werden kann.
Ob ein Mensch, der eine vollkommen unerwartete Spontanerfahrung gemacht hat, als Ergebnis dessen als Mystiker oder nicht bezeichnet werden darf, ist eine andere Frage, mit der wir uns noch später in diesem Buch befassen wollen. Es geht uns hier auch nicht um die Quelle der Spontanerfahrung, obgleich es in diesem Zusammenhang angebracht wäre, sich des Kommentars von John Bowker

in seiner “Wild Lecture on the Sense of God” zu erinnern: “Wir sollten die Möglichkeit nicht übersehen, daß der Sinn Gottes seine Existenz ist.”

BERICHTE AUS ERSTER HAND

“Die innere Erleuchtung vermag die Bedeutung aller wahrgenommenen Dinge zu verändern.” – Raynor C. Johnson, The Imprisoned Splendour

Bei den folgenden Beispielen wurden Erfahrungen ausgewählt, die aus erster Hand stammen und in die Kategorie der Spontanerfahrungen gehören, da diejenigen, die die Erfahrung machten, in keiner Weise “geübte” Mystiker waren, sondern einer bunten Auswahl von Menschen unserer heutigen Welt angehörten. Diese Menschen wurden auch nicht ausgesucht, da sie berühmt sind, obgleich sie bekannt sein mögen. Sie werden weder häufig in berühmten Werken noch Anthologien genannt und lassen sich nicht einem bestimmten Lebensstil oder gesellschaftlichem Hintergrund zuordnen. Niemand von ihnen bestand auf Anonymität. Alle Kommentare wurden hauptsächlich mit den Worten des betreffenden Menschen wiedergegeben, obgleich sie aus Platzgründen hier und dort gekürzt werden mußten.
Einige der Erfahrungen sind lang und ausgedehnt, andere kurz, sowohl was die Erfahrung selbst anbelangt als auch das Erzählen, doch ihnen allen ist das Merkmal des offensichtlich Unerwarteten zu eigen.
Der erste Bericht stammt von einer hochgebildeten, selbstbewußten, erfolgreichen Dame, die sich, weit davon entfernt spirituelle Neigungen zu haben, als “radikale Humanistin” beschreibt. Die überwältigende Erfahrung, die ihr Leben verwandelte, fand im Freien statt und dauerte nur wenige Minuten; eine zweite, ebenfalls kurze, ereignete sich beim Autofahren, der sich weniger tiefgrei-

fende Zustände anschlossen, die in einigen Fälle mehrere Tage anhielten.

Erwachen aus einem langen, tiefen Schlaf

Wendy Rose-Neill arbeitete eines Tages im Herbst in ihrem Garten in Buckinghamshire, als sie jene Erfahrung erlebte. Obgleich sie von Beruf medizinische Journalistin und Psychotherapeutin ist und folglich in Sachen Kommunikation keine Probleme kennt, beschrieb sie die stattgefundenen Ereignisse nur mit größten Schwierigkeiten.

"Ich habe die Gartenarbeit immer als etwas Erholsames betrachtet und befand mich an jenem Tage in einer sehr kontemplativen Geistesverfassung. Ich erinnere mich, wie mir allmählich meine Umgebung sehr bewußt wurde – die singenden Vögel, das Rauschen der Blätter, der Hauch des Windes auf meiner Haut und der Duft des Grases und der Blumen.
Ich verspürte den plötzlichen Impuls, mich mit dem Gesicht nach unten ins Gras zu legen. Als ich das tat, schien mich eine Energie zu durchströmen, als ob ich Teil der Erde unter mir geworden wäre. Die Grenze zwischen meinem physischen Selbst und meiner Umgebung schien sich aufzulösen und mein Gefühl der Getrenntheit verschwand. Auf seltsame Weise verspürte ich totale Einheit mit der Erde, so als wäre ich aus ihr geformt und sie aus mir. Ich war mir der Grashalme zwischen meinen Fingern bewußt, die ebenfalls mein Gesicht berührten, und fühlte mich überwältigt von einer Macht, die jede Faser meines Seins zu durchdringen begann.

Mir schien, als ob ich plötzlich zum ersten Mal lebendig wäre – als ob ich von einem langen Tiefschlaf in einer realen Welt erwachte. Es kam mir vor, als ob sich ein Schleier vor meinen Augen gehoben hätte und alles in den Mittelpunkt rückte, obwohl mein Kopf immer noch im Gras ruhte. Was ich auch glaubte, ich war von einer unglaublich liebevollen Energie umgehen

und erkannte, daß alles, lebendig und nicht lebendig, eine gewisse Art von Bewußtsein besitzt, das ich mit Worten nicht zu beschreiben vermag.
Obgleich die Erfahrung nicht länger als wenige Minuten dauerte, schien sie endlos – so als befände ich mich in einem ewigen Zustand von vollkommenem Verstehen. Dann löste sie sich auf. Ich verharrte still und ruhig auf dem Rasen und versuchte das Geschehene in mich aufzunehmen, nicht glauben könnend, daß es Realität war. Ich erinnere mich an ein tiefes Gefühl der Freude und des Friedens nach diesem außergewöhnlichen Augenblick.
Ich fühlte mich zu jener Zeit vollkommen außerstande, mit jemandem über das Geschehene zu sprechen und unternahm auch keinen Versuch, solches zu tun. Dann ereignete sich einige Monate später etwas ähnliches, wenngleich auch in einem anderen Zusammenhang.
Es war im folgenden Frühling, wieder an einem hellen, warmen Tag, und ich fuhr mit dem Wagen auf einer ruhigen Landstraße zu meinem Haus, das ganz in der Nähe lag. Die Straße führte mehr als einen Kilometer sanft hügelabwärts, und ich konnte in der Ferne zwischen den Baumwipfeln das Dach eines Hauses erkennen. Ich hatte erneut das Gefühl, als ob eine unglaubliche Macht mich umgebe. Ich erinnere mich, wie die Bäume und Felder vorbeiflogen und meine Hände das Steuerrad umfaßten.

Die Erfahrung war vorüber, als ich die Kreuzung am Ende der Straße erreichte, wo ich nach rechts abbiegen mußte. Der letzte halbe Kilometer meiner Fahrt verlief ganz normal, außer daß ich das gleiche Gefühl von Frieden verspürte wie bei meinem ersten Erlebnis.
Diese zwei Erfahrungen kamen mir wie Offenbarungen vor. Ich war in eine mysteriöse Schwingung eingetaucht, deren ich mir zuvor nicht bewußt gewesen war. Seit damals habe ich Berichte über die Erfahrungen anderer Menschen gelesen, die vom Inhalt und der Qualität meinem Erlebnis gleichen, doch ich habe niemals, bevor ich diese Zeilen schrieb, über meine Erfahrung gesprochen. Ich habe im Laufe der Jahre viele Versionen der ersten Erfahrung erlebt – zwar weniger intensiv, doch mein ganzes Wesen auf außergewöhnliche Weise durchdringend. Manchmal scheinen sie mehrere Stunden zu dauern oder erstrecken sich über einige Tage, und ich stelle fest,

daß ich über ein hohes Energiepotential verfüge. In jenen Zeiten befinde ich mich in engem Kontakt zu anderen Menschen und meiner Umgebung, und meine Gedanken und Intuition scheinen besonders klar und zentriert.

...sie haben ganz allgemein mein Leben bereichert und ihm Sinn und Kontinuität verliehen, was mir in Zeiten großer persönlicher Krisen sehr geholfen hat, als es mir schien, der Boden werde mir unter den Füßen entzogen. Aus dieser Erfahrung habe ich außerdem einen tiefen Sinn für das Geheimnis und Wunder der Erde und des Universums entwickelt und eine beständig wachsende tiefe Achtung für alles Leben."

Eine weitere unerwartete Erfahrung stellt die von Muz Murray dar, und sie offenbart alle Charakteristika einer spontanen mystischen Erleuchtung. Wie bei der vorhergehenden Erfahrung der Dame, so verhielt sich auch dieser Herr gegenüber spirituellen Belangen ziemlich ablehnend, doch in seinem Fall handelte es sich um eine einmalige Erfahrung, die sich nicht wiederholte und stattfand, während er per Anhalter um die Welt reiste. Sie veränderte seine gesamte Lebenseinstellung.

Eine liebende Hand in meinem Kopf

"Eines Abends, es war 1964 auf Zypern, saß ich am Strand und beobachtete das Nachglühen des Sonnenunterganges, nachdem ich gerade eine Mahlzeit in einer griechischen Taverne zu mir genommen habe. Ich fühlte mich sehr ruhig und entspannt, als ich einen seltsamen Druck in meinem Gehirn verspürte. Es war, als ob eine wunderbar liebende Hand in meinen Schädel hineingriff und sanft ein neues Hirn in meines hineindrückte. Ich empfand eine aufregende Klarheit des Seins und das unbeschreibliche Gefühl, als ob das ganze Universum in mich hineinströmte oder eher, als ob das ganze Universum aus einer tiefen Mitte aus mir herausströmte. Meine "Seele" freute sich, wuchs und dehnte sich aus, bis ich mich unter den Sternen und Planeten

befand. Ich begriff, ich war das gesamte Universum. Plötzlich wurde ich mir riesiger Wesenheiten bewußt, die Millionen von Kilometern groß waren und sich im Weltraum bewegten, durch den man die Sterne immer noch sah.

Die ganze Vision wich, und Welle um Welle der außergewöhnlichen Offenbarung durchströmte mich, zu schnell für meinen bewußten Geist, um etwas anderes als Freude und Verwunderung aufzunehmen. In jenen Momenten lebte und verstand ich die Wahrheit der esoterischen Aussage "wie oben – so unten". Jede Zelle meines "ausgedehnten Körpers" – wo immer der Körper bei dieser körperlosen Erfahrung sich auch befand – schien alles Geschehene wahrzunehmen, aufzuzeichnen und zu speichern. Mir wurde offenbart, daß jede Zelle ihr eigenes Bewußtsein besaß, das meines war. Und es schien, als ob sich die ganze Menschheit im gleichen Zustand befand: jeder Einzelne/jede Einzelne glaubte an seinen/ihren getrennten Geist, doch in der Realität unterlag er immer noch einem einzigen, beherrschenden Bewußtsein – dem absoluten Bewußtsein selbst. Ehrfurcht und Verwunderung über die erfahrenen Dinge lagen jenseits meiner Vorstellung. Das Ganze konnte nicht länger als drei Minuten (oder vielleicht nur eine) gedauert haben, doch es reichte, um mein ganzes Leben zu verändern. Die darauffolgende Woche ging ich voller Glückseligkeit und mit kristallklarem Bewußtsein umher, was der Luft und allem eine größere Leuchtkraft verlieh und die Menschen und Gebäude um mich herum durchsichtig erscheinen ließ. Ich hätte am liebsten jeden umarmt und ihm erzählt, was sich zugetragen hatte, doch fand ich mich paradoxerweise nicht in der Lage, die Erfahrungen zu entweihen, indem ich versuchte, sie in Worte zu fassen, selbst wenn es sich dabei um meine engsten Freunde handelte. Jetzt ist es nach sechzehn Jahren das erste Mal, daß ich davon spreche – so tief war die Wirkung.

Doch die felsenfeste, intellektuelle Gewißheit meines Weltbildes wurde mit einem Schlag zerstört. Ich nahm nichts mehr als gegeben hin. Mein Charakter und mein Lebensstil begannen sich zu verändern. Ohne bewußte Mühe oder Absicht rückte ich von den Stimulantien meiner Ernährung weg: Ich nahm kein Fleisch mehr zu mir, trank keinen Alkohol und rauchte nicht mehr, ein Prozeß, der sich auf diese Erfahrung bezog. Ich las alles über Mystik, das mir in die Hände fiel, was ich früher abgelehnt hatte. Plötzlich be-

fand ich mich "auf dem Weg", obgleich ich Agnostiker und ein vollkommen ungläubiger Mensch gewesen war".
Diese Erfahrung brachte Muz Murray dazu, drei Jahre bei den Sufi-Meistern in Indien als "Wandermönch" zu verbringen. Als P.S. zu diesem Brief meint er: „Im Laufe der Jahre gewann ich den Eindruck, daß die Information, die in meinen Zellen gespeichert wurde, von Zeit zu Zeit als Minioffenbarung in mein Bewußtsein drang." (Das Thema der Mini- oder Mikroerleuchtungen wird später noch in diesem Buch behandelt.

Die folgende Erfahrung von C. G. Price unterscheidet sich von den beiden vorhergehenden auf zweierlei Art: erstens geschah sie zu einer Zeit, in der er sehr verzweifelt war und das Gefühl verspürte, die Kontrolle über sein Leben entgleite ihm und zweitens spricht er davon, die Gegenwart "einer unsichtbaren Wesenheit" empfunden zu haben. Die Erfahrung hinterließ trotz seiner Probleme eine gewisse Zufriedenheit bei ihm und eine befreiende und verwandelnde mystische Einsicht.
Zu jener Zeit besaß er eine kleine Firma und durchlebte eine Phase großer finanzieller Belastung. Die Dinge standen nicht gut, und er machte sich nicht nur "sehr große Sorgen", sondern fühlte auch Ärger und Bitterkeit bei der Aussicht, seinen Bauernhof mit den Tieren verkaufen zu müssen, da er beides liebte. „Ich wollte beides nicht verlieren, es war wichtig für mich und ich meinte, Gott täte mir unrecht."

Ein Kokon goldenen Lichtes

"Mit Gedanken des Selbstmitleides in meinem Kopf fürchtete ich eines Sonntagmorgens im Februar 1968 den Beginn der neuen Woche, da die Möglichkeit weiterer schlechter Nachrichten bestand, und ich begann meinen Kühen frisches Stroh zu geben. Das Verteilen der Strohballen stellt keine For-

derung an den Intellekt, und ich glaube nicht, an etwas Besonderes dabei gedacht zu haben. Ich erinnere mich nicht einmal mehr daran, wie jenes Gefühl mich überkam, doch plötzlich...
Ich schien in einen Kokon goldenen Lichtes eingehüllt, der sich warm anfühlte und so tiefe Liebe ausstrahlte, daß sie fast greifbar schien. Es war, als könne ich sie greifen und damit meine Taschen füllen.

In diesem warmen Kokon goldenen Lichtes fühlte ich eine Wesenheit, die ich zwar nicht zu sehen vermochte, von der ich jedoch wußte, sie war anwesend. Mein Geist wurde kristallklar, und in einem Augenblick wußte ich plötzlich ohne jeden Zweifel, daß ich Teil des "Ganzen" war. Kein isolierter Teil, sondern ein integrierter Teil. Ich empfand ein Gefühl der Einheit. Ich wußte, ich gehörte dazu und nichts konnte dies ändern. Der Verlust meines Hofes und Lebensunterhaltes spielten keine Rolle mehr. Ich war wichtiger Teil des Ganzen und vorübergehender Ehrgeiz zweitrangig.
Ich weiß wirklich nicht wie lange diese Erfahrung dauerte, wahrscheinlich nur wenige Sekunden, denn als ich wieder zu mir kam, schüttelte ich immer noch Stroh auf. Es bestand jedoch noch eine Art Nachwirkung, die einige Tage anhielt, und selbst jetzt ist das Gefühl der Einheit so ausgeprägt wie damals, wenn ich mir die Erfahrung vergegenwärtige.
Vielleicht würde ich den Hof verkaufen und die Arbeit, die mir die liebste war, aufgeben müssen. Es schien nicht mehr von Bedeutung. Es gab andere Bereiche im Leben, wo ich gebraucht wurde und wo die wenigen Fähigkeiten, die ich besaß, für meine Brüder und Schwestern von größerem Nutzen waren."
Er schließt: "*...es besteht kein Zweifel, daß ich seit der damaligen Erfahrung eine größere innere Zufriedenheit verspüre, die ich niemals für möglich gehalten hätte, sowie eine höhere Lebensqualität. Es besteht eine größere Weitsicht, und was ich früher als größere Lebenskrisen empfunden hätte, betrachte ich jetzt mit anderen Augen.*"

Claire Myers Owens, die sich selbst als "privilegierte amerikanische Hausfrau" betrachtet, erzählte, ihre Erfahrung sei ihr widerfahren, als sie an ihrem Schreibtisch saß, und sie habe dabei ein goldenes Licht wahrgenommen. Im Gegensatz zu C. G. Price erlebte sie Vorankündigungen in Form "kleiner Ekstasen", bevor sie das erlebte, was sie als das schrecklichste, schönste, bedeutendste Erlebnis "meines ganzen Lebens" bezeichnete.

Claire Myers Owens machte einige überaus intensive spontane mystische Erfahrungen. Ihre Beschreibungen und Analysen darüber sind in ihrem Buch "Awakening to The Good" enthalten. Ihre Erfahrungen wurden weder als unglaublich noch als schrecklich oder verrückt betrachtet und riefen bei wohlbekannten Physikern und Philosophen gewaltiges Interesse hervor. Abraham Maslow, dessen Selbstverwirklichungsbewegung im Jahre 1958 ihren Anfang nahm, nannte ihr die Namen von hundert Professoren an Universitäten der ganzen Welt, von denen er meinte, sie sollten darüber unterrichtet werden. Sie erhielt ebenfalls hunderte von freundlichen und interessierten Briefen von Professoren, Hindus, Buddhisten, Katholiken, Juden, Farbigen, Sekretärinnen und Hausfrauen.

Zu jener Zeit ihrer besonderen Erfahrung erlebte sie eine beträchtliche innere Verzweiflung über den Zustand der Welt mit ihren Kriegen, Atombomben, ihrer Kriminalität, Korruption, ihrem mangelnden Ehrgefühl und mangelnder Aufrichtigkeit; sie erkrankte aufgrund dessen und empfand für viele Monate eine körperliche Schwäche.

In all diesen Monaten erfuhr sie Erhebung durch eine Reihe kleiner Ekstasen, die sie zu der Frage führten, ob sie Beweis dafür waren, daß in ihrem Inneren das innewohnende Gute existierte? Doch sie hatte dabei eher die Empfindung "der Existenz einer transzendenten Macht".

Die große Läuterung

"Doch dann passierte das Unglaublichste – die schrecklichste, schönste,

wichtigste Erfahrung meines ganzen Lebens. Zu jener Zeit begriff ich absolut nichts von ihrer Bedeutung.

Eines Morgens saß ich schreibend an meinem Schreibtisch, im ruhigen Arbeitszimmer unseres stillen Hauses in Connecticut. Plötzlich verschwand alles vor meinen Augen. Ich vermochte meinen Körper, die Möbel im Raum sowie den an den Fenstern herabrinnenden Regen nicht mehr wahrzunehmen. Ich war mir nicht mehr bewußt, wo ich mich befand und auch nicht des Tages oder der Stunde. Raum und Zeit hörten auf zu existieren.
Plötzlich war der ganze Raum von einem mächtigen goldenen Licht erfüllt, die ganze Welt bestand nur aus Licht. Es gab nichts anderes als dieses strahlende Licht und meinen eigenen kleinen Kernpunkt des Selbst. Das gewöhnliche "ich" hörte auf zu existieren. Von mir blieb nichts übrig als das reine Bewußtsein. Es kam mir vor, als ob mich eine gewaltige, transzenohne mein Wollen durchdrang, als ob all das immanente Gute, erausströmte, um einen fließenden Kreis salprinzip zu bilden. Ich begann, mich im Licht aufzulösen, das einem goldenen, alles durchdringenden Nebel glich. Es war ein mystischer Augenblick der Vereinigung mit dem geheimnisvollen Ewigen, mit allen Dingen, mit allen Menschen...

Ich erfuhr die große Läuterung, ich wurde rein gewaschen wie eine Meeresmuschel von den mächtigen Wogen des Meeres. Alle meine persönlichen Probleme fielen von mir ab. Mein Ego war im grenzenlosen Sein erstorben. Unwiderlegbare Andeutungen von Unsterblichkeit wallten in mir auf. Ich fühlte, wie ich zu einem unzerstörbaren Teil der unzerstörbaren Ewigkeit wurde. Alle Angst verschwand – vor allem die Angst vor dem Tode. Ich empfand, der Tod war der Beginn eines neuen, schöneren Lebens.

Außergewöhnliche, intuitive Einblicke schossen durch meinen Kopf. Ich schien das Wesen der Dinge zu erfassen. Ich erkannte, daß das Universum gut war, und nur der Mensch sich in Disharmonie mit ihm befand. Ich war angeborenermaßen gut, nicht böse, wie unsere westliche Gesellschaft es mich als Kind gelehrt hatte; alle Menschen waren angeborenermaßen gut.

Weder Zeit noch Raum existierten auf dieser Ebene. Ich blickte in die Vergangenheit und beobachtete den endlosen Kampf des Menschen, der ihn zum Licht führte. Liebe, Leiden und Mitgefühl für die ganze menschliche Rasse erfüllten mich so sehr, daß ich wußte, ich würde niemals mehr einen Menschen verurteilen, ganz egal was er getan hatte. Ich blickte ebenfalls in die ferne Zukunft und sah allmählich das Gute im Menschen erwachen, wie er in harmonischem Rhythmus mit dem Universum lebte und ein neues goldenes Zeitalter erschuf – ein herrliches Morgen.
Ich werde niemals erfahren, wie lange dieser Glückseligkeitszustand dauerte, ob eine Minute oder eine Stunde. Als ich wieder mein Normalbewußtsein erlangte, wußte ich nicht, wo ich mich befand, was für eine Tageszeit es war. Ich fühlte mich desorientiert, so als wäre ich von einer langen Reise aus einem seltsamen, fremdartigen Land zurückgekehrt. Der Anblick meines alten Schreibtisches und der blauen Couch waren beruhigend. Doch was um alles in der Welt war mir widerfahren? Was bedeutete das alles? War ich dabei meinen Verstand zu verlieren?
Hatte das lebhafte Wiedererleben all dieser "kleinen Ekstasen" meines ganzen Lebens diese mysteriöse Wiedergeburt beschleunigt? Oder war die natürliche Folge dessen der psychologische Tod des Egos? Ich wußte es damals nicht."
Claire Myers Owens gelangte zur Überzeugung, daß im Laufe der Jahre diese Offenbarung "kosmischen Bewußtseins" ihr Leben veränderte, ihren Charakter und ihre Beziehung zu allen, die ihr nahe standen.

Das unterscheidende Merkmal der nun folgenden unerwarteten Erfahrung liegt in der aktivierenden Rolle des Klanges. Brenda Bunyon, die an der Royal School of Music (der Königlichen Hochschule für Musik) studierte, entdeckte, daß die Schwingungen der Stradivari zu einer Befreiung und zu besonderer innerer Inspiration führten. Sie erklärte, sie habe sich aufgrund einer traumatischen häuslichen Situation seit acht Monaten in einer harten Belastungssituation befunden, die ihrer Erfahrung vor sechs Jahren vorausging.

Ehrfurcht vor dem großen Geheimnis

"Die mystische Erfahrung wurde zweifellos durch die vibrierenden Schwingungen einer sehr guten Violine, einer wunderbaren Stradivari, auf der mir vorgespielt wurde, ausgelöst. Die blinden Augen meiner Seele öffneten sich allmählich durch die magnetischen Schwingungen einer sehr hohen Frequenz. Ich war mir einer gewaltigen, herrlichen Kraft bewußt, die sich über mir und um mich herum ausbreitete und mich nach oben in andere Sphären erhob, und ich empfand Ehrfurcht vor dem großen Geheimnis. Ich vermochte zur Erde herunterzublicken und beobachtete die Menschheit (Millionen kleiner, beschäftigter Geschöpfe), wie sie ihre materialistischen Ziele verfolgte. Alles wurde unglaublich klar – ich vermochte das Universum als Ganzes zu erfassen, die Natur, das Meer, die dunklen Täler, die großen Ozeane – alles.

In dieser erstaunlichen Vision nahm ich nichts wahr als die göttliche Kraft, die zentrale Lebenskraft...auf eine Art und Weise, die ich nicht zu beschreiben vermag, und ich suche immer noch nach Worten. Ich zerbarst fast vor Freude und Erstaunen und zweifelte aufgrund dieses Geisteszustandes beständig an meinem Verstand. Doch es handelte sich nicht um eigenartige Vorstellungen oder Launen der Unausgeglichenheit.
Unsichtbare Kräfte, die sich meinem Einfluß entzogen, lenkten mich in unterschiedliche Richtungen. Es schien, als befände ich mich im Himmel; die empfundene Freude läßt sich gar nicht beschreiben, außer daß alles gut war. ...Seit damals hat sich mein ganzes Lebenskonzept verändert – ich wurde tiefreligiös... " (Als eine verschiedener Folgeerscheinungen ihrer Erfahrung setzt Brenda Bunyon "die Schwingung des Tones" als Heilmittel ein.)

Sehr unterschiedlich verliefen die Umstände bei Trevor Watts, einem jungen Engländer, der mit fünfzehn Jahren von der Schule abging, sich in verschiedenen Handwerksberufen versuchte, jedoch mit seinem ziellosen Leben und der Unfähigkeit, dem Leben einen

Sinn abzugewinnen, unzufrieden war. Die folgende Erfahrung führte ihn zur Selbsterleuchtung und schenkte ihm das Gefühl der Wiedergeburt. Er befand sich, wie er erklärte, gerade auf dem Nullpunkt, als er plötzlich jene Erfahrung machte.

Das Leben gewinnt einen Sinn

"Ich war von meiner Arbeit in mein Wohn-Schlafzimmer zurückgekehrt und wußte, so wie ich lebte, konnte es nicht mehr weitergehen. Mit aller Kraft versenkte ich mich in die Tiefen meines Seins, und ein gewaltiger Energiestrom durchfloß mich – eine Kraft, wie ich sie nie zuvor erlebt hatte. Eine Zeit lang saß ich bewegungslos da. Ich verlor jegliches Zeitgefühl. Eine große Ruhe überkam mich, wie ich sie nie für möglich gehalten hätte. Das Leben gewann wieder Sinn. Alle großen Wahrheiten, die ich gehört und gelesen hatte, wurden zum ersten Mal bedeutungsvoll. Ich erkannte, wollte ich die Welt verändern, mußte ich zuerst mich selbst verändern. Ich sah in den Spiegel: meine Augen waren weit geöffnet, mein Gesicht trug einen Ausdruck, wie ich ihn zuvor noch nie gesehen hatte. Ich leuchtete, lebte. Es war mir, als wäre ich soeben neu geboren worden. Es war eine Offenbarung, doch ich verweilte nicht lange auf dieser Bewußtseinsebene. Es war nicht so einfach – ich mußte es verdienen."

Zwei Jahre später befand sich Trevor Watts erneut an einem Wendepunkt. Er durchlebte eine zweite Erfahrung im selben Zimmer wie zuvor, doch dieses Mal dauerte sie mehrere Tage und hinterließ eine dauerhafte Wirkung.

"Ich blickte in den Spiegel, und meine Augen sahen aus wie weißes Licht – ohne Pupillen. (Ich bemerkte später, daß diese Erfahrung drei Tage gedauert hatte.) Die Gardinen waren zugezogen. Wenn ich nach draußen sah, war es manchmal dunkel, manchmal hell, doch das schien keine Rolle zu spielen. Die Zeit hatte aufgehört zu existieren. Ich schlief nicht und aß fast nichts. Es war nicht erforderlich. In meinem Geist erschien das Bild eines

Baumes, und all die Zweige stellten die Wege dar, die ich beschritten hatte und die in Sackgassen führten. Die Zweige schienen immer kleiner zu werden, bis sie nicht mehr vorhanden waren und nur noch ein gerader Weg vor mir lag. Es erklang Musik, und ich wurde zur Musik. Die Musik und ich waren eins. Ich verspürte das, was Mystiker "ich bin" nannten und erkannte, wer ich wirklich war. Ich wußte, ich würde niemals sterben und immer sein."

Im Gegensatz zu Trevors ausgedehnter Erfahrung fand die von Major Haswell, einem britischen Offizier im II. Weltkrieg, im Handumdrehen statt; jenseits der "tatsächlichen" Zeit, wie ein Beobachter vermerkte. Im Angesicht des fast sicheren Todes erlebte er eine Offenbarung und das Gefühl der Einheit mit allen lebenden Dingen. Dieser Fall ist einzigartig darin, da das, was ihm auf spiritueller Ebene widerfuhr, für das Leben seiner Untergebenen von direkter Konsequenz war.

Vogelgesang in Dantes Inferno

"Als ich im zweiten Weltkrieg Offizier einer Truppe in Belgien war, um das Bataillon der Grenadiere zu unterstützen, waren wir auf einem ziemlich entlegenen Bauernhof untergebracht...von der der Bauer und seine Familie geflohen waren und alles Vieh und alle Haustiere zurückgelassen hatten. Der Bauernhof lag einige Kilometer im Norden von Brüssel. Bald nachdem wir unsere Position eingenommen hatten, waren wir schweren Bombardierungen einer deutschen Artillerieeinheit ausgesetzt, deren Beobachtungsposten in einem zwei Kilometer entfernten Kirchturm saß.
Nachdem wir die erforderliche Anzahl von Granaten auf unser Ziel abgegeben hatten, erhielten wir Order, unsere Position zu verlassen und eine neue Stellung zu beziehen. Ich gab Befehl, die Traktoren, die im Hof standen, zu den Geschützen zu fahren, die während einer deutschen Feuerpause auf den Hof bugsiert werden sollten, zum Aufbruch bereit. Nachdem fünf der

Geschütze auf diese Weise transportiert worden waren und das sechste gerade herangebracht wurde, begann ein gewaltiges Granatfeuer seitens der Geschützposition Nr. 1. Dieses Geschütz befand sich meinem Kontrollpunkt am nächsten und war in einem sehr großen Misthaufen verborgen, etwa einhundertfünfzig Meter entfernt vom Laufgraben, in den sich unsere Geschützmannschaft, der stellvertretende Offizier und ich zurückgezogen hatten, um den Granatschrapnellen zu entgehen, die jetzt auf dem Schützengelände explodierten.

Wir befanden uns voll im Blickfeld des deutschen Beobachtungspostens, und es war offensichtlich, daß die Taktik darin bestand, uns bewegungsunfähig zu machen. Die Szene glich Dantes Inferno: die Granaten explodierten eine nach der anderen neunzig Zentimeter über dem Boden, was uns im Laufgraben zusammenkauern ließ. Das Vieh im Hofe wurde getroffen, die Pferde in unserer Nähe waren bereits tot. Ich wurde gefragt, warum ich nicht weitergegangen war, und nachdem ich die Lage erklärt hatte, erhielt ich den direkten Auftrag sofort weiterzugehen.
Ich wandte mich zu den Männern um und sagte: „Wir müssen weitergehen, und ich glaube nicht, daß einer von uns das überleben, geschweige das Geschütz erreichen wird, um es samt Munition aus dem Misthaufen heraus zu transportieren. Ich werde jetzt beten, und ich rate auch Ihnen, auf Ihre Weise Frieden mit Gott zu schließen." Der Lärm um uns war ohrenbetäubend, wir sahen das Leuchten des Feuers, rochen den Geruch des Pulvers, während der Mist durch die Gegend flog. Wir hörten, wie das weiße, heiße Schrapnell das Geschütz traf sowie den Wall zu unserer Rechten und erwarteten, in Stücke gerissen zu werden, wenn wir unsere Deckung verließen.
Als ich mich von den Männern wegdrehte, um zu beten, war mir, als ob jemand meine Schulter berührte. Es war mein stellvertretender Offizier, der fragte, ob ich für die Männer beten würde, da sie nicht wußten wie man betete und was sie beten sollten. Ich bat sie niederzuknien – wir waren zusammengekauert – und ich betete zu Gott, indem ich um Vergebung unserer Sünden im Namen Christi unseres Herrn bat und um Erlösung vor dem Tode. Sobald ich "Amen" gesagt hatte, pfiff ich auf meiner Pfeife, um dem

Fahrer des Geschütztraktors damit ein Zeichen zu geben und rief fast gleichzeitig "auf geht's", während ich aus dem Graben kletterte.
Dann geschah etwas.
In dem Augenblick, als ich aufrecht stand, hörte der Lärm der explodierenden Granaten auf, doch ich sah immer noch das Feuer der Explosionen. Doch jetzt herrschte Stille, ich hörte das Singen der Vögel, laut und sehr nahe. (Es gab kilometerweit keine Vögel in der Nähe des Hofes.) Dann sah ich, wie beim Geschütz auf dem Misthaufen ein weißer Kohlweißling flatterte und umherschwebte. (Ich bin überzeugt, es gab dort damals auch keine Schmetterlinge!) Im Handumdrehen war ich der weiße Schmetterling. Ich war mir meines Seins bewußt, der flatternden Flügel, vor allem, wenn ich sie bewegte.
Dann begriff ich aus meinem Schmetterlingskörper heraus meine Vision und die Tätigkeit meiner Fühler. Anschließend wurde ich mir genau meines inneren Systems bewußt und der darin strömenden Flüssigkeit, denn ich war die Flüssigkeit und gleichzeitig die sie umgebende Membran. Mir wurde deutlich, daß ich nun über dem Feld vor dem Hof schwebte und alles Frieden war; kein Lärm, keine Flammen, nichts als das Feld, die Sonne, die Bäume und das Singen vieler Vögel.
Plötzlich befand ich mich am Grund vieler Grashalme – landete – alle pulsierten, nach oben drängend, doch in tonlosem Gebet frohlockend, so wie ich es im Körper des Schmetterlinges empfunden hatte, und der Grund seines (des Schmetterlings) Seins lag darin, daß er sich in gewisser Weise dessen bewußt war; es gab eine kreative, dynamische Außenwelt außerhalb seiner selbst, die jedoch eng mit ihm verbunden war, und ich verspürte das gleiche bei den Grashalmen.
Sie waren im wahrsten Sinn des Wortes lebendig und befanden sich im Einklang mit dem Universum, von dem sie einen Teil bildeten.
Da war ich, ein Grashalm, doch im Gegensatz zum Grashalm war ich mir dessen genau bewußt, was ich war und tat. Ich war mir auch der Beziehung zum Aufbau der Zellen der Erde bewußt, in denen ich mich befand und zu den anderen zahllosen Grashalmen."
Major Haswell beschreibt, was danach geschah.

"In einer Sekunde veränderte sich alles. Ich stürmte vom Rand des Grabens nach vorne, während meine Männer hinter mir herauskletterten! Ich blies erneut meine Pfeife, damit der Traktor herankäme, doch der Fahrer machte keine Anstalten; er fürchtete sich, wie ich später erfuhr. Dann entsandte ich den Artillerie-Unteroffizier, damit er den Fahrer veranlasse, den Traktor heranzufahren. Ich half den Männern dabei das Geschütz und die Munition für den Transport in Position zu bringen. Während wir damit beschäftigt waren, explodierten die Granaten immer noch um uns herum. Als der Traktor herankam, wurde das Segeltuchdach von einem Schrapnell zerfetzt.

Über all das Chaos hinaus erinnere ich mich lebhaft eines Ereignisses. Die Geschützmannschaft auf der anderen Seite des Traktors rief mir zu: „Was für ein blutiges Spektakel!" Wir verbanden das Geschütz mit dem Traktor und bewegten uns zur Spitze der sechsten Geschützlinie. Kein einziger unserer Männer wies auch nur eine Schramme auf. Wir standen weiterhin unter Beschuß, während wir uns unserem Ziel näherten, und es wurde weder eines der Vehikel noch ein Geschütz getroffen."

Besonders außergewöhnlich für Major Haswell war jener Augenblick totaler molekularer Einheit, der "tonlose Klang", ein vibrierender Teil des universalen Lebens zu sein. Unbeschreiblich jedoch ist, daß soweit der Unteroffizier sehen konnte, Major Haswell niemals lange genug stehengeblieben war, damit ein solches Ereignis stattfinden könne. Nachdem er aus dem Laufgraben gesprungen war, lief er geradewegs, ohne stehenzubleiben, zum Geschütz. Danach versammelten sich die Männer um ihn, um "Gott zu danken". Major Haswell war empfänglich für religiöse Dinge, deswegen handelte er wie ein Priester in dieser Situation. Nachdem er vom Militär entlassen wurde, nahm er bei der anglikanischen Kirche für siebenundzwanzig Jahre, bis zu seiner Pensionierung, die Tätigkeit eines Vorlesers an.

Irina Starr, amerikanische Lehrerin und Schriftstellerin, die in der Umgebung von Los Angeles in Kalifornien lebt und arbeitet, hat ihre außergewöhnlichen und ausgedehnten mystischen Erfahrungen in einem bemerkenswerten Buch "The Sound of Light" (1974) niedergeschrieben. Obgleich sie spirituelle Lebensziele verfolgte, wußte sie, daß diese Erfahrungen in ihrer Kraft und Intensität sie "nach einem langen, unglücklichen Umweg" zu ihrem wesentlichen Selbst zurückbrachten. Ihr Buch umfaßt eine siebenjährige Zeitspanne von der Jahresmitte 1955 bis zur Jahresmitte 1962 und beinhaltet verschiedene größere, transzendente Erfahrungen spontaner und unerwarteter Art, von denen eine vier Tage dauerte, sowie eine Reihe von Erfahrungen, die sich über zweiundvierzig Tage erstreckten. Es ist schwierig, die Qualität beständiger Glückseligkeit in diesem Bericht richtig darzustellen, doch der folgende Abschnitt, der den Beginn ihres viertägigen mystischen Zustandes aufzeigt, legt Zeugnis von dessen überwältigender Macht ab. Sie beschreibt darin, wie sie die vertrauten Gegenstände in ihrem Schlafzimmer sah, als sie eines Morgens ihre Augen öffnete.

Alles war im wahrsten Sinne des Wortes lebendig

"Das Leuchten, das meine Augenlider durchdrang und den gesamten Raum erfüllte, traf mein Unbewußtes. Alles um mich herum war auf wunderbare Weise zum Leben erwacht und leuchtete aus seinem Inneren heraus in lebendigem Strahlen. So müßte es einem Blinden gehen, der zum ersten Mal sehen kann.

Ich sah offensichtlich auf andere Weise als mit meinen physischen Augen, doch was ich sah, stand nicht im Gegensatz zu dem, was mein gewöhnliches Sehvermögen leistete. Ich nahm die Gegenstände sowohl auf gewöhnliche Weise als auch auf eine Weise wahr, die über das normale Sehvermögen hinausging; ich vermochte in sie hineinzuschauen, und diese Innenschau of-

fenbarte mir die atemberaubende Schönheit dieser gewöhnlichen Gegenstände. Durch einen fast unbewußten Willensakt, so als ob man von einer Ebene der Vision zur nächsten überwechselt, konzentrierte sich das innere Strahlen auf einen Mittelpunkt, und die normale Erscheinung der Dinge trat aufgrund eines anderen Wahrnehmungsvermögens in den Hintergrund. Das neue Wahrnehmungsvermögen war unbestimmter Art, es entsprach nichts Bekanntem, sondern stellte etwas Neues dar, für das ich keinerlei Bezugsrahmen besaß. Umgekehrt erfolgte die Wandlung so schnell wie ein Reflex, und das normale Sehvermögen stellte sich ein, während das Leuchten den Raum durchdrang, jedoch nicht speziell auf etwas gerichtet war.

Ich fühlte mich wie gelähmt, als mein Blick auf einen Gegenstand fiel und dann auf einen anderen; meine Hand glitt über die Matratze, über den Ahorntisch neben dem Bett, den Staub, der darauf lag, das Telefon, die Blumen in einer Vase, verschiedene Bücher. Da war dieses Strahlen – ein Licht, das in seiner Farbe der Lichtbrechung eines Diamanten glich, nur schien diese Farbe ein integraler Teil dieser essentiellen Substanz zu sein und keine Form gebrochenen Lichtes. Ganz bedeutsam war jedoch, daß alles lebte; das Licht lebte und pulsierte und besaß auf eine nicht erfaßbare Weise Intelligenz. Die wahre Substanz aller Dinge war dieses lebendige, unbeschreiblich schöne Licht. Das Bewußtsein dieser so tiefen Schönheit, die fast unerträglich war, dauerte vier Tage, in denen ich die Welt mit einem ausgeprägten Wahrnehmungsvermögen erfaßte.
Während ich an jenem ersten Morgen im Raum umherblickte, faszinierte mich vor allem die Tatsache, daß es keinen wesentlichen Unterschied zwischen lebendigen und nicht lebendigen Dingen gab – nur hinsichtlich der Form und Funktion, nicht was die Grundsubstanz anbetrifft, da es nur die eine Substanz gab, jenes lebendige, wissende Licht, das von allen Dingen ausströmte. Ich war mir des äußerlichen Unterschiedes aller Dinge bewußt, die meine Aufmerksamkeit weckten, doch der äußerliche Unterschied überdeckte in keinerlei Hinsicht die eine Substanz oder das lebendige Licht und stand auch in keinerlei Widerspruch dazu. Solange ich zurückdenken konnte, hatte ich die Einheit allen Lebens und der gesamten Schöpfung ak-

zeptiert, doch es handelte sich hierbei nur um theoretisches Wissen auf intellektueller Ebene. Doch hier erlebte ich die Tatsache selbst, die so weit von jedem Konzept entfernt war, das ich jemals kennengelernt hatte.
Alles, das ich betrachtete, barg soviel Schönheit, daß ich Stunden damit hätte zubringen können, einen Gegenstand anzusehen, und die Gefühle der Freude und Verwunderung gingen so tief, daß sie einen seltsamen Schmerz hervorriefen. Ich erinnere mich, ich war aufgrund eines gewaltigen, nicht vorbestimmten Verständnisses des Lebens fast am Bersten – wie ein Ballon, den man bis zum Äußersten aufbläst – so daß mein Geist durch dieses große, formlose "Wissen" fast überfordert war, und ich schließlich betete "genug"!
Ich wußte, ich würde niemals die Essenz dessen, was mein Bewußtsein durchsickerte, erklären oder verbal übermitteln können; es war nur die Wahrheit, der lebendige Ausdruck innerer Offenbarung, und als solcher würde er auf seine eigene Weise übermittelt werden, jenseits meines Wissens und meiner Absicht... Es handelt sich um eine wunderbare und geheimnisvolle Art eines göttlichen, alchemistischen Prozesses, der sich im Menschen vollzieht und durch den ein Konzept der Wahrheit zu lebendiger Erfahrung wird. Wir sind auf mehr als eine Art heilige Wesen."
Am Ende des siebten Tages dieser erschütternden Lebenserfahrung schreibt Irina Starr: *„Ich war nicht mehr der Mensch, der ich noch vor einer Woche gewesen war. Ich vermochte meine Welt nur noch mit anderen Augen zu sehen; ich war in eine taufrische und lebenserfüllte Dimension eingetaucht."*
Ihre Beschreibung mag wohl der längste Bericht einer gegenwärtigen mystischen Erfahrung sein, doch viele der sehr kurzen, einmaligen Erfahrungen sind mit Ausschnitten der Erfahrungen von Irina Starr zu vergleichen.

Weit von einer kontemplativen Geistesverfassung entfernt, kümmerte sich Jim Harrison wenig um spirituelle Dinge, bis er folgende Erfahrung machte, die er als Beweis Gottes interpretiert, die seine Lebenseinstellung vollkommen veränderte und ein tiefes Gefühl der Erleuchtung in ihm hinterließ. Er verließ England mit achtzehn Jahren, um nach Zimbabwe zu gehen und dort Tabak anzupflanzen. Er lebte dort bis auf die Kriegsjahre, wo er Aufklärungsflüge im mittleren Osten und über Italien durchführte. Zur Zeit seiner mystischen Erfahrung hegte er verbitterte Gedanken über einen Gott, der die innigen Gebete seiner Frau um bessere Gesundheit nicht erhörte.

Eine leuchtende Lichtsäule

Dann begann er sich zu wundern: "...angenommen, ich bin Gott und habe einen winzig kleinen Gesteins-, Schlamm- und Wasserball erschaffen, den ich in ein riesiges Universum setzte und der mit Millionen von wimmelnden Menschen bevölkert ist, denen ich einen freien Willen verliehen habe, damit sie tun können, was sie für richtig halten; vielleicht war es dieser freie Wille, der zum Unglück führte unter dem wir leiden?
Vielleicht war es wirklich nicht Gottes Fehler? Gut, dachte ich, so nehme ich alles zurück, und indem sich mein Herz mit jener zärtlichen Liebe füllte, die ich nur für meine Tochter empfinde, richtete ich diese mit dem Gedanken auf ihn: Wenn es dich gibt, schenke ich dir meine Liebe."
Danach durchlebte er folgende Erfahrung: "Ich fühlte, wie diese Liebe sich immer weiter verbreitete und plötzlich zurückkehrte – als leuchtende Lichtsäule am Himmel, heller als die Morgensonne; sie durchströmte mich mit einem so tiefen Glücksgefühl, einer so tiefen Liebe, als wollte sie meinen Weg durch einen Freudensprung unterbrechen. Das Licht war für fünf oder zehn Sekunden wahrnehmbar und verschwand dann. Ich wußte intuitiv, daß dieses deutlich sichtbare, sich bis zum Himmel erstreckende Licht irgendwie auf geheimnisvolle Weise dem Inneren entströmte.
So erkannte ich mit Gewißheit die Existenz Gottes, der Liebe, Freude und Licht ist, der innen wie auch außen existiert und nicht für unser Leid und unsere Probleme als Folge des Mißbrauches unseres freien Willens verantwortlich ist.
Dies geschah vor vielen Jahren, und obgleich ich seitdem verschiedene Gotteserfahrungen erlebte, vermag ich mir nicht vorzustellen, warum gerade

mir das Glück zuteil wurde, außer vielleicht, um diese Erfahrungen an andere weiterzuschenken."

Wenige der vorhergehenden Berichte enthielten besondere religiöse Ausdrücke, doch als Moyra Caldecott, ein "nervös kicherndes" Schulmädchen, ihre Erleuchtungserfahrung durchlebte, bezeichnete sie diese als "Abstieg der Taube", d.h. das Empfangen des Heiligen Geistes, Bestandteil der christlichen Dreieinigkeit.
Sie wuchs in einem christlichen Haushalt in Südafrika auf, wo alle Familienmitglieder zur Kirche gingen. Rückblickend bemerkte sie, daß sie ihren Glauben wahrscheinlich nie in Frage stellte, ihn jedoch auch nicht praktizierte. Meistens empfand sie im Gottesdienst Langeweile und ärgerte sich, in der Fastenzeit keine Süßigkeiten essen zu dürfen. Jener besondere Tag, der ihre Einstellung veränderte, lag in der Vorbereitungszeit zu ihrer Konfirmation, die etwas darstellte, "dem sich alle in meinem Alter unterzogen; ich interessierte mich weitaus mehr für das hübsche weiße Kleid, das meine Mutter mir zu dieser Gelegenheit nähte, als für die Bedeutung der Worte, die ich so oberflächlich aufsagte".

Die herrliche Erscheinung

"Wir Mädchen mit unseren weißen Kleidern saßen in der Vorderreihe, die Jungen mit ihren glatt gekämmten Haaren in der gegenüberliegenden. Sie sahen bemerkenswert unbehaglich drein. Wir übten nacheinander nach vorne zu gehen und vor dem Altar zu knien. Der Bischof von Natal war eigens nach Pietermaritzburg gekommen, um den Konfirmationsgottesdienst zu halten. Ich sah ihm nicht ins Gesicht. Er trug ein langes Gewand und einen großen Hut und schien sehr entfernt. Wir waren nervös und kicherten. Was würde geschehen, wenn wir etwas falsch machten?
Der Gottesdienst ging weiter, und wie gewöhnlich war ich mir dessen nur halb bewußt. Mein Mund öffnete und schloß sich, indem er die erwarteten

Worte sprach, doch meine Gedanken wanderten umher – und ich hegte gewiß keine tiefgehenden, religiösen Gedanken.
Es war jetzt Zeit, uns vor dem Altar anzustellen und niederzuknien. Ich tat es ohne irgendwelche Erwartungen. Dabei stellte ich fest, daß das Kissen, auf dem ich niederkniete, mich in die Knie stach. Ich wartete, bis ich an der Reihe war. Der Bischof murmelte etwas und legte seine Hand der Reihe nach auf den Kopf eines jeden von uns. Ich war an der Reihe. Er legte seine Hand auf meinen Kopf...
Ich hörte nicht, was er sagte, sondern... Ich durchlebte eine Erfahrung, die ich gerne beschreiben würde, doch es ist mir fast unmöglich.
Ich hörte plötzlich auf ich zu sein (d.h. als "Ich" definiere ich: Ich wohnte in einem bestimmten Haus, in einer bestimmten Straße und besuchte eine bestimmte Schule). Ich fühlte, wie ein unglaublicher Energiestrom und eine ungeheure Kraft mich durchflossen und erfuhr eine zeitlose Realität... mit einem Bewußtsein, das alles grenzenlos aufnahm... jedoch nur im Sinn von "Wissen" und "Liebe" reagierte.
Der Bischof kann seine Hand nicht länger als wenige Sekunden auf meinen Kopf gelegt haben – doch man kann ein ganzes Leben leben und nicht den Einblick erlangen, den ich in diesem wunderbaren, erschütternden Augenblick gewann.

Ich stand auf und ging zu meinem Platz zurück, wie man es mich gelehrt hatte – zitternd, erschüttert – mich daran erinnernd, wie Johannes Jesus taufte und die Liebe des Heiligen Geistes ausgegossen wurde – das bedeutete es also! War mir etwas ähnliches widerfahren? Ich fürchtete mich. Wenn es geschehen war... wirklich geschehen war... dann war alles, was Christus in der Bibel gesagt hatte, wahr und nicht etwas, an das man glauben sollte, es aber nicht tat.
Der weitere Gottesdienst verging, ohne von mir aufgenommen zu werden. Mein Inneres befand sich in Aufruhr. Nach diesem Tag las ich einige Zeit in der Bibel, nicht weil es von mir verlangt wurde, sondern weil ich verstehen wollte, was sie lehrte."
Zwanzig Jahre vergingen. Moyra Caldecott heiratete einen Verle-

ger, bekam Kinder, machte sich keinerlei tiefere Gedanken über den Sinn des Lebens, außer wenn sie gelegentliche, erstaunliche Eingebungen und verwirrende Einblicke erlebte. Später erkrankte sie an Angina und wurde geheilt, nachdem ihr eine weitere mystische Erfahrung zuteil wurde, die sie von der mystischen Philosophie überzeugte, die sie "von ganzem Herzen" annahm.

"Ich weiß, ich vermag noch nicht alle Fragen zu beantworten, wie ich es gerne tun würde...doch einer Sache bin ich mir sicher: im Innersten des Daseins west ein Geheimnis, das die analytische Wissenschaft nicht für uns gelöst hat und nicht lösen wird. Doch der herrliche Einblick, der Augenblick der Erleuchtung, der kostbarer ist als Gold, seltener als Mondgestein, stellt wahrscheinlich die einzige Möglichkeit dar es zu lösen."

Es ist interessant, die Erfahrung von Dorothy Gowenlock, einem anderen jungen Mädchen, mit der vorhergehenden zu vergleichen. Sie erlebte einen mystischen Zustand, als sie über die Leiden der Welt verzweifelte, der sich nie mehr wiederholte. Obgleich er nur von kurzer Dauer war, besaß er die gleiche unwiderstehliche Wirkung.

Von lebendigem Licht umgeben

"Ich durchlebte am 23. Februar 1948 einen Zustand, von dem ich danach nicht wußte, weil ich jung war, von dem ich jedoch heute weiß, es handelte sich um "die dunkle Nacht der Seele". Ich saß niedergeschlagen und vollkommen verloren an einem naßkalten Montagnachmittag herum. Aus irgendeinem Grund sah ich auf die gegenüberliegende Uhr: es war drei Uhr nachmittags...Plötzlich verschwand meine große Verzweiflung. Ich fühlte mich von den irdischen Fesseln des Raumes und der Zeit befreit und ganz von lebendigem Licht umgeben; es war um mich und in mir...und obgleich ich niemanden sah, verspürte ich ein so tiefes Gefühl der Liebe, wie ich es nie zuvor erfahren hatte. Sobald ich konnte ging ich zu Bett und lag dort in einem Zustand reiner Glückseligkeit, der sich über Stunden erstreckte.

Am Ostersonntag nach dieser Erfahrung ging ich zur Kirche. Als ich das im Wind wogende Gras betrachtete, fühlte ich mich eins mit der Welt und allen Dingen...dem wogenden Gras, den singenden Vögeln, mit mir selbst, alles schien ein vollständiges Ganzes zu bilden. Dieses Gefühl dauerte nicht lange, doch es war wunderbar. Ich setzte meinen Weg zur Kirche fort; es war der erste Kirchgang seit fünf Jahren...
Seit damals habe ich nie wieder eine weitere Erfahrung gemacht."

Die folgende spontane mystische Erfahrung unterscheidet sich von den anderen insofern, als sie von einem Zeugen aufgezeichnet wurde anstatt von der betreffenden Person selbst. Der nachstehende Bericht schildert die Ereignisse, die sich in Anwesenheit mehrerer hundert Menschen zutrugen...Ernest Holmes, der Führer der "Neugeist-Bewegung" in Amerika, auch "Religious Science" genannt, war 1959 der Hauptsprecher dieser neuen Kirche in Kalifornien. Wie es bei Predigten oft geschah, nahm seine Stimme einen inspirierten Ton an, doch anläßlich dieser Gelegenheit äußerte sich seine Inspiration überaus deutlich, denn man vernahm eine hörbare Änderung seiner Stimme – und er beendete abrupt seine Predigt. Dies waren die letzten Worte seiner Predigt und die Art, das auszudrücken, was er während seiner Erfahrung erlebte:

Verschmelzung mit den Himmelswesen

"...wir hängen der Vorstellung an, daß ein Mensch reinen Herzens Gott auf Erden sehen und der Sanftmütige das Himmelreich jetzt erben wird; daß ein wahrhaftiger Mensch gesegnet ist, daß jeder von uns am geheimen Ort des Höchsten, in der Mitte seines eigenen Bewußtseins, das Geheimnis des Ewigen, des Unvergänglichen, des Allmächtigen und des Unaussprechlichen besitzt. Gott und ich sind eins. Ich sehe, wie sich diese Vereinigung mit einem großen inneren Lobgesang, großer gemeinsamer Anstrengung, einem Klangcrescendo und dem einhüllenden Licht des Bewußtseins vollzieht..."

(Es entsteht eine Pause von zwölf Sekunden.)
„Ich sehe es." (Eine ruhige, doch dynamische Stimme.)
(Zehn Sekunden Pause.)
„Oh Gott!"
(Fünf Sekunden Pause.)
„Der trennende Schleier ist dünn."
(Pause)
„Ich sehe sie.
Ich vermag nichts mehr zu sagen."
Zeugen jener Zeit erklärten, daß Ernest Holmes zu leuchten schien; obgleich er seine Erfahrung einem Freund berichtete, erwähnte er sie niemals in der Öffentlichkeit.

Natürlich ist es unmöglich hier genau wiederzugeben, was Ernest Holmes widerfuhr. Solche Augenblicke werden nicht überprüft, sondern stellen vor allem eine sehr persönliche Angelegenheit dar. Vielleicht wurde seine Gemeinde von ihm mitgerissen, oder vielleicht hat sie auch geglaubt, er werde von außerordentlicher religiöser Hingabe getragen. Bleibt nur zu sagen, es handelte sich um eine Art spontaner mystischer Erfahrung.

EINE NÄHERE BETRACHTUNG DES AUSLÖSEFAKTORS

"Ich wurde mir über etwas in mir bewußt, das meinen Verstand übersteigt. Ich nehme an, es ist etwas, doch ich kann nicht erfassen, was es ist. Es scheint mir nur, könnte ich es erfassen, würde ich die ganze Wahrheit verstehen." – Meister Eckhart

Bei der Mehrheit der Berichte über mystische Spontanerfahrungen der Vergangenheit oder Gegenwart ist bereits eine Voraussetzung oder ein entsprechender Zustand gegeben. Die Menschen sprechen davon, was sie taten, fühlten, wo sie sich befanden, als die strahlende

Umwandlung der gewöhnlichen in die außergewöhnliche Realität stattfand. Sie sagen: „Ich tat gerade dies und das", oder „ich dachte gerade an dies und jenes, als plötzlich...!"

Was dann geschah, kann man als Ergebnis oder auch nicht jener besonderen Voraussetzung betrachten. In ihrem Buch "Ecstasy" (1961) vertritt Marghanita Laski die Idee, daß eine ursächliche Kette von Umständen als "Auslöser" wirkt, das Wahrnehmungsvermögen verändert und sich dieser "Auslösefaktor" zurückverfolgen und klassifizieren läßt.

Dieser Vorschlag lieferte sicher für den Versuch, die besonderen Umstände einzuordnen, die möglicherweise "zur Lüftung des Schleiers" führen, die passende Terminologie. Es ist interessant, daß viele Leute neuerdings, ohne es zu wissen, das Prägewort "Auslöser" benutzen, indem sie z.B. sagen: „...etwas schien dieses Gefühl auszulösen..." oder „die Erfahrung schien durch...ausgelöst zu werden"; die Umstände scheinen zum Erlebnis der Erleuchtung zu führen, indem sie als aktivierender Mechanismus wirken.
Bei der Erforschung dieses Auslösefaktors scheint die Hauptfrage zu lauten: Wie gleichmäßig tritt er in allen Berichten auf, in welchem Maß kann er kategorisiert werden, falls er klassifiziert werden kann, gibt es eine Form der Offenbarung, die ein bedeutsames Licht auf das Phänomen der mystischen Spontanerfahrung wirft?

Betrachten wir mehrere Hundert Erfahrungsberichte, gewinnen wir den Eindruck unterschiedlicher Kategorien, die vertraut für uns klingen, und fast jeder, der ekstatische Augenblicke erlebt hat, wird sie wiedererkennen oder einen Bezug zu ihnen herstellen können – abgesehen von "der unaussprechlichen Freude", wie der mittelalterliche Mystiker Hugo von St. Viktor seine "inneren Höhen" nannte, „... jenes Entzücken, das mich mit einer solchen Süße und Kraft bewegt, daß ich aus meinem Körper trete und hinweggetragen wer-

den, ich weiß nicht wie..." Einige dieser Erfahrungen (wovon ein Teil anonym ist) lauten wie folgt:
„Es geschah blitzartig, bei einem Konzert von Beethovens siebter Symphonie in der Queen's Hall... bei jenem triumphierenden, schnellen Tempo, als "die Morgensterne zusammensangen und alle Söhne Gottes Freudenrufe erhoben", schrieb Warner Allen, ein agnostischer Journalist in seinem Buch "The Timeless Moment" (1946).

Konzerte, Opern, melodische, nostalgische oder sogar temperamentvolle und rhythmische Musik gehören wahrscheinlich zu den meist genannten Auslösefaktoren. Es scheint, als führe Musik zu mystischem Entzücken, als ob Ton und Klang eine gewisse geheimnisvolle Ordnung innerhalb der inneren Aspekte des Seins erreichen und die menschliche Realität zu einer höheren Dimension emporheben.

Die Reaktion auf die Schönheit der Natur wird ebenfalls mit einer solchen Häufigkeit erwähnt, daß sie zu einer eigenen Klassifizierung führte: Naturmystik.

„Es herrschte einer jener wunderbar lieblichen Tage, die man manchmal in England erlebt – mit wolkenlosem, dunkelblauem Himmel und strahlendem Sonnenschein. Es war Morgen. In der Luft leuchtete die Feuchtigkeit des verdampfenden Taues. Ich schritt über den Rasen und betrachtete die zahlreichen Blumen in der Pflanzenrabatte. Als Gärtner war ich daran interessiert, was demnächst blühen würde; als Künstler genoß ich die Verbindung von Farbe, Licht und Schatten. Als ich plötzlich in Nachdenken verharrte, wurde ich in eine andere Welt (Ebene oder Dimension?) emporgehoben." Dieser Auszug stammt aus "Watcher on the Hills" von Raynor C. Johnson.
Wieder und wieder kommt dieser Auslösefaktor vor, in Form von

Waldspaziergängen, der Schönheit des Himmels, der Bäume, Blumen, fliegender Vögel, einer gewissen Stille bei Einbruch der Dunkelheit oder Tagesanbruch, eines perlfarbenen Lichtes über dem Dorf, einer herrlichen Aussicht über die schöne Landschaft, verschiedener Stimmungen über dem Meer oder eines Berggipfels. Aufgrund dieser engen Verbindung mit den Grundelementen des Lebens ist es nicht schwer zu glauben, daß sie zur mystischen Ekstase führen können.
Neben diesen offensichtlichen Voraussetzungen gibt es einige, von denen seltener die Rede ist, die jedoch häufig genug auftreten, um zur Klassifizierung verwendet zu werden.

Geburt: Entzücken über die Geburt des Kindes. Die Freude über den ersten Kontakt, Dankbarkeit, Erfüllung. Gefühl, ein Teil des universalen Prozesses zu sein. Beschützen, Lebenssinn.
Sport: Frohsinn. Vergessen von Körper, Zeit, Raum, nur das Ziel zählt. Aufrichtigkeit der Motivation. Physisches "Leuchten".
Hingabe: Vollkommene Hingabe an eine Arbeit oder kreative Aufgabe, die den Geist täglich befreit. Versunkenheit, die Geist und Körper verbindet.
Gebet: Ehrfurcht, Ehrerbietung. Immanenz des heiligen Geistes. Hingabe. Identifizierung mit einer religiösen Gestalt. Tiefes Mitgefühl. Gefühl der Gnade.
Sinnesempfindungen: Berührung, Weichheit, Glätte, das Fell eines Tieres. Rhythmus, Bewegung, Vibration. Aromen und Düfte, Veränderungen von Licht und Schatten. Augenkontakt. Die Botschaft eines Ausdruckes. Das "Wesen der Dinge" erkennen. Entspanntes Atmen. Wohlbefinden. Orgasmus. Angenehme Geschmacksempfindungen.
Dankbarkeit: Befreiung von Druck, Sorge, Furcht, Schmerz. Für Liebe, Hilfe, eine zweite Gnadenfrist. Etwas erreicht zu haben, ein Geschenk, Freiheit, Entlassung, Aufhebung.
Glück: eigenes Glück, Freude über das Glück anderer, zu leben, Ge-

fühl des Segens. Selbstannahme. Vergeben. Loslösung von der Vergangenheit, von Kümmernissen. Erneuerung. Hoffnung. Liebe für alle, Brüderlichkeit, Weltfrieden.
Erfolg: Erfüllung, Befriedigung, Triumph, Verwirklichung. Gefühl der Ausdehnung.
Fliegen: Befreiung vom Raum. Freiheit von irdischer und physischer Begrenzung. Befreiung vom Körper im Traum. Gleiten. Fliegen in einem Flugzeug, ein Flugzeug zu bedienen. Geschwindigkeit, Beschleunigung zu großen Höhen.

Natürlich gibt es noch viel mehr, wenn auch weniger deutliche Auslöser: wie z.B. die vertrauende Hand eines kleinen Kindes, die sich in die eigene legt; die Anwesenheit eines lieben Tieres; Gefühl der Verbundenheit mit allen Geschöpfen; Liebe, sexuelle Vereinigung, erstes Entzücken, tiefe Nähe, Augenblick der Eheschließung, Befreiung von mentalen oder physischen Beschränkungen.

Doch es gibt nicht nur positive Auslösefaktoren, sondern auch negative Voraussetzungen, die nicht so leicht mit der darauf folgenden Freude in Zusammenhang gebracht werden.
Einige davon sind:
Das Mitteilen von Krankheit im Endstadium: Leugnen, Ärger, Rückzug mögen zu einer "ewigen Vision" führen – das Leben ist nichts anderes als ein Lernprozeß zur Befreiung. Empfinden, daß der Körper als Vehikel der Unterweisung diente, der Geist unberührt bleibt.
Einsamkeit: Dunkle Verzweiflung wird plötzlich durch eine liebevolle Wesenheit erhellt. Friede, Schutz, Verständnis, Vertrauen.
Selbstmordgedanken: Werden plötzlich und unerwartet überwunden und durch die überwältigende Erkenntnis von Güte und Sinn, von Liebe und Schutz einer unsichtbaren aber existenten Quelle ersetzt.
Klinischer Tod: Bei Herzstillstand Erfahrung eines gewaltigen Leuchtens, von Frieden, das Gefühl, sich auf Liebe und Freiheit zuzubewegen – Bedauern, wieder zu den "gewöhnlichen" Umständen zu-

rückzukehren (Gerald Jampolski und Elisabeth Kübler-Ross, Psychologen, deren Hauptaufgabe in der Betreuung todkranker Kinder besteht und die darüber geschrieben haben, berichten, daß diese Kinder jene mystische Immanenz zu besitzen scheinen, selten die Angst verspüren, die Erwachsene fühlen und häufig ihre Eltern trösten anstatt sich von ihnen trösten zu lassen.)
Inmitten von Kummer, Verlust, Lebensbedrohung, Schock, Agonie: plötzlicher Frieden, Loslösung, Erkennen der Logik und Ordnung der Lebensgesetze. Mitgefühl oder Liebe für den Feind. Immunität gegen körperliche Angst. Einheit, die die Ignoranz von Gewalt, die Blindheit gegenüber der Unmenschlichkeit des Menschen überschreitet. Gefühl der absoluten Einheit des Seins. Hinwendung zu Gott oder einer allmächtigen Kraft, die als gegenwärtig und gütig betrachtet oder empfunden wird.
Neben diesen offensichtlichen, negativen Auslösefaktoren gibt es noch viele andere, oft ziemlich unverständliche. Es wurden dabei genannt: der Anblick eines Abfallhaufens oder Schuttabladeplatzes, Schlamm, Exkremente, leere Gebäude, ein totes Huhn, Nebel, ein klagendes Pfeifen im Wind, Tränen. Das Wunder der Umwandlung, das sich diesen Zuständen anschließt, kann nur das Geheimnis vertiefen und gibt nur einen geringen, wenn überhaupt einen Hinweis auf den Hauptnenner hinsichtlich der Umstände, die die mystische Erfahrung beschleunigen.

Vielleicht gibt es keinen besonderen Auslösefaktor, sondern nur die eine oder andere Situation, den einen oder anderen Gedanken oder das eine oder andere Gefühl, die das Hervorheben des Lichtes beschleunigen, wozu letztendlich alles beitragen kann und in keinerlei Beziehung zur Erfahrung stehen muß. Auf der anderen Seite gibt es vielleicht einen Faktor, der das Entstehen von Glückseligkeit hervorruft, doch er entzieht sich bis jetzt noch jeder präzisen Definition. Vielleicht verhält es sich damit so wie mit allem anderen in der Evolution des menschlichen Verstehens – es muß uns erst bewußt

werden. Wir werden dann erkennen, daß dieser Faktor die ganze Zeit vorhanden war.
Inzwischen stellt dieser verblüffende und schwierige Aspekt der mystischen Erfahrung, der vielleicht den Schlüssel zu ihrer Ursache enthält, eine Herausforderung für die weitere Forschung dar.

Die Frage nach der Unaussprechlichkeit

Bin ich bestrebt das Beste zu sagen,
entdecke ich, ich kann nicht.
Meine Zunge versagt.
Mein Atem gehorcht nicht.
Aus mir wird ein stummer Mensch.

Walt Whitman

Durch alle Berichte mystischer Erfahrung zieht sich eine Gemeinsamkeit: die Erfahrung läßt sich nicht in Worte fassen, sie ist "unaussprechlich". Jakob Böhme (1575-1624), der inspirierte deutsche Schuster, dessen Auslegungen mystischer Erfahrung tiefgehend die Philosophie und Geschichte der Mystik beeinflußten, fand es damals nicht einfacher als jene mit ähnlicher Erfahrung heutzutage.
„Wer vermag es auszudrücken? Warum und was schreibe ich, der ich nur stammle wie ein Kind, das das Sprechen lernt? Mit was läßt sich diese Erfahrung vergleichen? Soll ich sie mit der Liebe dieser Welt vergleichen? Nein, sie erscheint dagegen nur wie ein dunkles Tal... Oh unfaßbare Größe! Ich vermag keinen Vergleich zu finden, sondern nur den der Auferstehung von den Toten. Das Feuer der Liebe wird wieder in uns erwachen und unsere bitteren, kalten, dunklen und toten Kräfte neu beleben und uns warm und freundlich umhüllen."
Solange man nicht jene Erfahrung durchlebt hat, von der er spricht, wie lassen sich dann diese Worte verstehen? Selbst wenn sich Spra-

che über ihre gegenwärtigen Grenzen ausdehen und erweitern ließe, wäre sie dann subtil und flexibel genug, um die Erfahrung selbst zu übermitteln? Nicht nur die mystische Erfahrung bereitet Kommunikationsprobleme. Wenn man nur an die Schwierigkeit denkt, einem Menschen normale, alltägliche Erfahrungen zu beschreiben, der sie nicht zu teilen vermag – einem Blinden die Farbe des Sonnenunterganges, einem Tauben den Klang der Klarinette, wie es ist, sich zu verlieben, wenn jemand noch nie diese Empfindung verspürt hat – daran wird die Unermeßlichkeit der Aufgabe, eine mystische Erfahrung in Worten zu übermitteln, offensichtlich. (Der im nächsten Abschnitt genannte Schriftsteller jedoch macht eine interessante Unterscheidung zwischen dem Problem, eine "normale" Erfahrung zu übermitteln und jenem, das auftritt, wenn mystische Erfahrungen in Worte gefaßt werden.)

In seinem Buch "The Invisible Writing" schrieb Arthur Köstler über Erfahrungen, die er als Gefangener in der Todeszelle während des spanischen Bürgerkrieges durchlebte. Der Auslösefaktor bestand darin, was er als wieder erhärteten Beweis von Euklids Prämisse ansah, daß die Anzahl der unteilbaren Zahlen ins Unendliche geht und sich ihm in Zahlen offenbarte, die mit einem Stück Draht an die Wand geschrieben wurden.
„Die Bedeutung dessen", schrieb er *„überspülte mich wie eine Welle; die Welle entsprang einer artikulierten, verbalen Einsicht; doch dies löste sich umgehend auf und hinterließ nur eine wortlose Essenz, den Duft der Ewigkeit, das Zittern des Pfeiles, der ins Blaue abgeschossen wurde.*
Ich muß so einige Minuten gestanden haben, von einer wortlosen Bewußtheit der Vollkommenheit überwältigt – Vollkommenheit, bis ich ein leichtes Unbehagen verspürte, das sich in meinem Hinterkopf bemerkbar machte – triviale Umstände, die die Vollkommenheit des Augenblickes trübten. Dann fiel mir der Grund jenes belanglosen Unbehagens ein: Ich befand mich im Gefängnis und konnte erschossen werden. Doch dies wurde umgehend durch ein Gefühl beantwortet, dessen verbale Übersetzung lauten würde: „Und?

Ist das alles? Gibt es nicht Schlimmeres, das dir Sorgen bereitet?" Es war eine so spontane, frische und amüsierte Antwort, als ob das sich aufdrängende Unbehagen den Verlust eines Kragenknopfes betraf. Dann schwebte ich auf dem Rücken in einem Fluß von Frieden unter Brücken des Schweigens. Er kam von nirgendwo und strömte nirgendwohin. Denn es gab keinen Fluß und kein Ich. Das Ich hörte auf zu existieren.
Wenn ich sage "ich hörte zu existieren auf", beziehe ich mich auf eine konkrete Erfahrung, die verbal so wenig mitteilbar ist wie das Gefühl, das durch ein Klavierkonzert hervorgerufen wird, das jedoch genau so wirklich ist – noch viel wirklicher. Tatsächlich liegt das Hauptmerkmal dieses Empfindens darin, daß dieser Zustand wirklicher ist als jeder andere, den man zuvor erfahren hat – daß zum ersten Mal der Schleier gefallen ist und man sich mit der "wirklichen Realität" in Berührung befindet, der verborgenen Ordnung der Dinge, der Röntgenstruktur der Welt, die normalerweise von mehreren Schichten der Unerheblichkeit verdeckt wird.

Was diese Art von Erfahrung von der emotionalen Bezauberung durch Musik, Landschaften oder die Liebe unterscheidet, ist die Tatsache, daß erstere entschieden intellektuell oder eher numinos ist (indem sie sich auf die Realität bezieht, die hinter der sichtbaren Welt der Phänomene liegt.) Sie ist bedeutsam, doch nicht im verbalen Ausdruck. Verbale Begriffe, die ihr am nächsten stehen, sind: Einheit und die Verknüpfung aller bestehenden Dinge, eine gegenseitige Abhängigkeit wie die der Gravitationsfelder. Das "Ich" hört auf zu bestehen, da es durch eine Art von mentaler Osmose sich mit dem Universum verbunden und in ihm aufgelöst hat. Dieser Prozeß der Auflösung und grenzenlosen Ausdehnung, der als "ozeanisches Gefühl", als das Weichen aller Spannung, als absolute Katharsis, als Friede, der alles Verstehen überschreitet, empfunden wird... beinhaltete eine tröstende und belebende, klare und angstauflösende Nachwirkung, die Stunden und Tage anhielt."
„Diese Erfahrungen", fügte Köstler hinzu, *„erfüllten mich mit der direkten Gewißheit über die Existenz einer höheren Ordnung, und das allein gab der Existenz Bedeutung."*

So deutlich dieser Bericht war, gibt es doch noch einen unbeschreiblichen Kern (wie dies auch beim Versuch vorkommt, eine persönliche Erfahrung mitzuteilen, was für die Mystik um so mehr zutrifft), wodurch jedoch die Vorstellung angeregt zu werden vermag.
In vielen Beiträgen dieses Buches wurde ausdrücklich die Unzulänglicheit betont, von der Erfahrung zu berichten (aus Platzgründen mußten einige Beiträge gekürzt oder sogar ausgelassen werden). In einigen kam mehr als die übliche Verwirrung über die mangelnde Ausdrucksfähigkeit zum Ausdruck, obgleich jedoch das Gefühl bestand, daß eine umfassendere und höhere Bildung zu einer flüssigeren Beschreibung befähigt hätte. Einige der einfachsten Berichte übermittelten durch ihre Undeutlichkeit tiefere Erklärungen des Geschehenen, während das Streben nach einem prosaischen Ausdruck, der der Schönheit der Erleuchtung entsprach, manchmal eine künstliche Wirkung hervorrief, als ob der Verfasser bemüht gewesen sei, die Sprache des Mystikers zu verwenden, um andere davon zu überzeugen, daß die Erfahrung einem erkennbaren Modus entsprach.
In beiden Fällen wird die Frustration, eine andere Realität zu übermitteln, die auf jeder Ausdrucksebene besteht, offensichtlich. Einige Menschen erklärten, sie vermochten die Unermeßlichkeit der mystischen Erfahrung nicht in Worte zu kleiden, da sie ihnen zu heilig erschien, um sie den Begrenzungen der Sprache auszusetzen. Sehr oft hatten sie den Eindruck, daß die Sprache den Wert ihrer Erfahrung herabsetzte. Einige bemühten sich außerordentlich, sie zu beschreiben und gaben dann diesen Versuch als hoffnungslos auf. Ein Herr, der es gerne gesehen hätte, wenn man seine Erfahrung berücksichtigte, sagte: „Wie ich sie auch niederschreiben mochte, der Bericht erwies sich immer als seicht, leblos und als Lüge." Er brachte lediglich die Wirkung der Erfahrung zu Papier: „Seit meiner ersten erschütternden mystischen Erfahrung vor sechs Jahren, habe ich mein Leben jeden Augenblick damit verbracht, mich zu ändern." Indem er den amerikanischen Sozialwissenschaftler Timothy

Leary zitiert, der in "Neuropolitics" schrieb: „Die Larven verstehen nicht die Schmetterlingssprache", fügte er hinzu: „Ich war für eine kurze Zeit ein Schmetterling. Ich lernte die Sprache der Schmetterlinge. Ich vermag sie jedoch nicht in die Sprache der Larven zu übersetzen."

Indem er eine mögliche Erklärung für diese Schwierigkeit bietet, schreibt F.C. Happold in "Mysticism": „... unsere Sprache hat sich in erster Linie als ein Instrument entwickelt, um die Erfahrung, die wir durch die fünf Sinne gewinnen, zu beschreiben. Sie eignet sich nicht ohne weiteres für Beschreibungen seltener sprituellen und psychischer Zustände, die, obgleich sie einerseits Zustände des Wissens darstellen, ebenso Gefühlszustände sind. Wie der Poet und der Musiker, muß der Mystiker eine eigene Sprache finden. Es handelt sich in großem Ausmaß um eine Sprache der Symbole, und es liegt im Wesen des Symboles, daß es verschleiert wie auch offenbart."

Doch es liegt nicht nur an der Sinngerichtetheit der Sprache, daß sie "seltene Zustände" nicht zu erfassen vermag, sondern das Verständnis auf der intellektuellen oder Verstandesebene mag ebenso unzureichend sein, die Konzepte der mystischen Erfahrung unterzubringen. Vielleicht ist der Symbolismus ein Ersatz für das, was jenseits des Vorstellungsvermögens existiert. Da man die gerade stattfindene Erfahrung nicht beschreiben kann, ist jede Beschreibung nach dem Ereignis der Versuch der Erinnerung, was bedeutet, daß der Verstand nach Konzepten greifen muß, die im wesentlichen unübersetzbar sind. Es erscheint logisch anzunehmen, daß die Erfahrung der "Einheit" bedeutet, daß Worte, die Werkzeuge des Verstandes, nur die Trennung in Teile hervorrufen würden, das "Undifferenziertes" zur Unterscheidung kommen würde, wo alle Konzepte Bruchstücke darstellen.
Vielleicht wird deswegen oft das Wort "unaussprechlich" bei Beschreibungen mystischer Erfahrung benutzt, und vielleicht ist dies

der Grund, warum viele Meister des Ostens ihre Schüler ermahnen, sich nicht zu bemühen, die Erfahrung zu erklären, und weshalb das Wesensmerkmal, das auszudrücken, was es nicht ist oder der "negative Weg", bei den frühen Mystikern zu einer weitverbreiteten Devise wurde. Hier z.B. bietet sich ein berühmtes Beispiel, das den Schriften von Ps. Dionysios Areopagita (ca. 500 nach Christus), eines Christen, entnommen wurde, dessen tatsächliche Identität unklar ist, doch dessen Lehrmeinungen (nicht alle sind negativ) im Laufe des Zeitalters einen beträchtlichen Einfluß auf die mystische Theologie besaßen.

„Wenn wir emporgehoben werden, liegt es nicht an der Seele oder dem Geist, auch nicht an der Vorstellung, Vermutung, dem Verstand oder Verständnis, es handelt sich dabei auch nicht um einen rationalen Akt; man kann es auch nicht durch den Verstand oder durch das Verstehen beschreiben, da es keine Zahl, Ordnung, Größe, Kleinheit, Gleichheit oder Ungleichheit darstellt, da es weder beweglich noch unbeweglich ist, auch nicht im Ruhezustand, es besitzt keine Macht und ist nicht Macht oder Licht, es ist nicht lebendig oder Leben, noch ist es persönliche Essenz, Ewigkeit oder Zeit; es kann auch nicht mit dem Intellekt erfaßt werden, da es weder Wissen noch Wahrheit ist, noch ist es Herrschertum oder Weisheit, es ist nicht eines und nicht Einheit, auch nicht Gott oder Güte, es ist auch nicht ein Geistwesen, wie wir es verstehen, da es weder Sohnschaft noch Vaterschaft ist; es ist auch nichts anderes, von dem wir oder ein anderes Wesen wissen; es gehört auch nicht in die Reihe der nichtexistenten Dinge; existente Dinge wissen, es existiert tatsächlich; es kennt sie nicht, wie sie wirklich sind, man vermag es mit dem Verstand nicht zu benennen, es ist weder Dunkelheit noch Licht, weder Irrtum noch Wahrheit, es läßt sich weder bestätigen noch ablehnen, denn wenn wir Affirmationen oder Negationen für jene Seinsordnung anwenden, die ihm am nächsten stehen, verwenden wir in bezug auf es weder Affirmationen noch Negationen, da es alle Affirmationen durch seinen vollkommenen und einzigartigen Grund aller Dinge überschreitet und jede Negation durch die Vorrangigkeit seines einfachen und absoluten Wesens."

Diese Annäherung ebnet den Weg für die "via affirmativa", die zeigt, welche Qualitäten die mystische Erfahrung nicht besitzt; denn die bestehenden Qualitäten übertreffen sie an Luminiszenz und Erhabenheit, die man nicht in Worte fassen kann, sondern die man erfahren haben muß. Dies führt häufig zur Anwendung eines Paradoxon, jenes feinsinnigen Widerspruches, der sich gleich schnellen Lichtpfeilen, die in ein Zentrum wortlosen Verstehens eindringen, zwischen Intellekt und Intuition einschleicht. Man spricht auch von einer Metapher der indirekten Annäherung an eine Beschreibung, die beinhaltet, was nicht niedergeschrieben ist, indem sie Ähnlichkeiten und Vergleiche anwendet, um das zu schaffen, was Rudolf Otto in seinem Buch "Das Heilige" als "göttliche" Qualität, als das Empfinden der Erfahrung selbst bezeichnet.

Als Antwort auf die Frage eines Studenten hinsichtlich dessen, was sich von der transzendenten Realität in Worten ausdrücken läßt, erklärte Hsi Yun, ein Zen-Meister, der etwas 840 nach Christus lebte: „Wenn man die Natur des Geistes versteht, können keine menschlichen Worte sie umfassen oder ausschließen. Es ist wichtig, Erleuchtung zu erreichen; der, der sie erreicht, sagt aber nicht, er wisse." Er fügte hinzu: „Selbst wenn ich dir das klar machen könnte, bezweifle ich, ob solches Wissen für dich brauchbar wäre."

Die Aufgabe jeglicher analytischer Bemühung, jeglichen Gedankens, der der Sprache widersteht, stellt die östliche Lösung des Rätsels dar. Indem wir uns von äußeren Konzepten weg einer absoluten inneren Stille zuwenden, wo es keinen Verstand, Intellekt oder das wilde Herumspringen eines „affengleichen Geistes" gibt, erhalten wir Einblick in das tiefe und universale Wesen.

Wir bedürfen keiner Worte mehr, es sei denn, um zu lehren und mitzuteilen, um anderen zu ihrer eigenen mystischen Erfahrung zu verhelfen. Fortgeschrittene Meister auf diesem Pfad mögen sich jenseits der verbalen Kommunikation in die Stille zurückziehen. Gelegentlich werden Lehrer mit hoher und reiner Weisheit ihre Stille verlassen, um unter den noch Unerleuchteten zu leben und ihr Wissen weiterzugeben.

Dr. Charles Musès, Direktor des Forschungszentrums für Mathematik und Morphologie in der Schweiz und neben Arthur Young Mitverfasser von "Consciousness und Reality", vertritt zur Frage der Unaussprechlichkeit einen kritischen Standpunkt. Er sagt: „Es war und ist viel einfacher zu behaupten, es wäre unmöglich etwas auszudrücken, als einen Weg zu finden, diese Inhalte jenen zu übermitteln, die ihrer noch nicht bewußt sind..."
Da das Wesen des Kosmos in unbegrenzten und unermeßlichen Ordnungen besteht, existiert die stets gegenwärtige Komponente des Unaussprechlichen, die die Unbestimmbarkeit des Unermeßlichen kennzeichnet. Diese Unaussprechlichkeit stellt das Kennzeichen des Lebens selbst dar – mit seinen Charakteristika ewigen Neuseins.

Doch die erforderliche Unaussprechlichkeit des Lebendigen darf auf keinen Fall mit einer allgemeinen oder absoluten Grenze der Kommunikation verwechselt werden. Denn menschliches Leben ist dadurch charakterisiert, daß der Mensch, solange er Erfahrungen macht, in der Lage sein wird, zu lernen das mitzuteilen, was er früher nicht zu formulieren oder in ein Konzept zu fassen vermochte. Wir wissen jetzt zwei Dinge: die Unmöglichkeit alles das mitzuteilen, was die Realität uns in einem bestimmten Augenblick erleben läßt und die Möglichkeit, diese Dinge in Zukunft mitzuteilen, in der die Realität erneut unsere Kommunikationsfähigkeit überholt hat."
Um diesen Aspekt der mystischen Erfahrung zum Zweck der Forschung zusammenzufassen, scheint es, daß der Kampf selbst, sich auf irgendeine Weise und innerhalb von bestimmten Sprachgrenzen auszudrücken, die Hauptbedeutung besitzt. Wenn viele Menschen ihre Erfahrungen immer wieder im gleichen Wortlaut beschreiben, so daß trotz des Unterschiedes von Raum, Zeit, sozialer oder religiöser Ausrichtung die Ähnlichkeiten auffallen wie zwei Lichtstrahlen im Nebel, dann besteht Grund dazu anzunehmen, daß die Lichtquellen größer werden und der Nebel sich verringert.

4. Kapitel

Glückseligkeit als "gewollte" Erfahrung

„Möchte man wissen, was sich hinter der Grenze befindet, besteht die einzige Möglichkeit darin, sie zu überschreiten. Man tut gut daran, sich auf dieser Reise eine Karte und einen Führer zu beschaffen, jedoch muß man jeden Schritt durch eigene Mühe zurücklegen."
– Robert S. De Ropp, Das Meisterspiel (1968)

Der Großteil mystischer Erfahrungen wird absichtlich gesucht – im Gegensatz zu den Spontanerlebnissen – und es ist fast unmöglich, von der Vielfalt der Methoden, die dazu führen, alle aufzuzählen. Die Wege zur Erreichung eines veränderten Bewußtseinszustandes, der sich vom normalen Wachzustand als Ekstase, Verzückung oder Trance unterscheidet, gehen bis ins Altertum zurück. Jeder Stamm und jede Gemeinschaft von Menschen auf der ganzen Welt hat dieses offensichtlich universelle Bedürfnis durch orgiastische Rituale, rhythmische und wiederholte Körperbewegungen, ausgedehntes Rufen, Schreien, Singen, Intonieren, Heulen, Atemanhalten oder periodisches Ein- und Ausatmen, extreme asketische Disziplinen wie z.B. umfangreiches Fasten, Geißelung, die Einnahme von bewußtseinserweiternden Drogen sowie Schlafentzug und Beruhigung der Sinne zum Ausdruck gebracht.

Obgleich die Methoden sich mit der Evolution der Gesellschaftsformen geändert haben mögen, bleibt das grundlegende Element des

Bewirkens oder Hervorrufens eines mystischen Zustandes. Man versucht irgendwie die Grenzen der gewöhnlichen Realität zu überschreiten, von der Vergänglichkeit und dem Kurzlebigen zu etwas, das im Unbekannten wartet. Der Hinweis, daß es etwas gibt, wurde genügend bestätigt, individuelle Visionen und Offenbarungen, vom christlichen Gottesbewußtsein bis zum hinduistischen Saccidananda, versprechen, daß es den Preis des Suchens wert ist.

Worin bestehen nun die gegenwärtig existierenden experimentellen Wege des Versuches, eine mystische Erfahrung hervorzurufen oder herbeizuführen?
Am bekanntesten ist das kontemplative Gebet – die Bemühung direkter Kommunikation mit Gott, was eher das mystische anstatt das rein theologische Element fast aller Religionen bildet. Dieses Element, das von der Theologie oft unterdrückt wurde, wird heutzutage mit neuem Geist belebt und manchmal als "die neue Mystik" bezeichnet. Damit überschreitet es die Grenzen zwischen spezifischen Lehrmeinungen und Dogmen und bildet eine ihnen gemeinsam zugrundeliegende Wurzel.
Weiterhin gibt es die Meditation, die im Osten zu Hause ist, die jedoch zunehmendermaßen auch vom Westen angenommen wird, in einer Vielfalt von Formen und Techniken, die zahlenmäßig am häufigsten zur mystischen Glückseligkeit beiträgt.
Dann gibt es die Drogen, wovon einige bereits im Altertum Anwendung fanden, andere erst neu entwickelt wurden. In diesem Fall fand die mystische Erfahrung teilweise indirekt im Verlaufe eines Experimentes statt, das anderen Zwecken diente.
Bei den ersten beiden Kategorien gibt es eine Überschneidung, da die Linie zwischen Kontemplation und Meditation oft zu subtil für eine genaue Abgrenzung ist; beides kann eine mystische Erfahrung hervorrufen. Beides verlangt gesammelte Aufmerksamkeit und Stille des Geistes; doch während Kontemplation tiefes Denken sein kann, die intensive Betrachtung eines Gegenstandes, bedeutet Me-

ditation die Auslöschung von Gedanken. Dies wird z.B. durch ein Mantra erzielt (ein Wort oder Satz, die ständig wiederholt werden) oder andere Methoden wie z.B. Derwisch-Tanz, bei dem Gedanken durch wiederholtes und fortgesetztes Drehen zum Schweigen gebracht werden; außerdem durch regelmäßiges und rhythmisches Atmen, bei dem die Aufmerksamkeit ausschließlich auf den Atem gerichtet wird oder indem man die Aufmerksamkeit auf ein Licht, einen Gegenstand, einen Ton oder die vorgestellte Form eines Mandalas richtet, eine Art mystischen Diagrammes, das in der hinduistischen und buddhistischen Meditation verwendet wird.
Der indische Philosoph Krishnamurti sagt: „Meditation ist eine Übung, um die Aufmerksamkeit zu beherrschen...
Aufmerksamkeit besitzt keine Grenzen, keine Grenzen, die überschritten werden müssen; Aufmerksamkeit ist Klarheit, Klarheit von allen Gedanken. Der Gedanke ist das Aufhören von Meditation; eine gute Meditation beginnt mit dem Aufhören von Gedanken.

Bewußtheit darüber ist Aufmerksamkeit...Meditation ist kein intellektueller Prozeß, der sich noch immer im Bereich der Gedanken befindet, Meditation ist die Freiheit von Gedanken..."
Es ist nicht einfach, die Gedanken zum Schweigen zu bringen, wie Maxwell Cade in "The Awakened Mind" bemerkt: "Die grundlegende Aufgabe der Meditation ist es zu lehren, den Geist täglich zu beruhigen, den Fluß des nutzlosen Geschwätzes zum Stillstand zu bringen, den inneren Plattenspieler, der unaufhörlich Beschuldigungen hervorbringt, Proben wiederholt, Wortspiele und Stabreime bildet und sogar Poesie und Volkslieder verfaßt."

Arthur J. Deikman bezeichnet diese Kategorie in seinem Werk "Deautomatization and The Mystic Experience" als "trainiertes Empfinden" im Gegensatz zum "untrainierten Empfinden" der spontanen Erfahrung. Selbst wenn das Ergebnis das gleiche oder zu ähnlich ist, um leicht voneinander unterschieden zu werden, liegt der

Unterschied in der Überlegung. (Die relative Qualität der spontanen und der 'gewollten' Erfahrung wird am Ende dieses Kapitels besprochen.)

Die Meditation ist der Grundstein zu jeder "Erleuchtung", ein Zustand, der zwar grundlegend der gleiche ist, dem jedoch im Osten und Westen viele Namen gegeben werden. In der Yoga-Philosophie ist er als Samadhi oder Moksha bekannt; im Zen-Buddhismus als Satori oder Kensho; im Taoismus als das absolute Tao und im Sufismus als Fana. Was Richard Bucke als kosmisches Bewußtsein und der heilige Paulus als Frieden bezeichnete, der über jegliches Verstehen hinausgeht, wird von den Quäkern als inneres Licht betrachtet. Martin Buber, der jüdische Weise, spricht von der Ich-Du-Beziehung, C.G. Jung von Individuation und Abraham Maslow neuerdings von Gipfelerlebnis.

Es wurde viel über die Einnahme von Drogen diskutiert, um das Herbeiführen der mystischen Erfahrung zu erleichtern. Seit der Experimentierphase mit LSD in den Sechziger Jahren, die als Modell für die Studie von Schizophrenie gedacht war, gleichzeitig jedoch Zustände auslöste, die den Beschreibungen mystischer Ekstase ähnelten, fand diese Substanz weitverbreitete Anwendung (meist illegal, es sei denn, sie wurde unter medizinischer Überwachung verabreicht), um in die Bereiche des Unbewußten vorzudringen.

Andere bewußtseinserweiternde Drogen, die auf eine lange Geschichte der Anwendung zurückblicken und mystische Erfahrungen hervorrufen, schließen viele Pflanzen ein, wie z.B. Meskalin, das vom Peyote-Kaktus stammt sowie Psilocybin vom Psilocybin-Pilz; beide wurden zu diesem Zweck bereits vor und nach der spanischen Eroberung benutzt. Was für eine Droge es auch sein mag, das Endergebnis ist immer das gleiche: es tritt eine Form chemischer Bewußtseinsveränderung auf, die schließlich zur Erreichung der mystischen Erfahrung führt, die sich von einem spontanen bis zu einem permanenten Zustand erstreckt, der sich inmitten des gewöhnlichen Lebens ereignet.

Neben dem kontemplativen Gebet, der Meditation und der Anwendung von Drogen gibt es, wie bereits zu Beginn dieses Kapitels erläutert, viele andere Möglichkeiten, um mystische Erfahrungen hervorzurufen. Diese werden einigermaßen detailliert von Dr. Richard Petty in seinem Beitrag in Kapitel 5 untersucht.
Die folgenden Berichte aus neuester Zeit, die auf die größten Gruppierungen beschränkt bleiben, beinhalten das Ergebnis gezielter Bemühungen; sei es mittels einfacher oder ausgeprägter, kurzer oder langer Anstrengung.

GLÜCKSELIGKEIT, DIE DURCH BESTIMMTE HILFEN ERREICHT WURDE

„Instrumente dieser Untersuchung sind ein durch Meditation geübter Geist; eine Sensitivität, die darauf abgestimmt ist, sich mit jenem Aspekt des Einen zu identifizieren, das formlos, ohne Zeit und Raum, strahlend, allumfassend ist; und die Fähigkeit, das Bewußtsein über den Punkt hinauszuführen, an dem es noch das Bewußtsein des "Ich" ist." – Pir Vilayat Khan (Sufi-Meister)

Jakob Böhme, der Mystiker des 17. Jahrhunderts, berichtete, er wurde einst plötzlich in einen Glückseligkeitszustand erhoben, während gleichzeitig sein physisches Sehvermögen von Sonnenlicht geblendet wurde, das eine Weißmetallplatte reflektierte. Diese durch Licht hervorgerufene Erfahrung des Mystikers mag ihre Erklärung durch die Worte der modernen Neurologie finden (wovon später noch die Rede sein soll), doch es ist interessant festzustellen, daß sie allgemein vorkommt und sowohl hervorgerufen wird als auch nicht, was darauf hinweist, daß es sich um eine fundamentale Komponente der Transzendenzerfahrung handelt.
Eine Abwandlung dieser Art von Erleben stammt aus erster Hand von Theo Gimbel, der einst zuerst Gefangener der Nazis und dann

der Roten Armee war, der heute jedoch als Heilpraktiker tätig ist und auf Licht und Farbe bezogene Therapien anwendet.

Ein religiöser Christ

Er beschreibt, was ihm widerfuhr, als die Rote Armee von den Deutschen das Camp übernahm, in dem er Gefangener war. Voll beständiger Verzweiflung und täglicher Todesfurcht fuhr er fort, mit ruhiger Beharrlichkeit zu beten. Eines Nachts wurde er grob geweckt und aus seiner Zelle hinausgebracht.

„Ich wurde in einen hellerleuchteten Raum geschoben, während der Bewacher sein Gewehr in meinen Rücken stieß. Weit entfernt auf der anderen Seite des Raumes spielten vier Offiziere Karten und tranken.

Ich verstand inzwischen etwas Russisch, und seit man mich der Spionage angeklagt hatte, war es mir gelungen, noch etwas mehr zu lernen. Nach einiger Zeit blickte einer auf und fragte den Bewacher: Wer ist das? Der Bewacher nannte meine Nummer und meinen Namen, doch es wurde abgewinkt, da er offensichtlich nicht mehr entziffern konnte.

Einer der Offiziere wühlte unter einigen Papieren auf dem Tisch und kehrte erneut zu seinem Spiel zurück. Das Licht im Raum schien dunkler geworden zu sein. Meine Augen mußten sich daran gewöhnt haben, doch seltsamerweise hatte sich der Lärm des Lachens und der Auseinandersetzung über dem Spiel auf der anderen Seite zu einem Murmeln verflüchtigt, das an einen kleinen, ruhigen Bach denken ließ. Zwischen mir und der gegenüberliegenden Seite sah ich ein Licht, das nicht die Reflexion des Lichtes darstellte, das von den Glühbirnen ausstrahlte. Ich wußte, es würde keine Dunkelheit geben, falls es jetzt zu einem Stromausfall käme. Diese Wolke des Lichtes, die einen unbeschreiblichen Frieden verströmte, blieb zeitlose Augenblicke.

Von weit entfernt hörte ich die Stimme des einen von ihnen: „Nimm ihn mit, ich brauche ihn nicht mehr!" Und in der Morgendämmerung gingen wir zum

Camp zurück. Es gab kein Frühstück, Wasser mit Kohlblättern und Brot war bereits vom Gebäudeältesten abbestellt worden, wie ich kurz darauf erfuhr. Doch ich war weder hungrig noch müde.

Wochen vergingen; mein Name stand mehrere Male auf der Entlassungsliste, doch wenn sie vom politischen Büro kam, war er durchgestrichen. In unregelmäßigen Zeitabständen wurde ich zwei weitere Male voller Grobheit zum Tor geschleppt, dem Lichtstrahl ausgesetzt, wo ich das gleiche Erstaunen und den gleichen Frieden verspürte und wieder weggeschickt wurde. Ich betete unaufhörlich und dankte Christus für seinen Schutz und Frieden.

Als wir eines Tages wieder einmal jenes Gebäude betraten, wurde die Tür aufgerissen, und ich sah mich auf Augenhöhe einer 1.000-Watt-Birne gegenüber. Die Wirkung war so mächtig, daß ich mich ermahnen mußte: Bleibe ruhig, zeige keinerlei Emotion, laß äußerlich keine Furcht oder Ungewißheit erkennen. Tatsächlich gab es auch unter diesen Umständen keine Furcht und Ungewißheit, nur diese unglaubliche Freude, jenen unbeschreiblichen Frieden und absoluten Schutz.

Dieses Mal sah ich mich einer neuen Gruppe von vier Offizieren gegenübergestellt, die Karten spielten, Wodka tranken und vulgär lachten, als einer von ihnen sich an mich wandte, um mich auszufragen. Das jetzt sanfte goldene Licht bildete plötzlich einen Lichtstrahl, der senkrecht zwischen uns stand; der Offizier machte plötzlich eine abwinkende Handbewegung, die bedeuten sollte "ach, lassen wir es" und kehrte zum Spiel zurück. Alle Geräusche waren in den Hintergrund getreten und alles strahlte soviel Heiterkeit aus, daß ich mich nicht erinnere, solches jemals zuvor empfunden zu haben.

Das gleiche wiederholte sich, und als sich dieses Mal einer der Offiziere erhob, um auf mich zuzukommen, trat wieder das goldene Licht zwischen uns und der Offizier blieb stehen. Er kehrte zum Tisch zurück, blätterte die Papiere durch, so als suche er eifrig nach bestimmten Unterlagen, lehnte sich schließlich im Stuhl zurück und gab dann dem Wärter ein Zeichen, damit er mich wegbringe.

In der Morgendämmerung kehrten wir zum Camp zurück; wie gewöhnlich gab es kein Essen, doch Erstaunen über meine Rückkehr.
Irgendwie hielt der Schutz an; ich bin fähig, darüber zu schreiben, doch ich habe nichts vergessen:..das Licht begleitete mich auch im Laufe der folgenden Jahre."

Rückkehr ins Leben

Erfahrungen mystischer oder fast mystischer Natur können leicht durch die Anwendung von Halluzinogenen wie Meskalin oder LSD hervorgerufen werden.
Von John Willmin kommt der besonders klare Bericht einer solchen Erfahrung, die ziemlich ungewöhnlich für eine Drogenerfahrung ist und die eine permanente Wirkung auf seine Persönlichkeit und Lebenseinstellung besaß. Das mag daran gelegen haben, daß er gewissermaßen für seine Erfahrung der Glückseligkeit vorbereitet war – er hatte sich mit religiöser Literatur jeder Richtung befaßt, eine theologische Hochschule besucht und war Baptistenpfarrer geworden. Nach einer "Glaubenskrise" erlitt er einen Nervenzusammenbruch und verließ die Kirche. Er unterzog sich einer Psychotherapie, was die kontrollierte Anwendung von LSD einschloß. Er schreibt:

"Ich lag allein auf einem Bett im Zimmer eines Krankenhauses, nachdem man mir eine Dosis LSD verabreicht hatte. Zuerst überschwemmten mich alle möglichen intensiven Gefühle – Liebe, Ärger, Furcht usw. – mit unglaublicher Kraft. Dann geschah es. Ich lag still mit geschlossenen Augen und erfuhr INTENSIVE BEWUSSTHEIT. Ich wußte, ich wußte alles. Ich kannte alle Antworten, da ich mich jenseits aller Fragen befand. Die Fragen, die Vernunft, die Logik, sie alle waren belanglos – ich befand mich jenseits von ihnen. Ich wußte dies mit absoluter Überzeugung. Nichts war wichtig – Leben, Schmerz, Tod – nichts besaß überhaupt Bedeutung – au-

ßer des BEWUSSTSEINS. Ich erkannte intuitiv, ich befand mich jenseits jeder normalen Erfahrung. Ich hatte den Zwiespalt von Gut und Böse überwunden, von materiell und immateriell, von Vergangenheit, Gegenwart und Zukunft, von Emotionen und von Persönlichkeit. Es gab keine Gegensätze mehr. Ich befand mich jenseits von ihnen. Ich wußte, alles war eins – und ich war Teil aller Dinge und alle Dinge waren Teil von mir. Ich hatte Zeit, Religion und jegliche "Gotteskonzepte" überwunden. Alles ist. Es war offensichtlich und im höchsten Grad zufriedenstellend.

Ich weiß nicht, wie lange die Erfahrung dauerte – eine halbe Stunde? Eine halbe Minute? Eine Sekunde? Es spielte keine Rolle, nichts spielte eine Rolle.

Das ist alles, was ich zu sagen vermag. Die Hauptcharakteristika waren – (a) äußerste Sicherheit, (b) Zeitlosigkeit, (c) Einheit, (d) Offensichtlichkeit, (e) Zufriedenheit, (f) Erkenntnis der letzten Wirklichkeit – ich hatte alles Begrenzte überwunden, (g) Bewußtheit, (h) Vollkommenheit, (i) Sorglosigkeit, (j) absolutes Sein (Isness)."

Er beschrieb die langfristige Wirkung der Erfahrung wie folgt: „Die Erkenntnis, daß Es existiert. Dies hat mir zur Rückkehr ins Leben verholfen. Es spielt keine Rolle, ob es wieder geschieht oder nicht – es ist da – nichts kann daran rütteln. Die Todesfurcht ist verschwunden. Vermutlich bilden wir beim Tod eine Einheit mit allem. Religiöse Dogmen sind trivial und unbedeutend. Sie mögen den Menschen helfen, doch sie sind so gering im Vergleich zur REALITÄT, daß sie es nicht wert sind, ihnen Aufmerksamkeit zu schenken. Es besteht die Schwierigkeit, Es ins tägliche Leben einzugliedern. Gering war meine Enttäuschung, daß es beim Absoluten keine Persönlichkeit gab, kein Gott zu sehen war, und doch empfand ich das Sein der absoluten Realität auf allen Ebenen als überaus zufriedenstellend. Frustration empfand ich über die Unfähigkeit darüber zu sprechen – außer mit einigen, die ebenfalls diese Erfahrung gemacht haben. Die Erkenntnis stellte sich ein, daß Es da ist und teilweise erfahrbar wird durch:

(1) Meditation

(2) Indem man nicht länger bei der Betrachtung eines Gegenstandes Konzepte bildet, sondern lernt, sich einfach seines SEINS bewußt zu sein, vor allem der Bäume, Pflanzen und sogar der Bauwerke. Ich habe kleine Erfahrungen gemacht, indem ich verwelkte Blätter, meine Schlüssel, die Skulpturen von Henry Moore, Bäume, einen Abfallhaufen, die Biegung eines Treppengeländers, Noten, Poesie, die Falten eines Gewandes, eine Pfütze, die Exkremente eines Hundes, einen Stein, das einfallende Licht, eine Rose, den Schatten (Auslösefaktoren?) betrachtete.

Zu manchen Zeiten bin ich bewußter als zu anderen...Ich empfinde tiefe Dankbarkeit für diese Erfahrung – sie stellte das Glanzlicht meines Lebens dar. Jetzt bin ich achtundfünfzig. Sie geschah vor ungefähr sechzehn Jahren und ist immer noch sehr real. Ich möchte nicht darüber diskutieren oder versuchen sie zu erklären – Diskussionen und Erklärungen sind belanglos."

Hervorrufen ohne Absicht

Vivian Gibson, eine junge Witwe, erfuhr einen tiefen Zustand von Bewußtseinsveränderung als Nachwirkung einer großen Dosis Insulin, die sie zu therapeutischen Zwecken verabreicht bekommen hatte. Insulin ist eine Substanz, die von Natur aus in der menschlichen Bauchspeicheldrüse gebildet wird. Es ist im Körper aller Menschen vorhanden, wo es den Zucker-Stoffwechsel regelt. Im allgemeinen wird es nicht als Halluzinogen angesehen. Vivian Gibsons Erfahrung besitzt sowohl große Ähnlichkeit mit den Berichten, in denen es durch Drogeneinnahme zu Erleuchtungserlebnissen kam, als auch mit jenen, in denen es um mystische Spontanzustände geht. Vivian Gibson erwachte aus ihrem Insulinkoma und erlebte dabei folgendes:

"Es begann mit dem überwältigenden Bewußtsein, wirklich alles zu wissen – das Universum war überhaupt nicht unverständlich, sondern schön, herrlich und einfach – obgleich sich dies nicht in uns bekannten Worten beschreiben läßt. Ich lächelte voller reiner Freude über die absolute "Richtigkeit" dessen. Zweifellos kennen Sie das zufriedenstellende "Klick", findet man z.B. die Lösung für ein kompliziertes mathematisches Problem. Meine Erfahrung verlief ähnlich, führte jedoch bis zum Absoluten. Es handelte sich um einen riesigen Super-Klick!! Verbunden mit dem Gefühl, nach Hause gekommen zu sein. Es beinhaltete das glückselige Bewußtsein der Einheit, ich war in allem – und alles war in mir. Alles dies – ich sage "alles", obgleich es eine einheitliche Erfahrung darstellte – verschmolz zu einem tiefen und tragenden Gefühl der "Liebe". Es war, als atmete ich Liebe, und als ob Liebe meine Venen durchströmte. Nachdem ich wieder mein 'normales' Bewußtsein erlangt hatte, hielt dieser Zustand noch einige Zeit an. Jeder Mensch, den ich sah, schien mir sehr wertvoll, und ich hätte jedem gerne gedient, wenn ich es gekonnt hätte. Mir fiel ein, dies war natürlich das, was mit "Gott ist Liebe" gemeint war, nicht "Gott liebt" oder "der liebende Gott", sondern GOTT IST LIEBE. (Ich persönlich verwende das Wort "Gott" nicht, ich bin bis jetzt nur zur "Essenz" vorgedrungen, die wir durch die Konzentration auf unser Konzept des "Selbst" blockieren.)
Ich erinnerte mich nicht daran, je ein mystisches Erlebnis gehabt oder darüber gelesen zu haben, obgleich ich seit jener Erfahrung viele Bücher zu diesem Thema studiert habe. Ich würde mich als im Grund religiös bezeichnen, doch es ist mir nicht möglich, mich einer der orthodoxen Religionen anzuschließen, welche mir selbst vor meiner Erfahrung irgendwie engstirnig vorkamen...
Ich möchte aufrichtig betonen, daß diese Erfahrung dauerhaft mein Leben verändert hat, doch es ist schwierig, die Bedeutung des Bewußtseins von der absoluten Wirklichkeit mit dem täglichen Leben in Einklang zu bringen. Trotzdem finde ich von Zeit zu Zeit Trost, wenn ich mir den größten Augenblick meines Lebens ins Gedächtnis zurückrufe, und ich wünsche mir oft, ich könnte ihn wiedererleben. Wenn ich manchmal Musik höre oder meditiere, kommt es mir vor, als wäre ich nahe daran, mich wieder im gleichen

Entzücken zu verlieren, doch ich bin mir dieser Tatsache zu sehr bewußt und dadurch entsteht eine Barriere."

Meditation ist die am weitesten verbreitete Technik, um einen mystischen Zustand zu bewirken. Obgleich die Meditation gewöhnlich nicht zur "Glückseligkeit aus der Retorte" führt, wie die Drogenerfahrung, bewirkt ihre regelmäßige Ausübung oft veränderte Bewußtseinszustände, die genau so spektakulär sind wie die durch Drogen hervorgerufenen Zustände.
Vanora Goodhart, eine Malerin, hat in einem graphischen Beitrag ihren Glückseligkeitszustand, den sie durch Meditationstechniken erlangte, festgehalten. Sie befaßte sich mit Zen-Buddhismus und wandte dann die Methoden an, die in einem Buch über Zen-Buddhismus von Christmas Humphries aufgeführt sind – ein Autor, der mit großer Hingabe den Buddhismus lebte und einer der geachtetsten Richter Englands war.

Vanora Goodhart erlebte tiefen inneren Frieden, fühlte sich im Inneren "strahlend glücklich" und begegnete einer Geistheilerin, Frau Jean Meade, die sie ermutigte, mit der Meditation fortzufahren. Zum Ende des Jahres 1977 verharrte sie wieder einmal in tiefer Meditation, als sie eine Bewegung unten an der Wirbelsäule spürte und einen leichten Druck, der ihren Rücken aufrichtete.

Ein enormer Kraftstoß

"Gleichzeitig drang ein Licht durch meine geschlossenen Augenlider, zuerst hell und sanft, dann immer leuchtender. Ich besitze wirklich einen sehr analytischen Verstand und versuchte vernunftsmäßig die Geschehnisse zu begründen. Ich öffnete meine Augen, um mich davon zu vergewissern, daß das Licht nicht irgendeiner Lichtquelle im Raum entstammte, was nicht der Fall war.

Ich schloß meine Augen wieder. Die Intensität nahm an Stärke zu. Wären meine Augen offen gewesen, hätte mich das Licht bestimmt geblendet. Überdies enthielt das Licht eine große Macht und Kraft, die sich tief meinen Empfindungen einprägte. Das Glückseligkeitsgefühl war so überwältigend, daß mein Verstand sich fragte, ob ich es ertragen könne – starb ich, trat ich aus meinem Körper aus? Die Nadeln in meinem Kopf breiteten sich nun in meinem ganzen Körper aus. Gleichzeitig wurde ich mit großer und wunderbarer Kraft, die zu einem Crescendo erwuchs, emporgehoben und mit allen Fasern meines Wesens in jenem herrlich leuchtenden, einhüllenden Licht gebadet. Dann kam ich langsam und sanft zurück und wurde mit einem mächtigen Sog in meinen Körper hineingezogen. Irgendwann breitete ich meine Arme aus, so als ob ich mein physisches Herz dem Licht öffnen wollte.
Nachdem ich zurückgekehrt war, leuchtete das Licht immer noch sanft, und ich wußte, ich mußte meine Augen öffnen. Ich fühlte, ich war schweißgebadet und mein Herz schlug sehr schnell.
Sofort rief ich meine Mutter, eifrig bestrebt ihr meine Erfahrung sofort mitzuteilen. Ich rief aus "es ist alles wahr", bezog mich dabei jedoch nicht direkt auf das, was mir widerfahren war, sondern auf die Bestätigung der Tatsache, daß wir niemals an der Realität unserer Seele oder der Wahrheit und Kraft des Geistes zweifeln dürfen, da ich es jetzt wußte. Dabei liefen Freudentränen über meine Wangen.
Es ist interessant, daß ich zu jener Zeit meines Lebens völlig ahnungslos war, was eine mystische Erfahrung ist; deswegen befand ich mich in einem Zustand ekstatischen Schocks.

Zufälligerweise sah ich auf meine Uhr, als ich "zurückkam", und stellte fest, die Erfahrung hatte zwanzig Minuten gedauert, obgleich es nur einige Minuten oder auch Stunden hätte sein können, da ich mir während der Geschehnisse der physischen Zeit nicht bewußt war.

Zum Abschluß möchte ich bemerken, mein Leben hat sich seit jener Zeit bis zum heutigen Tage in weltlicher und physischer Hinsicht auf unermeßliche Weise zum Besseren hin verändert; es ist in spiritueller Hinsicht der Reali-

tät des Großen Geistes hingegeben, der sich hinter der gesamten physischen Manifestation verbirgt. Mein Bestreben besteht stets darin, mehr vom großen Licht der Liebe zu erfahren und ihm zu dienen."

Vanora Goodharts Erfahrung begann damit, was sie als "Bewegung unten an der Wirbelsäule" benennt. Das mag bedeutsam sein, da in der Yoga-Lehre dieser Bereich mit der "Kundalini" in Zusammenhang gebracht wird – einem Zentrum der Kraft, die als zusammengerollte Schlange symbolisiert wird und an der Basis der Wirbelsäule "schläft".

Die Erweckung jener "Schlange" und die darauffolgende Glückseligkeit ist das Ziel des Kundalini-Yoga. Dieser Prozeß wurde in Einzelheiten von vielen Anhängern des Yoga beschrieben. Bevor wir darüber sprechen, ist es erforderlich; einen kurzen Umriß der theoretischen Grundlage zu geben, bei der man auch von der "mystischen Anatomie", die dem Kundalini-Yoga zugrundeliegt, sprechen könnte.

Man weiß, daß mit dem physischen Körper eine Anzahl von Zentren physischer Energie verbunden sind, die jedoch nicht Teil des Körpers sind und Chakras oder Lotosblüten genannt werden. Jedes dieser Zentren wird als Lotos symbolisiert, der eine unterschiedliche Anzahl von Blütenblättern besitzt, wovon der höchste der "tausendblättrige Lotos" ist, der mit dem Hirn verbunden und "das Heim Shivas", der Sitz des "Glückseligkeitsbewußtseins" ist. Der Kundalini-Yoga beabsichtigt die schlafende Schlangenkraft zu wekken, um ihre Energie durch subtile Bahnen, die mit der Wirbelsäule verbunden sind, nach oben zu leiten, wobei nacheinander jedes der Chakras erweckt wird. Wie dramatisch die Wirkungen der Erwekkung der Kundalini verlaufen können, wird durch folgenden Bericht offensichtlich, der aus Gopi Krishnas Buch "Kundalini" (1971) entnommen wurde:

"...ich saß da und atmete langsam und rhythmisch, wobei sich meine Aufmerksamkeit auf den Scheitelpunkt meines Kopfes konzentrierte, und in meiner Vorstellung eine voll erblühte, strahlende Lotosblume erwuchs.

Ich saß unbeweglich und aufrecht, meine Gedanken konzentrierten sich beständig auf den strahlenden Lotos. Ich war bestrebt, das Umherschweifen meiner Gedanken zu unterbinden, mich zu konzentrieren, wenn meine Gedanken mir zu entgleiten drohten. Die Intensität meiner Konzentration unterbrach mein Atmen; allmählich verlangsamte es sich so sehr, daß es kaum noch wahrnehmbar war. Mein ganzes Sein war so sehr in die Kontemplation des Lotos vertieft, daß ich für einige Minuten den Kontakt zu meinem Körper und meiner Umgebung verlor. Während dieser Intervalle kam es mir vor, als schwebte ich in der Luft, ohne meinen Körper zu fühlen. Ich war mir nur eines einzigen Gegenstandes bewußt, des strahlenden Lotos. Diese Erfahrung widerfährt vielen Menschen, die regelmäßig irgendeine Form der Meditation für eine bestimmte Zeitdauer ausüben. Doch was noch weiter an jenem schicksalhaften Morgen geschah, mein ganzes Leben und meine Lebenseinstellung veränderte, haben bis jetzt nur wenige erlebt.

Als ich mich wieder einmal in einem Zustand tiefster Konzentration befand, verspürte ich plötzlich ein seltsames Empfinden an der Basis der Wirbelsäule, dort, wo sie den Sitz berührte – ich saß im Schneidersitz auf einer am Boden liegenden Decke. Das Empfinden war so außergewöhnlich und angenehm, daß meine Aufmerksamkeit unerwarteterweise von jenem Punkt abgelenkt wurde, auf den sie gerichtet war; dann hörte das Empfinden auf. Ich glaubte, meine Vorstellung spiele mir einen Streich, um die Spannung zu vermindern. Ich verbannte die ganze Angelegenheit aus meinem Geist und brachte meine Aufmerksamkeit wieder zum Ausgangspunkt zurück. Erneut konzentrierte ich mich auf den Lotos, und als dieses Bild am Scheitelpunkt meines Kopfes klar und deutlich wurde, kehrte besagtes Empfinden wieder zurück. Dieses Mal versuchte ich meine Aufmerksamkeit aufrechtzuerhalten, was mir für wenige Sekunden gelang; das sich nach oben ausbreitende Gefühl war tiefer und außergewöhnlicher als alles, was ich zuvor erlebt hatte. Statt meiner Person bewegte sich mein Geist darauf zu, und genau in jenem Augenblick verschwand die Empfindung wieder. Ich war überzeugt, etwas Ungewöhnliches mußte passiert sein, für das die tägliche Ausübung meiner Meditation wahrscheinlich verantwortlich war."

Ein Tosen wie das eines Wasserfalles

"Ich hatte in begeisterten Beschreibungen, die von gebildeten Männern verfaßt worden waren, von den großen Geistesgaben gelesen, die sich durch diese Konzentration einstellen sollten, sowie von wunderbaren Kräften, die Yogis durch solche Übungen erlangten. Mein Herz begann wild zu schlagen, und ich fand es schwierig, meine Aufmerksamkeit wieder auf den erforderlichen Grund zurückzubringen. Ich wurde ruhiger und befand mich bald wie zuvor in tiefer Meditation. Nachdem ich vollkommen darin vertieft war, erlebte ich erneut jene Empfindung, doch dieses Mal erlaubte ich meinem Geist kein Umherschweifen, sondern erhielt meine Aufmerksamkeit aufrecht. Jene Empfindung stieg wieder nach oben, nahm an Intensität zu, und ich war nahe daran nachzulassen: mit großer Mühe hielt ich meine Aufmerksamkeit auf den Lotos gerichtet. Plötzlich, vergleichbar mit dem Tosen eines Wasserfalles, fühlte ich einen Strom flüssigen Lichtes durch meine Wirbelsäule ins Hirn treten.

Ganz und gar nicht auf eine solche Entwicklung vorbereitet, übermannte mich totale Überraschung. Ich gewann meine Selbstkontrolle jedoch zurück, verharrte in der gleichen Körperhaltung und hielt meinen Geist auf den einen Punkt gerichtet. Das Leuchten wurde heller und heller, das Tosen lauter, ich verpürte ein Rütteln und glitt aus meinem Körper, wobei ich vollständig von Licht eingehüllt wurde. Das Licht wurde größer und größer, breitete sich aus, während der Körper, der normalerweise der unmittelbare Gegenstand der Wahrnehmung ist, in der Entfernung verschwand, bis ich mein begrenztes Ich vollständig zurückgelassen hatte. Ich war jetzt vollkommenes Bewußtsein, ohne jede Kontur, ohne die Idee eines körperlichen

Anhängsels, ohne ein Gefühl oder eine Empfindung, die von den Sinnen herrührten, in ein Meer von Licht getaucht, gleichzeitig jedes Punktes bewußt; breitete mich in alle Richtungen ohne jede Grenzen aus. Ich war nicht mehr ich selbst oder um es genauer auszudrücken, ich kannte mein Selbst nicht mehr als kleinen Punkt eines Bewußtseins, das in einem Körper eingesperrt ist; statt dessen war ich ein riesiger Kreis von Bewußtsein, in dem der Körper nur noch einen Punkt darstellte, in Licht gebadet und in einem Zustand der Erhebung und Glückseligkeit, der sich unmöglich beschreiben läßt.

Nach einiger Zeit – ich vermag nicht zu beurteilen, wie lange es gedauert haben mag – wurde der Kreis kleiner; ich zog mich zusammen, wurde schmaler und begrenzter, bis ich mir schwach und dann immer deutlicher der Konturen meines Körpers bewußt wurde; ich erreichte wieder meinen alten Zustand. Ich vernahm wieder Straßenlärm, spürte meine Arme, Beine und meinen Kopf, und mein kleines Selbst kam wieder mit seinem Körper und seiner Umgebung in Berührung. Als ich meine Augen öffnete und um mich blickte, fühlte ich mich etwas benommen und irritiert, als ob ich aus einem seltsamen, mir vollkommen fremden Land zurückgekehrt sei. Die Sonne war aufgegangen und schien warm und weich auf mein Gesicht.

Was war geschehen? War ich Opfer einer Halluzination? Oder hatte ich durch eine Laune des Schicksals die Transzendenz erfahren? Hatte ich wirklich etwas erlebt, das bislang Millionen andere nicht erlebt hatten? Lag in der häufig wiederholten Behauptung der Heiligen und Asketen Indiens wirklich eine gewisse Wahrheit, die Generation um Generation bestätigt wurde, daß es möglich war, die Realität dieses Lebens zu überwinden, wenn man bestimmte Verhaltensregeln befolgte und auf eine genau beschriebene Weise die Meditation ausübte? Hatte ich das Glück gehabt, den Schlüssel zu diesem wunderbaren Schloß (Kundalini) zu finden, der sich im legendären Nebel der Zeitalter verbarg, von dem die Menschen sprachen und über den sie flüsterten, ohne seine Wirkung an sich selbst zu erfahren oder an anderen zu beobachten?

Könnte es möglich sein, daß ich im Zustand extremer Konzentration die Sonne für den leuchtenden Schrein gehalten hatte, der mich in jenem überbe-

wußten Zustand umgab? Ich schloß meine Augen wieder und ließ die Strahlen der Sonne auf meinem Gesicht spielen. Nein, die Wärme, die ich durch die geschlossenen Augenlider wahrnahm, war gänzlich anders. Sie war äußerlich und besaß nicht diesen Glanz. Das Licht, das ich erfahren hatte, war innerlich, ein Teil des erweiterten Bewußtseins, ein Teil meines Selbst."

Obgleich er sich seltsam fühlte, erwähnte Gopi Krishna gegenüber seiner Frau nichts von seiner Erfahrung und ging wie gewöhnlich zur Arbeit – doch sein Geist wanderte wieder und wieder zu dem Erlebten zurück. Nach wenig erfolgreichen Versuchen, das Geschehene zu wiederholen, gelang es ihm schließlich, seiner umherschweifenden Gedanken Herr zu werden und die gleiche Stabilität der Aufmerksamkeit auf den Scheitelpunkt seines Kopfes zu richten, indem er sich wie gewöhnlich eine voll erblühte Lotosblume vorstellte und erneut den nach oben fließenden Strom empfand. Wieder stellte sich der tosende Lärm ein, der Strom strahlenden Lichtes, der sein Hirn zu durchziehen schien und ihn mit "Kraft und Vitalität" erfüllte. Er spürte, wie er sich in alle Richtungen ausbreitete, über die Grenzen des Fleisches hinauswuchs, vollkommen vertieft in die Kontemplation eines strahlenden, bewußten Glühens, eins mit ihm und doch nicht vollkommen mit ihm verschmolzen.

Dieser Zustand dauerte kürzere Zeit als das vorhergehende Erlebnis, das Empfinden des Emporgehobenseins war nicht so ausgeprägt; doch mit der Zeit überkam ihn das Gefühl, zwischen Gesundheit und Geistesgestörtheit, zwischen Licht und Dunkel, zwischen Himmel und Erde zu schweben.

Er meditierte seit seinem siebzehnten Lebensjahr, um Überwindung seiner Fehler und Schwächen bemüht, studierte die Bhagavad Gita in dem Bemühen, den Konflikt zwischen seinen materiellen und spirituellen Zielen zu lösen, doch jetzt befand er sich jenseits von allem Getrenntsein, er lebte gleichzeitig in beiden Welten. *"Das eine"*, schrieb er später, *"ist die Sinneswelt, die wir alle miteinander teilen, das andere ist eine erstaunliche, übersinnliche Welt, die nach meinem*

Wissen nur ich kenne oder vielleicht noch einige andere mir unbekannte Menschen.
...ich bin mir ständig eines leuchtenden Glühens bewußt, das nicht nur mein Inneres durchdringt, sondern mein gesamtes Gesichtsfeld, wenn ich mich im Wachzustand befinde. Ich lebe im wahrsten Sinn des Wortes in einer Welt des Lichtes. Es ist, als ob mich ein Licht mit einem so herrlichen und bezaubernden Glanz erfüllt, daß meine Aufmerksamkeit wieder und wieder darauf hingelenkt wird. Tatsächlich stellt dies jetzt meinen normalen Bewußtseinszustand dar. Innerliches und äußerliches Licht und deutliche Musik in meinen Ohren sind die zwei hervorragenden Merkmale meines transformierten Wesens. Es ist, als ob ich innerlich in einer bezaubernden, strahlenden und melodischen Welt lebe. Das Gefühl ihrer Faszination ist stets in mir gegenwärtig. Die Harmonie wird mehr oder weniger durch ungesunde Körperzustände gestört, so wie Krankheit das Gleichgewicht des Geistes stört. Die Störung tritt nur gelegentlich auf. Im allgemeinen gestalten eine innewohnende Freude und Harmonie mein Leben viel glücklicher und heiterer, als es vor meiner Transformation war."

Gopi Krishnas Erfahrung beeinflußte nicht nur sein inneres sondern auch sein äußeres Leben – er gründete aufgrund innerer Führung das "Kundalini-Forschungsinstitut" und unternahm ausgedehnte Bemühungen, um Wissenschaftler für den Kundalini-Yoga zu interessieren.

Die Art des "plötzlichen" Durchbruches, wie Gopi Krishna ihn erlebte, wird manchmal vorsätzlich durch die Handlung eines Gurus (Lehrers) ausgelöst. In seiner "Autobiographie" schreibt Paramahansa Yogananda, der mehr als dreißig Jahre im Westen lebte und viele Tausende mit der Technik und Theorie des Kriya-Yoga bekannt gemacht hat, über einen solchen durch einen Meister bewirkten Durchbruch. Sein Meister rief ihn und sagte ihm, sein "Herzenswunsch" solle erfüllt werden und schlug ihm sanft auf die Brust.

Ozeanische Freude, ein Meer der Freude

„Mein Körper wurde unbeweglich, die Luft wurde wie von einem gewaltigen Magneten aus meinen Lungen gesogen. Seele und Geist verloren augenblicklich ihre physische Begrenzung und entströmten wie flüssiges Licht jeder Pore. Das Fleisch schien tot zu sein, doch in meiner tiefen Bewußtheit erkannte ich, daß ich niemals zuvor so vollkommen lebendig gewesen war. Mein Selbstbewußtsein beschränkte sich nicht länger auf den Körper, sondern umfaßte die umgebenden Atome. Menschen auf entfernten Straßen schienen sich sanft über meine eigene entfernte Peripherie zu bewegen. Die Wurzeln der Pflanzen und Bäume schimmerten durch die trübe Transparenz des Bodens hindurch; ich beobachtete in ihnen das Strömen ihres Saftes.

Die ganze Umgebung lag offen vor mir. Mein gewöhnliches frontales Sehvermögen hatte sich in ein gewaltiges, sphärisches Sehen verwandelt, das gleichzeitig alles wahrnahm. Mit dem Hinterkopf schaute ich jene Menschen, die die Rai Ghat Lane entlanggingen und bemerkte ebenfalls eine weiße Kuh. Als sie das geöffnete Ashram-Tor erreichte, konnte ich sie mit meinen physischen Augen beobachten. Sie ging vorbei und ich sah sie selbst hinter der Ziegelmauer deutlich.

Alle Gegenstände innerhalb meines Blickfeldes zitterten und vibrierten wie ein zu schnell laufender Film … Das vereinigende Licht veränderte sich mit der Materialisierung der Form, die Metamorphose offenbarte das Gesetz von Ursache und Wirkung in der Schöpfung.

Eine ozeanische Freude überflutete die ruhigen, endlosen Strände meiner Seele. Der Geist Gottes, wurde mir bewußt, ist unendliche Glückseligkeit; sein Körper ist unendliches Licht. Ein zunehmender Glanz in mir begann Städte, Kontinente, die Erde, solare und stellare Systeme, feine Sternen-

nebel und schwebende Universen zu umhüllen. Der gesamte Kosmos erglänzte in einem sanften Leuchten wie eine Stadt, die man aus der Ferne bei Nacht sieht, in der Unendlichkeit meines Seins. Das blendende Licht jenseits der scharf umrissenen Konturen des Globus wurde an den entferntesten Punkten schwächer; dort bemerkte ich ein wohltuendes, stets gleichbleibendes Strahlen. Es war unbeschreiblich subtil; die planetarischen Bilder entstanden aus einem dichteren Licht…

Ich erkannte das Zentrum des Paradieses als Ort intuitiver Wahrnehmung in meinem Herzen. Strahlende Herrlichkeit strömte von meinem Wesenskern her zu jedem Teil des universalen Mosaikes aus. Glückseliges Amrita, der Nektar der Unsterblichkeit, durchströmte mich quecksilbergleich. Ich vernahm die Schöpferstimme Gottes als Aum(*), die Schwingung des kosmischen Motors.

Plötzlich kehrte der Atem in meine Lunge zurück. Mit fast unerträglicher Enttäuschung erkannte ich, daß meine Grenzenlosigkeit verlorengegangen war. Wieder befand ich mich im demütigenden Käfig meines Körpers eingeschlossen; wie ein verlorenes Kind war ich von meinem makrokosmischen Zuhause weggelaufen und hatte mich selbst mit einem erbärmlichen Mikrokosmos umgeben.
Mein Guru stand bewegungslos vor mir; ich wollte aus Dankbarkeit für die Erfahrung kosmischen Bewußtseins, nach der ich schon lange leidenschaftlich gestrebt hatte, vor seinen heiligen Füßen niederfallen. Er hielt mich zurück und sprach ruhig und zurückhaltend:
„Du darfst nicht trunken von Ekstase werden. Es gibt noch viele Aufgaben für dich in der Welt zu tun. Komm, wir wollen den Balkon fegen; dann gehen wir am Ganges spazieren."

(*) „Am Anfang war das Wort (Logos) und das Wort war bei Gott, und das Wort war Gott." (Eröffnungsworte des Johannesevangeliums).

Ich ergriff einen Besen. Ich wußte, der Meister lehrte mich das Geheimnis eines ausgeglichenen Lebens. Die Seele muß den kosmischen Abgrund überwinden, während der Körper seinen täglichen Pflichten nachkommt. Ich sah unsere Körper als zwei Astralbilder, die sich auf der Straße am Fluß bewegten, dessen Essenz reines Licht war.

„Der Geist Gottes erhält jede Form und Kraft im Universum, doch Er ist transzendent und weit weg in glücklicher und unerschaffener Ferne jenseits der Welten, die eine Schwingung aufweisen", erklärte der Meister. „Heilige, die sich ihrer Göttlichkeit im Fleisch bewußt sind, kennen eine ähnliche zweifache Existenz. Bewußt mit den Aufgaben der Erde befaßt, verharren sie in innerer Glückseligkeit.
Der Herr hat alle Menschen aus der grenzenlosen Freude seines Seins heraus erschaffen. Obgleich sie durch den Körper qualvoll eingeengt sind, weiß Gott, daß Seelen, die er nach seinem Bilde schuf, sich schließlich über jede Sinnesidentifikation erheben werden, um mit Ihm eins zu werden."
Die kosmische Vision hinterließ bleibende Lektionen. Indem ich täglich meine Gedanken zur Ruhe brachte, befreite ich mich von der irreführenden Überzeugung, mein Körper sei eine Masse von Fleisch und Knochen, die über den harten Boden der Materie schreitet. Der Atem und der ruhelose Geist, fiel mir auf, sind wie Ströme, die den Ozean des Lichtes zu Wellen materieller Form peitschen. – Erde, Himmel, Menschen, Tiere, Vögel und Bäume. Man vermag das Unendliche nur als ein Licht wahrzunehmen, wenn man jene Stürme zur Ruhe bringt. So oft wie ich diese zwei natürlichen Erregungen zum Schweigen bringe, erblicke ich die zahlreichen Wellen der Schöpfung, die zu einem leuchtenden Meer verschmelzen wie die Wellen des Ozeans, sehe ich, wie ihre Stürme verebben, sich in der Einheit auflösen.
Ein Meister ruft die göttliche Erfahrung kosmischen Bewußtseins bei seinem Schüler hervor, wenn dieser seinen Geist durch Meditation soweit gestärkt hat, daß die großen Einblicke ihn nicht überwältigen. Die Erfahrung vermag sich niemals aufgrund intellektueller Bereitschaft oder Aufgeschlossenheit zu vollziehen. Nur die angemessene Ausübung von Yoga und ehrer-

bietigem Bhakti (Gebet) können den Geist darauf vorbereiten, den befreienden Schock der Allgegenwärtigkeit zu überstehen. Die Erfahrung wird dem aufrichtigen Schüler mit natürlicher Gesetzmäßigkeit zuteil. Sein tiefes Sehnen zieht Gott mit unwiderstehlicher Kraft an.
Der Herr als kosmische Vision wird durch das magnetische Verlangen des Suchenden in den Kreis seines Bewußtseins gezogen."

Später schrieb Paramahansa Yogananda ein Gedicht mit dem Titel "Samadhi", dessen letzter Vers wie folgt lautet:
Für immer gegangen sind die unberechenbaren
flackernden Schatten meines sterblichen Gedächtnisses.
Makellos ist mein geistiger Himmel,
unten, vor mir und hoch oben.
Die Ewigkeit und ich sind ein einziger Strahl.
Eine winzige Blase des Lachens,
in der ich zum Merr der Freude werde.
Das "Meer der Freude" in der letzten Zeile ist besonders interessant. Denn das Lachen scheint bei vielen mystischen Erfahrungen ein hervorragendes Merkmal zu sein, und fast alle östlichen Mystiker finden mit ihrer überschäumenden Fröhlichkeit, die als Ergebnis von Meisterschaft und Fortschritt auftritt (im Westen oft als "albernes" Kichern mißverstanden), zu einem Standpunkt der Ganzheit, der zu Humor angesichts der Vergänglichkeit führt.
Peter Russell, Wissenschaftler, Verfasser von "The Awakening Earth" und Lehrer der Transzendentalen Meditation, erzählt von einer mystischen Erfahrung, die zum Inhalt hatte, was einige als "mystischen Spaß" betrachtet hätten.

VOR FREUDE TANZEN

„Ich hatte mich in tiefer und friedvoller Meditation befunden. Oder wenigstens der Großteil verlief friedvoll; die Anfangsphase wurde durch ein per-

sönliches Problem beeinflußt, ob ich mich für eines von zwei Dingen entscheiden sollte. Ansonsten gab es bei dieser Meditation nichts Außergewöhnliches, außer daß sie vielleicht sehr ruhig und friedvoller als gewöhnlich verlief. Danach ruhte ich einige Minuten auf dem Boden, wie es meiner normalen Gewohnheit entsprach. Plötzlich durchströmten ohne ersichtlichen Grund Wellen der Seligkeit und des Glückes meinen Körper. Es handelte sich vor allem um ein physisches Empfinden, das irgendwo aus der Mitte der Brust kam.

Während die Wellen durch meinen Körper strömten, fühlte ich mich lächerlich glücklich, so sehr, daß aus meinem inneren Lächeln ein spontanes Lachen erwuchs. Ich lag dort und lachte und lachte, bis plötzlich das Problem, in das ich verwickelt war, durch meinen Geist schoß. Es erschien mir jetzt albern und unbedeutend; im übrigen wäre jede Lösung gut. Die Tatsache, daß ich mich so sehr hineinverstrickt hatte, brachte mich noch mehr zum Lachen.

Dann begann mein Körper eine tanzende Bewegung, wenn sich das so nennen läßt. Ich lag auf dem Boden, und der ganze Körper begann eine Reihe von Bewegungen, die ziemlich dem indischen Tanz ähnelten. Arme, Beine, Hände, Körper, der Nacken, alles befand sich in vollkommenem, spontanem Fluß. Dieser Zustand dauerte ungefähr zehn Minuten, beruhigte sich allmählich und hinterließ in mir einen unglaublichen Frieden und ein unbeschreibliches Wohlbefinden.

Als ich in den Garten trat, erschien mir die ganze Welt frischer, lebendiger und unmittelbarer. Am interessantesten war, daß das Problem, das mich so sehr beschäftigt hatte, weit zurückblieb und an Bedeutung verlor – und es hat mich wirklich seitdem nie wieder beschäftigt."

Selbstverständlich ist die vorhergehende Beschreibung nur ein kleines Beispiel unter Millionen von Erfahrungen auf dem Globus, und die Meditationsform nur eine von zahllosen Techniken, die dazu führen; doch sie reichen aus, um die Grundlage weiterer Forschung zu bilden.

DIE RELATIVEN VORZÜGE DER SPONTANEN UND DER 'GEWOLLTEN' ERFAHRUNGEN

"...Erfahrungen, die auf individueller Ebene weit voneinander entfernt scheinen, sind vielleicht nahe der universalen Ebene alle gleich." – Edward Carpenter, From Adam's Peak to Elephanta (1892)

Es ist wahrscheinlich, daß die fundamentalen Unterschiede – falls es welche gibt – zwischen einer Erfahrung, die sich als "unverdiente Gnade" ohne Vorbereitung und Erwartung einstellt und einer Erfahrung, die als Ergebnis irgendeiner Form der Bemühung auftritt, niemals mit absoluter Endgültigkeit definiert werden können. Falls doch, dann nur, da die Kluft zwischen Erfahrung und Experiment von irgendeinem noch zu entdeckenden Wahrnehmungsmodus überbrückt wurde.

Der Wert von durch Drogen hervorgerufener Erfahrung

In der Zwischenzeit gibt es als Beitrag in diesem Zusammenhang die Überzeugung jener, die eine Spontanerfahrung gemacht haben, daß sie in der Qualität möglicherweise nicht mit der hervorgerufenen Erfahrung gleichgesetzt werden kann; daneben gibt es gleichermaßen die jeweils entgegengesetzte Überzeugung.

Aldous Huxley schrieb in seinem Buch "Heaven and Hell" (1956):
...die Vertreter eines reinen Intellektualismus werden antworten, daß, seitdem Veränderungen in der Körperchemie günstige Bedingungen für visio-

näre und mystische Erfahrungen schaffen können, visionäre und mystische Erfahrungen nicht das sein können, was sie vorgeben zu sein, was sie für jene, die sie gehabt haben, jedoch offensichtlich sind. Doch dies ist natürlich und annehmbar. Jene, deren Philosophie "spirituell" ist, werden zu einer ähnlichen Schlußfolgerung kommen.

Gott ist Geist, werden sie erwidern und sollte im Geist verehrt werden. Deswegen kann eine Erfahrung, die chemisch ausgelöst wurde, keine göttliche Erfahrung sein. Doch auf die eine oder andere Weise sind alle unsere Erfahrungen chemisch bedingt, und wenn wir uns vorstellen, daß einige von ihnen rein "spirituell", rein "intellektuell" oder rein "ästhetisch" sind, dann nur, da wir uns nie darum gekümmert haben, die innere chemische Grundlage im Augenblick ihres Auftretens zu erforschen.

Desweiteren wurde schon in historischen Berichten niedergelegt, daß die meisten der Kontemplation ausübenden Menschen systematisch an der Veränderung ihrer Körperchemie arbeiteten, um günstige innere Bedingungen für eine spirituelle Erfahrung zu schaffen. Wenn sie nicht gerade fasteten, um einen niedrigen Blutzuckerspiegel und Vitaminmangel hervorzurufen, geißelten sie sich so lange, bis sie durch Histamin, Adrenalin und aufgespaltenes Protein Rauschzustände erzielten und damit psycho-physische Symptome von Stress erreichten. Heute wissen wir, wie wir die Hirntätigkeit durch direkte chemische Wirkung reduzieren können, ohne ernsthafte Schäden im psycho-physischen Organismus hervorzurufen. Würde ein angehender Mystiker mit dem heutigen Wissensstand zu ausgedehntem Fasten und grausamer Selbstgeißelung zurückkehren, wäre dies ebenso überflüssig, als ob sich ein angehender Koch wie Charles Lamb's Chinese benehmen würde, der das Haus abbrannte, um ein Schwein zu braten.
Wenn er das entsprechende Wissen über die chemischen Bedingungen transzendenter Erfahrung besitzt (oder sich wenigstens verschafft, wenn er möchte), sollte sich ein angehender Mystiker wegen technischer Unterstützung an die Spezialisten wenden – in der Pharmakologie, Biochemie, Physiologie, Neurologie, Psychologie, Psychiatrie und Parapsychologie. Die

Spezialisten sollten wiederum ihrerseits aus ihrer Reserviertheit hervortreten und sich an den Künstler, die Prophetin, den Visionär, den Mystiker wenden – in einem Wort an alle jene, die die andere Welt erfahren haben und die auf verschiedene Weise wissen, wie sie mit ihrer Erfahrung umgehen müssen."

Während seine Experimente mit LSD und Meskalin im Geist der Forschung geschahen und nur relativ wenige durchgeführt wurden, drückte sich Aldous Huxley über sie in seiner reinen und phantasievollen Prosa so klar aus, daß tatsächlich Tausende von Menschen beeinflußt wurden und sich ihr Geist für die durch Drogen hervorgerufene Erfahrung öffnete (obgleich er eine strenge Unterscheidung zwischen visionärer und mystischer Erfahrung traf und erklärte, erstere sei laut Definition nicht unbedingt eine mystische Erfahrung). Er selbst glaubte, die Drogenerfahrung könne mit den Höhen der Spontanerfahrung gleichgesetzt werden, und er sah ihre Nützlichkeit darin, das allgemeine Bewußtsein der Menschheit zu erweitern.

Professor R. C. Zaehner ist in seinem Buch "Mystik" nicht der gleichen Meinung und differenziert in seinem Standpunkt sehr. Er meint, man könne "religiöse" oder "heilige" mystische Erfahrungen und die durch Drogen hervorgerufenen nicht miteinander vergleichen. Er selbst hatte unter Drogeneinfluß einige sehr unangenehme Erfahrungen gemacht und erklärte, Alkohol und das schon lange verwendete Haschisch hätten zu unerwünschter Ekstase geführt, die nur eine Form der Flucht sei, in der das menschliche Ego außerhalb seiner selbst stehen würde; diese Erfahrungen dürften nicht mit jenen der Heiligen in Zusammenhang gebracht werden.

Andererseits scheint er die Wirkung ihrer asketischen Übungen auf das Nervensystem übersehen zu haben; jene Übungen führen zu veränderten Bewußtseinszuständen, die nur geringfügig anders sind als die durch Drogen hervorgerufenen.

Einige Menschen meinen, ein deutlicher Unterschied zwischen der spontanen und der durch Drogen hervorgerufenen Erfahrung liege in der Qualität der Nachwirkung. Der Mehrheit derjenigen, die die "große" spontane Erfahrung erleben, wird eine tiefgreifende Erhebung für den Rest ihres Lebens zuteil und viele werden tiefreligiös. Es wird behauptet, die durch Drogen hervorgerufene Erfahrung besitze nicht unbedingt diese Wirkung, obgleich sie ebenfalls überwältigend sein mag. Es heißt, sie müsse immer wieder neu hervorgerufen werden, und Dr. Sidney Cohen hat in "The Drugs of Hallucination" gesagt: „Eine Pille bildet nicht den Charakter, zügelt nicht die Emotionen oder verbessert nicht die Intelligenz. Sie ist kein spirituelles, Mühe ersparendes Hilfsmittel und bringt weder Erlösung, sofortige Weisheit noch auf dem kürzesten Weg Reife."

Trotzdem gibt es keine wesentliche Bestätigung dafür. Die mystischen Erfahrungen einiger mit LSD und anderen Drogen, die in verschiedenen Forschungsarbeiten festgehalten wurden, weisen auf ebenso tiefe Veränderungen in Richtung größeren Mitgefühls im Leben, höherer Bestrebungen und einer spirituellen oder religiösen Bestätigung oder Neuorientierung hin. Solange keine Möglichkeit besteht, selbst den subtilsten Aspekt jeder Art von Erfahrung, jedes Bild, jede Farbe, jeden Klang, Geruch, jedes Gefühl, jede Veränderung der Realität und vielerlei andere Faktoren zu analysieren, genau zu prüfen und vielleicht auszuwerten, müssen sich Vergleiche unvermeidlich in der dünnen Luft des – "Ich vermag es nicht zu erklären. Ich weiß es eben," – auflösen. Letztendlich vermag man niemals ganz die Erfahrung eines Menschen zu teilen.

Ein ernsthafter Versuch, die Ähnlichkeiten zwischen den beiden Arten von Erfahrung zu untersuchen, wurde in den sechziger Jahren von Walter N. Pahnke, Direktor der Klinik für wissenschaftliche Forschung am Maryland State Psychiatric Research Center in Baltimore, Maryland (USA) unternommen. In einer experimentellen Untersuchung der Behauptung, die psychedelische Drogenerfahrung könne einer mystischen Erfahrung ähneln, aufgrund der Häufigkeit, mit der einige der Untersuchten, die mit synthetischem Meskalin, LSD oder Psilocybin experimentierten, sich einer mystischen und religiösen Sprache bedienten, um ihre Erfahrung zu beschreiben, wurde eine empirische Studie durchgeführt, um auf systematische und wissenschaftliche Weise die Ähnlichkeiten und Unterschiede zwischen beiden Arten der Erfahrung zu überprüfen.

Zuerst wurde ein "phänomenologischer Typus" des mystischen Zustandes definiert, wobei jener von William James, dem bekannten amerikanischen Psychologen, als Leitfaden übernommen wurde. Dann wurden einige Drogenerfahrungen in einem kontrollierten Doppelblindversuch studiert und zwar an Versuchspersonen, deren religiöser Hintergrund und spirituelle Erfahrungen sowie ihre Persönlichkeit vor der Drogenerfahrung untersucht wurden. Die Vorbereitung der Versuchsperson, die Umgebung, in der die Droge verabreicht wurde und die Sammlung der Daten wurden so einheitlich wie möglich gestaltet.
Eine Einteilung von neun Typen des mystischen Erlebens wurde als Basis zur Untersuchung der psychedelischen Drogenerfahrung verwandt. Die Arbeit von W. T. Stace wurde hinzugezogen und seine Kategorien des mystischen Zustandes (siehe Einleitung) benutzt.
Die Absicht des Experimentes, bei dem Psilocybin in einem religiösen Zusammenhang verabreicht wurde, bestand darin, empirische Daten über den erfahrenen Bewußtseinszustand zu sammeln. In einer Kapelle hörten am Karfreitag zwanzig Studenten der christlichen Theologie, von denen zehn Studenten eineinhalb Stunden vorher Psilocybin eingenommen hatten, über Lautsprecher einen zweieinhalbstündigen Gottesdienst, der aus einem anderen Teil eines Gebäudes übertragen wurde, und der aus Orgelmusik, Sologesang, Lesungen, Gebeten und Meditation bestand.

Man beabsichtigte damit, eine Atmosphäre zu schaffen, die weitgehend mit jener vergleichbar war, die Eingeborenenstämme erzielten, wenn sie natürliche Drogensubstanzen bei religiösen Zeremonien verwandten. Während der Wochen vor dem Experiment wurde jeder Teilnehmer fünf Stunden darauf vorbereitet, was psychologische Tests beinhaltete, Medizingeschichte, eine körperliche Untersuchung, Fragebogen über die religiöse Einstellung und die religiösen Erfahrungen, Befragungen und Gruppengespräche.

Alle zwanzig Teilnehmer waren Hochschulabsolventen und stellten sich freiwillig zur Verfügung; sie entstammten der Mittelklasse und kamen aus einem protestantischen Elternhaus, wobei einer von ihnen einer Freikirche angehörte. Keiner besaß Erfahrungen mit Drogen. In der Gruppe wurden Entspannung und Freundschaft gefördert, wobei der Typus des mystischen Zustandes keine Erwähnung fand. Beim Doppelblindversuch kannten weder die Teilnehmer noch die mit dem Experiment Befaßten den besonderen Inhalt der äußerlich gleich aussehenden Kapseln, die verabreicht wurden.

Die Hälfte der Versuchspersonen erhielt Psilocybin ohne etwas über die Wirkung der Droge zu wissen; die anderen zehn Versuchspersonen erhielten pro Person 200 mg Nikotinsäure, ein Vitamin, das vorübergehend Gefühle von Wärme und ein Hautkribbeln verursacht. Am Tage des Experimentes wurden Tonbandaufnahmen der individuellen Reaktionen nach dem Gottesdienst und der sich daran anschließenden Gruppendiskussion gemacht. Jede Versuchsperson schrieb einen unmittelbaren Bericht über ihre Erfahrung, und innerhalb von einer Woche hatten alle Teilnehmer den Fragebogen zurückgegeben, der sich aus 147 Punkten zusammensetzte und dazu diente, qualitativ und quantitativ die verschiedenen Phänomene zu bewerten.

Dies bildete die Basis für eine anschließende, eineinhalb Stunden dauernde Befragung, die auf Band aufgezeichnet wurde; sechs Monate später wurde jede Versuchsperson anhand eines dreiteiligen Fragebogens erneut befragt, der in zwei Tabellen mit Punktzahlen gegliedert war, die auf dem Typus basierten, um die einzelnen Unterschiede zwischen der Versuchs- und der Kontrollgruppe zu umreißen.

Ohne in die besonderen Einzelheiten der beträchtlichen Unterschiede zwischen den beiden Gruppen zu gehen, kam man zu dem umfassenden Ergebnis, daß die Versuchspersonen, denen man Psilocybin verabreicht hatte, dem Gottesdienst größere Bedeutung als die Teilnehmer der Kontrollgruppe beimaßen – sowohl als er stattfand als auch später. Diese Ergebnisse lassen den Schluß zu, daß psychedelische Drogenerfahrungen in einem religiösen Rahmen die Bewegkraft und Bedeutung des Gottesdienstes erhöhen.

Der Pahnke-Bericht fährt fort:
"...obgleich unsere experimentellen Ergebnisse vorwiegend positive und subjektiv günstige Wirkungen beinhalteten, dürfen mögliche Gefahren nicht unterschätzt werden und sollten gründlich durch besondere Untersuchungen abgeklärt werden. Diese Untersuchungen decken Ursachen auf und dienen dazu, kurzfristige und langfristige physische und psychische Schäden zu verhindern: Nicht nur Abhängigkeit, sondern das intensive subjektive Vergnügen und die Freude der Erfahrung um ihrer selbst willen, können zur Flucht und zum Rückzug aus der Welt führen...

Ein besseres wissenschaftliches Verständnis der Mechanismen und des Auftretens der Mystik birgt das Potential einer größeren Wertschätzung und Ehrerbietung der bisher wenig erforschten Bereiche des menschlichen Bewußtseins. Falls diese Bereiche für das spirituelle Leben des Menschen von Belang sind, sollte dies Grund zur Freude anstatt zum Alarm sein. Wenn die von der Religion geförderten Werte für das Verständnis des Wesens des Menschen bedeutend sind, dann birgt die sorgfältige wissenschaftliche Forschung im experimentellen Bereich der menschlichen Existenz das Potential zur Erhellung dieser Werte."

Auf einen Punkt sollte hier hingewiesen werden, auf den sich auch Walter N. Pahnke mit folgenden Worten bezieht:

"Obgleich die Drogenerfahrung "unverdient" erscheinen mag, vergleicht man sie mit der strengen Disziplin, die viele Mystiker als notwendig erachten, sind wir zum Schluß gekommen, daß trotz sorgfältiger Vorbereitung die positive mystische Erfahrung durch psychedelische Drogen auf keinen Fall automatisch erfolgt.

Mit anderen Worten: die Droge mag der Auslösefaktor sein, der eine notwendige, doch nicht ausreichende Bedingung darstellt...Die schwierigste Arbeit kommt erst nach der Erfahrung mit der Bemühung, die Erfahrung in das tägliche Leben einzugliedern.

Während viele Personen keine mystische Drogenerfahrung benötigen, gibt es im Gegensatz dazu andere, die sich des unentwickelten Potentials in sich nie bewußt werden würden oder die sich ohne eine solche Erfahrung nie inspiriert fühlen würden, in dieser Richtung tätig zu werden. Gnade mag sich deshalb als verdientes Geschenk einstellen oder auch als unverdientes oder nicht besonders verdientes Geschenk."

TM und mystische Zustände

Wahrscheinlich ist die heutzutage verbreitetste Methode mystische Erfahrungen hervorzurufen die der Transzendentalen Meditation (TM). Sie wurde 1958 von Maharishi Mahesh Yogi, einem graduierten Physiker der Allahabad-Universität und indischen Meditationslehrer, in den Westen gebracht. Diese Methode, "kosmisches Bewußtsein" zu erlangen, hat durch die Direktheit und Einfachheit ihrer Technik dazu geführt, das Unbehagen auszuräumen, das im Westen gegenüber östlichen Systemen, die auf Glückseligkeit ausgerichtet sind, empfunden wird. TM stellt nicht das Wesen Gottes in den Mittelpunkt, sondern betont die Bedeutung der Tiefenentspannung, die "Harmonisierung" des Nervensystems, indem man es so weit wie möglich beruhigt, und die Berührung einer Ebene, auf der die Gedanken ersterben und höhere Bewußtseinssphären erfahren werden. Die Ausbreitung der TM wurde vor allem durch die Arbeit von R. K. Wallace und Herbert Benson im Jahre 1970 an der Harvard Medical School beschleunigt. Sie führten Studien durch, die die physiologischen Veränderungen während und nach der TM aufzeigten. Diese beinhalteten die Abnahme des Sauerstoffverbrauches, die Reduzierung der Kohlendioxydelimination, der Herz- und Atemfrequenz, des Blutdruckes, des Muskeltonus und des Kortisonspiegels im Blut; die Zunahme des Hautwiderstandes (der als genauer Maßstab des Entspannungsgrades betrachtet werden kann) und Veränderungen im Muster der elektrischen Hirnströme (Hirnwellen), die auf einen wachen, hypermetabolischen Zustand hinwiesen (einen entspannten Zustand, der durch die verminderte Aktivität des sympathischen Nervensystems bewirkt wird).

Durch diese wissenschaftlichen Beweise wurde TM "anerkannt"; man sprach von zunehmender Energie und guter Gesundheit, geringerer Irritierbarkeit, zunehmender Kreativität, Herabsetzung jeder Art von Belastung und Spannung und einer gelasseneren und positiveren Lebenseinstellung im allgemeinen. (Es mußte nicht erwähnt werden, daß unter diesen Bedingungen im Bewußtsein allmählich das Interesse für höhere Ziele geweckt wurde, das Verlangen nach höheren Ebenen des Seins, die in der mystischen Erfahrung des "Gottesbewußtseins" gipfelten. In diesem Zusammenhang besteht wenig Unterschied zwischen der TM und anderen Systemen, wie der Zen-Meditation, den Yoga-Sutras des Patanjali (die Konzentration auf eine besondere Idee oder einen bestimmten Gegenstand), der buddhistischen Meditation (Konzentration auf den Atem, ähnlich wie beim Zen); doch diese Tatsache ist noch nicht genügend sichtbar, um die beachtliche Attraktion der TM im Westen auszugleichen.
Die Transzendentale Meditation besitzt mehr als eine Million Anhänger in allen Berufen und Geschäftszweigen, einschließlich der

Regierung der USA. Sie verfügt über Zentren in ungefähr sechzig Ländern, einen Weltplan für dreitausendsechshundert Zentren auf der ganzen Welt, ein Zentrum für wissenschaftliche Forschung in der Schweiz und eine Universität in Iowa. Der Maharishi hat jetzt das "Zeitalter der Erleuchtung" proklamiert, das sich auf neue statistische Ergebnisse gründet (zu denen man aufgrund kontrollierter Experimente mit Teilen der Bevölkerung kleinerer und größerer Städte gelangte), die besagen, wenn ein Prozent der Weltbevölkerung zweimal täglich fünfzehn Minuten die Transzendentale Meditation ausübt, wird sich als Ergebnis dessen ein globaler "Phasensprung" von Chaos und Verwirrung zu Ordnung und Frieden einstellen.

Diese Anmerkung soll auf keinen Fall die TM-Bewegung herabwürdigen, sie sagt auch nichts über das Potential aus, das erstrebte kosmische Bewußtsein zu erreichen. Ist die TM-Erfahrung höher zu bewerten als die Drogenerfahrung, die sie so oft ersetzt? Besitzt die Spontanerfahrung größeren Wert als die durch TM oder durch Drogen hervorgerufene? Ist sie jeder anderen 'gewollten Form vorzuziehen? Mögliche Antworten auf diese und andere bereits gestellte Fragen finden in der zweiten Hälfte dieses Buches Berücksichtigung.

V. Kapitel

Ein Spektrum der ursprünglichen Theorien über die Glückseligkeit

Das Unermeßliche ist die primäre und unabhängige Quelle aller Realität- ...Das Maß ist der Sekundäre und abhängige Aspekt dieser Realität. – David Bohm, Die Implizite Ordnung

Nachdem die Geschichte der mystischen Erfahrung detailliert umrissen wurde, eine Übersicht über die gegenwärtigen statistischen Untersuchungen ihres Auftretens vorliegt, hier grob in zwei Hauptkategorien eingeteilt – die spontane und die hervorgerufene Erfahrung – beschäftigt sich die nachfolgende Untersuchung mit einer Reihe von Hypothesen, persönlichen Beobachtungen und Meinungen, wovon vieles speziell für diese Arbeit erstellt wurde und der Rest aus neuen Arbeiten zum Thema zitiert wird.
Die allgemeine Klassifizierung der hier vertretenen Theorien und Standpunkte betrifft größtenteils die Psychologie, Psychotherapie, Medizin, Neurophysiologie (einschließlich Epilepsie und Schizophrenie), das Biofeedback, die Biologie, Physik, Theologie, Ökologie, den "klinischen Tod" und die Philosophie.

Diese Themen werden natürlich nur auf ihre Bedeutung bezüglich der Ideenvielfalt zur mystischen Erfahrung der Glückseligkeit überprüft. Einiges des vorgestellten Materials ist spezifischer und technischer Art, anderes findet einen eher intuitiven Ausdruck; umrissene Konzepte gründen sich auf ein erfahrenes "Gefühl" des Wissens. Es schien am besten, es bei dieser Unebenheit zu belassen, anstatt jeden Punkt um der Einheit der Darstellung willen zurechtzuschneiden.
Die Reihenfolge dieses Spektrums ist nicht präzise, da Inhalt und

Form nicht vollständig trennbar sind, und eine Kategorie oft in den Bereich einer anderen übergeht und damit Wiederholungen und Überschneidungen unvermeidlich sind.

Es gibt sicher Tausende von spekulativen Theorien und Meinungen darüber, was sich tatsächlich bei der mystischen Erfahrung ereignet, und man könnte zweifellos mehrere Bände damit füllen, doch nachfolgende Theorien stellen zumindest einen Anfang dar, eine erste Stufe einer immensen, vielleicht grenzenlosen Entdeckungsreise.

Glückseligkeit, Medizin, Psychologie und Neurophysiologie

Ein bewußtes Universum ist die einzige Realität, die das menschliche Bewußtsein einschließen kann. Nur ein bewußtes Universum ist für die Ganzheit menschlichen Lebens wichtig... – Jacob Needleman, A Sense of the Cosmos

Eine zunehmende Anzahl von Medizinern zeigt Interesse an allem, das jenseits der bekannten Grenzen physischer Wissenschaft und psychosomatischer Medizin liegt. Einer von ihnen ist Dr. Jonathan Meads, ein Allgemeinmediziner in Taunton, Somerset, der selbst Augenblicke “tiefen Friedens und tiefer Einheit” mit allem um sich herum erfahren hat, das Wegfallen aller Sorgen und ein emotionales Bedürfnis, sein Leben jener Energie zu widmen, die in ihm, um ihn und durch ihn fließt. Dr. Meads besitzt ein Diplom für Transpersonale Psychologie, weitgehend deswegen, um die inneren Bedürfnisse seiner Patienten tiefer zu verstehen und besser mit ihnen umzugehen. Er nimmt den Standpunkt ein, daß sie ihm alles erzählen können, ohne als “verrückt” betrachtet zu werden, weil er genau so “verrückt” ist wie sie, da mystische Erfahrung oft aus heiterem Himmel geschieht, was sich sowohl auf die Therapie als auch auf die Forschung günstig auswirkt.

Nach seinen Gedanken befragt, antwortete er aus einem "Glückseligkeitszustand" heraus, wie er es nannte:

"Ich glaube, daß der Strom, der durch alles fließt, einschließlich der atomaren Bausteine, die Lebenskraft oder der Heilige Geist, eine Form der Energie darstellt. Diese hält jede Zelle des Menschen lebendig. Sie strömt durch die Zirbeldrüse und Hypophyse in den menschlichen Körper hinein. Es besteht eine enge Verbindung zwischen diesen und den endokrinen Drüsen sowie dem zentralen Nervensystem.
Wenn etwas das Bewußtsein des Menschen von allen ihn umgebenden Reizen weglenkt, reagiert sein bewußter Geist und regt diesen Energiefluß an. Es ist, als ob der innewohnende Geist auf den äußeren Geist anspricht. Mir scheint, daß die Gesundheit des Menschen im allgemeinen besser ist und er über mehr Freiheit verfügt, seit die Technologie sein Leben erleichtert; allmählich wird er die Erforschung seiner inneren und spirituellen Welten genauso aufregend finden wie es die Erforschung der physischen Welt für ihn war."

Wie könnte eine Antwort auf die spezifische Frage aussehen: Worin liegt die Wechselbeziehung zwischen der spontanen und der durch Drogen hervorgerufenen Glückseligkeitserfahrung? Stanley Krippner, der vom psychologischen Standpunkt sprach, äußerte die interessante Meinung, jede mystische Erfahrung besitze eine psychophysische Wechselbeziehung, doch es gäbe keinen Grund zur Annahme, daß die Erfahrung sich auf physische Phänomene reduzieren ließe – und selbst wenn es so wäre, würde es sie nicht ungültig machen. Stanley Krippner, der am Humanistic Psychology Institute in San Francisco lehrt und aufgrund seiner Arbeit über Traumtelepathie bekannt ist, theoretisiert wie folgt:
"Meiner Meinung nach besteht kein wesentlicher Unterschied zwischen diesen beiden Gruppen mystischer Erfahrung. Ich würde sagen, die Drogen wirken als Katalysatoren, während die Psyche die Hauptarbeit leistet. Das "Karfreitagsexperiment" von Walter Pahnke (siehe vorhergehendes Kapi-

tel) bewies, daß die durch Drogen hervorgerufene mystische Erfahrung eine enge Parallele zu den Beschreibungen der drogenlosen Erfahrungen bildet. Im Laufe der Jahrhunderte haben der Peyote- und der Psylocibe-Pilz bei denen, die ihn zu sich nahmen, mystische Erfahrungen bewirkt. Pahnke bezog sich auf die Aussagen von W. T. Stace, indem er Charakteristika mystischer Erfahrung umschrieb (d.h. Einheit, Transzendenz, Unaussprechlichkeit, Frieden, Glückseligkeit…), zu denen ich noch ein weiteres Charakteristikum fügen würde: Transformation. Ich würde sagen, daß eine mystische Erfahrung, die nicht das Leben eines Menschen verändert (Einstellung, Glauben, Verhalten usw.) geringer zu bewerten ist als eine Erfahrung, die transformierend wirkt.

Da durch Drogen hervorgerufene Erfahrungen vorzeitig ausgelöst werden können (noch bevor jemand dafür bereit ist), ist es möglich, daß sie deswegen in ihrer Gesamtheit geringer zu bewerten sind. Jedoch wissen wir wirklich nicht, ob dies der Fall ist…
Es stimmt, es gibt Gefahren bei der Drogenanwendung (doch nur in "zivilisierten" Kulturen; primitive Menschen scheinen nie ernsthafte Probleme mit Peyote-Pilzen usw. gehabt zu haben). Doch es gibt auch Gefahren bei der Meditation, beim Fasten, beim Entzug von Sinnesreizen und anderen Praktiken, die mit der mystischen Erfahrung in Zusammenhang stehen. Gopi Krishnas erste Kundalini-Erfahrung stellt ein eindrucksvolles Zeugnis der Gefahren bei einem unvorbereiteten Menschen dar, der versucht, die Mystik "zu zwingen". Die mystische Spontanerfahrung beinhaltet im allgemeinen keine Risiken – es sei denn, der "Mystiker" lebt in einer Kultur, in der diese Erfahrung als Symptome mentaler Gestörtheit gedeutet werden.
Ich selbst meine zur mystischen Erfahrung, daß sie durch die oben aufgeführten Merkmale charakterisiert wird (und andere, die wir in Pahnkes Aufzählung finden). Für mich ist das Wesentlichste dabei die Einheit mit Gott, dem Kosmos, dem Tao, der göttlichen Energie, oder wie immer man das, was "größer" als das Selbst ist, auch nennen mag. Dies unterscheidet sich von der religiösen Erhebung, die eine Begegnung des einzelnen mit Gott ist, dem Grund des Seins usw. Die religiöse Erfahrung mag gleichermaßen

transformierend wirken. Ich glaube, die verschiedenen Kulturen begünstigen jeweils den einen oder anderen Weg: östliches Gedankengut fördert eher die mystische und westliches Gedankengut die religiöse Erfahrung.
Ich vermute, mystische Erlebnisse haben eine psycho-physiologische Wechselwirkung, doch sie lassen sich nicht auf physikalische Phänomene reduzieren. Doch selbst, wenn es so wäre, wären sie deswegen nicht weniger wertvoll und bedeutend.

Zusammenfassend möchte ich sagen: Bei der mystischen Erfahrung vereinigt man sich mit dem "Jenseits". Bei der religiösen Erfahrung begegnet man dem "Jenseits" und führt sogar einen Dialog mit dem "Jenseits", doch man verliert bei dieser Erfahrung nicht sein Selbstgefühl."
Stanley Krippner, der sich selbst einer durch Drogen bewirkten mystischen Erfahrung unterziehen wollte, nahm an einem Experiment teil, das Timothy Leary leitete, ein Harvard-Akademiker, der zum bekanntesten Verfechter der Erleuchtung durch Drogen wurde. Danach verfaßte er eine überaus klare Beschreibung mit dem Titel "Music to Eat Mushrooms By", worin er über seine persönliche Erfahrung mit Psilocybin berichtet, eines Alkaloides, das aus einer Vielfalt von Pilzen gewonnen wird, und das einige Indianer in Amerika bei ihren religiösen Riten verwenden.
Er begann anscheinend erhöhte Wahrnehmungen zu erleben, die mit der Einnahme der meisten halluzinogenen Substanzen einhergehen. So schmeckte z.B. ein Apfel wie "die Speise der Götter", Vanilleessenz duftete "ergötzlich", und er hörte Musik, wie er sie noch nie zuvor vernommen hatte. Noch bemerkenswerter waren seine visuellen Eindrücke; seine Umgebung verwandelte sich in ein Bild der Schönheit und seine Mitteilnehmer – drei Absolventen der Psychologie – wurden "strahlend", ihre Körper "leuchtend und vibrierend". Sein Gefühl für Zeit und Raum veränderte sich.

"...ich empfand das vollkommene Nichtvorhandensein von Zeit. Es war mir, als könne ich die Vergangenheit, Gegenwart und Zukunft durchqueren.

In einem Moment befand ich mich am Hof von Kublai Khan und bewunderte den reichen Brokatschmuck auf dem Gewand des Herrschers; gleichzeitig bemerkte ich die feine Stickerei auf den Gewändern der Höflinge.

Im nächsten Augenblick nahm ich im Utopia der Zukunft an einem Konzert teil, das vor einem riesigen Publikum stattfand. Die Wände waren violett und silbern, die Architektur ähnelte den kühnsten geometrischen Kreationen von Eero Saarinen, die Musiker des Orchesters leuchteten in ihren strahlenden, prunkenden Kostümen.

Innerhalb einer Sekunde befand ich mich mit Benjamin Franklin am Hof von Versailles. Der große alte Weise wirkte durch seine Weisheit beeindruckender als der König und die Königin mit ihren Kronen und Pelzen. Frankreich fügte sich Spanien, und ich erlebte die Ekstase von Flamencotänzen und Zigeunergitarren.

Die Szene zeigte plötzlich die "Neue Welt", wo Thomas Jefferson die neueste Erfindung von Monticello erklärte; dann befand ich mich in Baltimore, wo Edgar Allan Poe den Tod seiner jungen Braut betrauerte. Ich sah die Hauptstädte der Nation, wo sich die tragische biographische Skizze Lincolns präsentierte. Lincolns Charakteristika lösten sich auf und Kennedy erschien. Meine Augen öffneten sich und waren mit Tränen gefüllt.
Da die Szene plötzlich eine düstere Stimmung angenommen hatte, schloß ich erneut meine Augen. Ich vermutete, vielleicht einer großen Entdeckung nahe zu sein."

Von Angesicht zu Angesicht mit Gottes Bild

"Dann hob sich der Schleier für einen Augenblick und das Wesen des Universums offenbarte sich mir. Ich sah nichts außer einem chaotischen, turbulenten Meer. Die Wellen tobten, die Winde brausten, die Blitze leuchteten und der Regen ergoß sich wolkenbruchartig.

Bei näherem Hinsehen erblickte ich eine Anzahl winziger Flecken auf dem Meer. Es wurde bald offensichtlich, es handelte sich bei den Flecken um Rettungsboote, in denen Sarah, Al, Steve (die neben mir am Experiment teilnahmen) und ich mich befanden. Wir klammerten uns am Boot fest, das von einer Welle zur anderen geworfen wurde. Wir sprachen kein Wort, doch unsere Gesichter drückten die Hoffnungslosigkeit unserer gefährlichen Lage aus. Wie ließ sich unser unkontrolliertes, zielloses Umhertreiben verstandesmäßig erklären?
Inmitten des tobenden, ewigen Meeres befand ich mich von Angesicht zu Angesicht mit dem Bild Gottes. Künstler malen Gott oft als einen alten Patriarchen mit Bart. Sie haben unrecht. In unserem Rettungsboot begegneten wir Gott, der hüfttief im schäumenden Wasser stand. Er war jung, stark, hatte schwarze Haare, eine unbekleidete Brust und einen unvergeßlichen Blick des Mitgefühls, der Liebe und Sorge im Gesicht.
Gott schien uns sagen zu wollen, daß auch Er in den Sturm geraten war. Den Kurs zu ändern lag außerhalb Seiner Macht wie auch außerhalb unserer. Da Er uns Sein Mitgefühl bewies, konnten wir unseren Mitreisenden Trost spenden. Wir vermochten wenig zu tun, um den Kurs zu ändern oder das Ziel vorauszusagen. Es blieb nur eines zu tun, nämlich zu lieben, denn wenn wir lieben, haben wir an der Göttlichkeit teil.
Wieder öffneten sich meine Augen. Sie waren mit Tränen gefüllt; ich schluchzte. Ich hatte eine lebendige und reale Vision erlebt, eine Erfahrung von Bedeutung und ewiger Wirkung. Ich vermochte nicht zu ruhen, bis ich Dr. Leary angerufen und ihm von meiner Offenbarung erzählt hatte.
Nachdem ich das Telefonat beendet hatte, erkannte ich, daß die Pilzerfahrung mich immer noch einhüllte. Ich betrachtete die Decke und schluchzte wieder "da wir hier die schönste Tünche der Welt haben…"
…um 10.45 erlangten die Ziffern auf meiner Uhr wieder ihre Bedeutung. Da wußte ich, meine Pilzerfahrung ging zu Ende.
Als ich "aus der Erfahrung auftauchte", sah ich mich dem "Problem der Rückkehr" gegenübergestellt. Die Rückkehr in meinen Körper stellte eine unangenehme Erfahrung dar. Sie war wirklich der einzig unangenehme Teil des ganzen Abends.

Ich schloß meine Augen und sah Wellen von Zahlen und Buchstaben wie einen "Wortvorhang" in Kaskaden herabströmen, die die nicht-verbale Welt auslöschten.
Die anderen Teilnehmer erklärten, dies sei ihr tiefstes, bereicherndstes Pilzerlebnis gewesen. Nachdem wir unsere Eindrücke verglichen hatten, trennte sich unsere Gruppe, und wir wagten uns wieder in "die äußerliche Welt", in "die Welt der Realität".
Doch war es wirklich eine "realere" Welt als die, die wir gerade erfahren hatten? Ich glaube nicht. Ich bin überzeugt, die Pilzerfahrung gestattete uns einen Blick hinter den Vorhang, um für einen Augenblick das Wesen des Kosmos zu erfassen."
Obgleich Stanley Krippner nicht glaubt, es gäbe einen wesentlichen Unterschied zwischen der spontanen und der durch Drogen hervorgerufenen Erfahrung, weist diese faszinierende Beschreibung auf die Möglichkeit hin, daß bei der Drogenerfahrung Visuelles eine größere Rolle spielt als bei der spontanen Glückseligkeitserfahrung.

Dr. Stanislaf Grof gibt uns am Ende seines Buches "Realms of the Human Consciousness" (1975) eine mögliche Erklärung:
„Im Verlaufe der LSD-Sitzungen verschiebt sich der Haupterfahrungsmittelpunkt von den abstrakten und psychodynamischen Elementen zu den Problemen von Geburt und Tod und schließlich zu transpersonalen Szenen. Tiefer eingreifende LSD-Sitzungen werden gewöhnlich von mystischen und religiösen Themen beherrscht, die ihrem Wesen nach transpersonal sind; Elemente anderer Ebenen, die bereits in früheren Sitzungen bearbeitet wurden, erscheinen auf dieser Stufe nicht ..."
Als Beispiel dessen stellt er die Beschreibung einer LSD-Sitzung mit einem neunzehn Jahre alten Studenten namens Michael vor, der seine Kindheitserinnerungen in früheren Sitzungen erneut durchlebte und trotz sehr ernster klinischer Symptome schnelle therapeutische Fortschritte machte, wobei er über die psychodynamische Ebene und die vorgeburtliche Phase die transpersonale Sphäre erreichte. Dies war seine zweiundreißigste Sitzung.

Sie begann mit einem Gefühl "reiner Spannung", die sich immer mehr verstärkte. Nachdem die Spannung überwunden war, erlebte Michael die Erfahrung überwältigender kosmischer Ekstase: Das Universum schien durch ein strahlendes Licht zu leuchten, das einer nicht auszumachenden, übernatürlichen Quelle entstammte. Die ganze Welt war von Heiterkeit, Liebe und Frieden erfüllt; es herrschte eine Atmosphäre "vollkommenen Sieges, der endgültigen Befreiung der Seele".

Die Szene verwandelte sich dann in einen endlosen blaugrünen Ozean, den ursprünglichen Ort allen Lebens. Michael hatte das Gefühl, zur Quelle zurückgekehrt zu sein; er schwebte sanft in dieser nährenden und besänftigenden Flüssigkeit, und sein Körper und seine Seele schienen sich aufzulösen und damit zu verschmelzen. Die Erfahrung besaß eine deutliche indische Färbung,; er fragte den Therapeuten, ob der Einheitszustand des individuellen Selbst mit dem Universum in den indischen religiösen Schriften beschrieben werde. Er erlebte zahlreiche Visionen mit Szenen hinduistischer Anbetung, er sah Trauerzeremonien am Ganges und indische Yogis, die ihre Übungen in den gewaltigen Bergen des Himalaya verrichteten. Ohne über ein Wissen des Hatha-Yoga zu verfügen, nahm Michael intuitiv einige der klassischen Körperhaltungen (Asanas) ein, da sie seinem gegenwärtigen Geisteszustand am besten zu entsprechen schienen.

Der ekstatische Zustand wurde plötzlich unterbrochen und das Gefühl der Harmonie tiefgreifend gestört. Das Wasser des Ozeans verwandelte sich in Fruchtwasser, und er erfuhr sich als Fötus im Mutterleib. Einige ungünstige Einflüsse bedrohten seine Existenz (er hatte eine sehr traumatische Kindheit erlebt)... er verspürte einen seltsamen, unangenehmen Geschmack im seinem Mund, war sich des Giftes, das durch seinen Körper strömte, bewußt, empfand große Spannung und Furcht und mehrere Muskelgruppen seines

Körpers zitterten. Diese Symptome wurden von Visionen schrekkenserregender Dämonen und anderer Gestalten begleitet; sie ähnelten jenen auf religiösen Gemälden sowie den Skulpturen verschiedener Kulturen. Nachdem diese Verzweiflungsphase abgeschlossen war, erlebte Michael noch einmal seine embryonale Entwicklung, von der Verschmelzung des Spermienfadens mit dem Ei über Millionen von Zellteilungen und Zellprozessen bis zum fertigen Menschen. Dieser Prozeß wurde von einem gewaltigen Freiwerden von Energie begleitet. Die Szenen embryonaler Entwicklung vermischten sich mit Szenen, die die Transformation von Tierarten in der historischen Evolution des Lebens zeigten.

Am Ende der Sitzung erlebte Michael erneut das Gefühl mit dem Ozean zu verschmelzen, das sich mit dem Empfinden des Einseins mit dem ganzen Universums abwechselte. Indem er vielerlei Gestalten annahm, auch einige historische Gestalten verkörperte, währte seine Ekstase bis spät in die Nacht hinein …
Am folgenden Tag befand er sich im ruhigsten, freudigsten und ausgeglichensten Zustand, den er jemals in seinem ganzen Leben erfahren hatte. Nach dieser Sitzung traten seine psychotischen Symptome nie mehr auf … Er hat die volle Verantwortung für sich und seine Familie übernommen und bewältigt erfolgreich alle Schwierigkeiten, die das Leben eines Emigranten mit sich bringt.
Die psychopharmakologische Wirkung von LSD ist so vielfältig und individuell, nicht nur von Mensch zu Mensch, sondern auch von Dosis zu Dosis und von Sitzung zu Sitzung, daß es scheint, als veränderten die chemischen Vorgänge im Gehirn nicht nur die Wahrnehmung, sondern als öffneten sie die Tür zu einem grenzenlosen Bereich noch nicht erfaßter Realität.
Als Dr. John Lilly, ein amerikanischer Psychoanalytiker und Wissenschaftler, mit LSD zu experimentieren begann (wie in seinem Buch, *Im Zentrum des Zyklons,* beschrieben), wobei er in einem mit Wasser gefüllten, lärmundurchlässigen, vollständig dunklen Tank mehrere

Stunden lang im Wasser lag, dehnte er seine Forschung auf höhere Bewußtseinszustände aus, die er in Isolation, Einsamkeit und Abgeschlossenheit erfuhr. Er beabsichtigte Einblick in die mystischen Erfahrungen zu gewinnen, wie sie von Heiligen, Weisen und Gurus berichtet wurden und das Verständnis seiner eigenen mystischen Erfahrungen zu vertiefen, die eine außerordentliche Kraft besessen hatten.

Er nahm eine bestimmte Dosis der Droge, überwand seine Angst, sein normales Bewußtsein aufzugeben und stieg in den Tank. Die folgenden Auszüge seines Berichtes vermitteln nur einen leichten Eindruck der Ausdehnung und Komplexität seiner Erfahrungen:

Jenseits unserer Galaxie

Nachdem er bei Anfangsexperimenten festgestellt hatte, daß er keine Atemmaske benötigte, da er auf dem Wasser lag und Kleidung sich nur als hinderlich erwies, brauchte er nicht befürchten, sich nicht von seinem Körper zu lösen; er vertraute sich dem 35 Grad C warmen Wasser an, dem dunklen Schweigen und der Wirkung der Droge. Er schreibt:
„... ich nahm immer noch den Körper wie gewöhnlich wahr ... den Gedanken eines Mittelpunktes der Identität und des Bewußtseins. Später erwies sich dies als überflüssig, außer in Extremzuständen, wo ich Erholung benötigte. Zu diesen Zeiten kehrte ich zum Nullpunkt zurück.

Dieser Nullpunkt ist ein nützlicher Punkt. Er bedeutet nicht die vollkommene Trennung von früheren Ideen, doch er bedeutet Trennung vom Körper. Er ist der Raum, der immer noch die Dunkelheit und die Stille des Tankes repräsentiert, doch wo der Körper nicht existiert ...
... plötzlich stürzte ich in den Weltraum. Ich blieb ich selbst als Mittelpunkt des Bewußtseins, des Gefühls, des Berichtens. Ich bewegte mich im Univer-

sum, das Wesenheiten beherbergte, die viel größer als ich selbst waren; ich war ein kleines Körnchen in ihrem Sonnenstrahl, eine kleine Ameise in ihrem Universum, ein einziger Gedanke in ihrem gewaltigen Geist oder ein kleines Programm in einem kosmischen Computer ...
Ich wurde in mir unverständliche Prozesse hineingefegt, geschoben, getragen und gewirbelt, Prozesse gewaltiger Energie, phantastischen Lichtes und erschreckender Kraft. Mein innerstes Sein fühlte sich bedroht, als ich von diesen riesigen Wesen durch diese gewaltigen Räume geschoben wurde. Wellen des Lichtes, Klanges, der Bewegung, Wellen intensiven Gefühls, die mein Verständnis überschritten, durchfluteten die Sphären. Ich wurde zu einem hellen, leuchtenden Bewußtseinspunkt, der Licht, Wärme und Wissen verströmte. Ich bewegte mich auf einen Raum erstaunlicher Helle, goldenen Lichtes zu ... ich befand mich ohne Körper im Raum, doch war dort ich selbst ... erhoben durch ein Empfinden von Ehrfurcht, Erstaunen, Ehrerbietung. Die mich umgebende Energie besaß eine unvorstellbare Intensität – in der großen Weite des leeren mit Licht gefüllten Raumes ...
Ich befinde mich jenseits unserer Galaxie, jenseits der bekannten Galaxien. Die Zeit beschleunigt sich offensichtlich ungeheuer. Das ganze Universum konvergiert in einem Punkt. Es gibt eine gewaltige Explosion und aus dem Punkt erstehen auf einer Seite positive Materie und positive Energien, die sich mit phantastischer Geschwindigkeit in den Kosmos ergießen. Aus der entgegengesetzten Seite des Punktes geht Antimaterie hervor, die in die entgegengesetzte Richtung rast. Das Universum dehnt sich bis zum Maximum aus, bricht zusammen und dehnt sich dreimal aus ...
... ich war nur ein Beobachter von mikroskopischer Größe, und doch war ich ein Teil des gewaltigen Netzwerkes ... irgendwo für das verantwortlich, was geschah. Ich gewann Identität für vorübergehende Zwecke, würde jedoch zu gegebener Zeit ins Netzwerk aufgenommen werden."

Indem er eine Reise in seinem eigenen Körper beschreibt, berichtet er mit folgenden Worten:
... ich erblickte verschiedene Organsysteme, Zellverbände und Zellstrukturen. Ich bewegte mich zwischen den Zellen, beobachtete ihre Funktionen

und erkannte, mein Inneres bestand aus einem großen Verband lebendiger Organismen, die meinen Körper bildeten. Ich bewegte mich durch mein Hirn und beobachtete die Neuronen und ihre Aktivität. Ich kam zu meinem Herz, wo ich das Pulsieren der Muskelzellen beobachtete. Mein Weg führte mich durch mein Blut, und ich beobachtete die Aktivität der weißen Blutkörperchen. In meinem Verdauungstrakt lernte ich die Bakterien und Schleimzellen in den Wänden kennen. Ich befand mich in meinen Hoden und erfuhr etwas über die Bildung der Spermien. Ich erreichte kleine und kleinere Dimensionen bis zu den Quantenbereichen und beobachtete das Spiel der Atome in ihren eigenen, gewaltigen Universen, ihren weiten, leeren Räumen, die phantastische Kraft in jedem der entfernten Kerne mit ihrer Umlaufbahn von Kraftfeldelektronen und die Partikel, die diesem System aus dem äußeren Raum zuströmten ..."

Zu welchen Schlüssen kam Dr. Lilly nach zehn Jahren Arbeit in diesen Isolationstanks, in Verbindung mit vielen nachfolgenden Experimenten und Erfahrungen hinsichtlich der Bewußtseinsforschung? Er ist vorsichtig mit Schlußfolgerungen, tritt für einen gesunden Skeptizismus ein, da man das erfährt, was man bemüht ist zu entdecken und mitzuteilen, und man vor allem bestrebt ist "die verborgenen Meinungen und Einstellungen zu überwinden, die das Denken, Handeln und die Gefühle" beherrschen.
Innerhalb des Geistes ist das, was man glaubt, entweder wahr oder es wird innerhalb bestimmter Grenzen wahr; man findet es durch die Erfahrung und das Experiment. Diese Grenzen sind Vorstellungen, die transzendiert werden müssen.

Dies setzt nicht mehr voraus als die innere Klarheit dessen, was sich unsichtbar von den bekannten Grenzen des Geistes bis zum Unbekannten hin erstreckt; es hinterläßt wenigstens in der gegenwärtigen Zeit die offene Frage, ob die durch Drogen hervorgerufene mystische Erfahrung nur ein Spiel der "Materie" der Transzendenz oder der Transzendenz selbst ist.

Ursprünglich hatte man gehofft, LSD könne die Symptome von Schizophrenie bei Gesunden unter Laborbedingungen auslösen, was einen Schlüssel zu ihrer Behandlung und ihrem Verständnis hätte liefern können; doch trotz gewisser oberflächlicher Ähnlichkeiten gab es zwischen der realen Psychose und ihrem durch Drogen ausgelösten Modell sehr grundlegende Unterschiede.

Im Bereich der mystischen Erfahrung hat der Schizophrene extrem ähnliche Gefühle, sowohl was die spontane als auch was die Drogenerfahrung anbetrifft, wie es R.D. Laing, der britische Psychiater, der aufgrund seiner Arbeit auf diesem Gebiet bekannt ist, in seinem Buch "The Politics of Experience" (1967) hervorhebt: *„Verrücktheit muß keinen Zusammenbruch bedeuten. Sie kann auch ein Durchbruch sein. Sie ist potentielle Befreiung und Erneuerung wie auch Versklavung und existentieller Tod .. Manche psychotischen Menschen haben transzendente Erfahrungen. Oft (so weit sie sich zu erinnern vermögen) haben sie niemals solche Erfahrungen zuvor gemacht, und häufig werden sie sie nie wieder erleben. Ich möchte jedoch nicht sagen, daß sich bei der Erfahrung des psychotischen Menschen dieses Element notwendigerweise eher manifestiert als bei der Erfahrung des gesunden Menschen ..."*

Dr. Laing meint, es gibt einen Schleier zwischen dem "uns" und dem "Es", der eher einer festen Betonmauer gleicht, wenn wir die innere Realität kategorisieren und von den objektiven Fakten isolieren ... Intellektuell, emotional, interpersonal, organisatorisch, intuitiv und theoretisch müssen wir uns unseren Weg durch die feste Mauer brechen, selbst auf die Gefahr von Chaos, Verrücktheit und Tod hin ... Der Mensch, der Egoverlust oder transzendente Erfahrungen erlebt, mag auf verschiedene Art Verwirrung erleiden oder auch nicht. Doch verrückt zu sein bedeutet nicht unbedingt krank zu sein, obwohl in unserer Kultur diese beiden Bereiche verwechselt werden ... Ein Mensch mag eine tiefgreifende Erfahrung erleben, die für ihn das wahrhaftige Manna des Himmels darstellt, während er anderen einfach krank oder verrückt vorkommt. Das Leben dieses Menschen mag sich verändern, doch es ist schwierig, nicht die

Gültigkeit einer solchen Vision zu bezweifeln. Auch kommt nicht jeder wieder zu uns zurück.

Schizophrenie

Als Kommentar dazu fragt Joseph Campbell in "Myths to Live By" (1972): *„Worin besteht der Unterschied zwischen einer psychotischen oder LSD-Erfahrung und einer Yoga- oder mystischen Erfahrung? Die Sprünge erfolgen alle in das gleiche tiefe, innere Meer, an dem es keinen Zweifel gibt ... doch es gibt einen wichtigen Unterschied ... Er ist einem Taucher vergleichbar, der schwimmen kann und einem, der es nicht kann. Der Mystiker, der mit angeborenem Talent für diese Sache ausgerüstet ist und der Stufe um Stufe der Anweisung eines Meisters folgt (oder eines Menschen, der eine mystische Spontanerfahrung gemacht hat), taucht ins Wasser ein und entdeckt, er kann schwimmen, während der Schizophrene unvorbereitet (oder schlecht vorbereitet), ohne Führung, ohne Talent, ins Wasser fällt oder absichtlich hineinspringt und ertrinkt."*

„Das Wasser, in das er eintaucht, sagt Joseph Campbell, *entspricht den Archetypen des kollektiven Unbewußten, die von C. G. Jung als zu jenen Strukturen der Psyche gehörend gedeutet wurden, die nicht das Produkt alleiniger ahrung darstellen, sondern der ganzen Menschheit eigen deren Worten, der Mensch besitzt sowohl vererbbare Biologie, wobei die Archetypen des Unbewußten Ausdruck des ersteren sind."*

Joseph Campbells anschauliche Interpretation des "inneren schizophrenen Sprungs" lautet wie folgt:
„Die erste Erfahrung birgt ein Empfinden des Zerbrechens. Der Mensch sieht die Welt auseinanderbrechen: ein Teil davon entfernt sich, er selbst befindet sich im anderen Teil. Dies ist der Beginn der Regression, des Berstens, der Rückwärtsentwicklung. Er mag sich selbst eine gewisse Zeit in zwei Rollen sehen. Die eine Rolle ist die des Clowns, des Geistes, der Hexe, des

Narren, des Außenseiters. Dies ist die äußere Rolle, die er spielt, wo er sich zum Narren macht, zu dem, der umhergestoßen wird. Innerlich ist er jedoch der Erlöser, und er weiß es. Er ist der Held mit Bestimmung …
Die zweite Stufe wurde in vielen klinischen Berichten beschrieben. Sie drückt eine furchtbare Regression aus, sowohl zeitlich als auch biologisch. Indem der Psychotiker in seine eigene Vergangenheit zurückfällt, wird er zum Kind, Fötus im Mutterleib … macht die Erfahrung des Tierbewußtseins, der Tiergestalt, wird zur Pflanze …

… Im Verlauf eines schizophrenen Rückzugs mag der Psychotiker auch die Erhebung durch die Einheit mit dem Universum erfahren, das Überschreiten persönlicher Grenzen, das "ozeanische Gefühl" … und ein neues Wissen … Dinge, die zuvor geheimnisvoll erschienen, werden jetzt vollkommen verstanden. Unaussprechliche Erkenntnisse werden erfahren … sehr oft stimmen sie erstaunlicherweise mit den Einsichten der Mystiker und den Vorstellungen der Hindus, Buddhisten, Ägypter und den klassischen Mythen überein … Der Mensch, der niemals an Reinkarnation glaubte oder davon gehört hat, mag das Gefühl entwickeln, schon ewig zu leben; schon viele Male gelebt zu haben, doch niemals geboren worden zu sein und niemals sterben zu müssen. Es ist, als ob er sich als das Selbst (Atman) erkennt, über das wir in der Bhagavad Gita lesen: „Es wird nie geboren und stirbt niemals … Ungeboren, ewig, immer und urzeitlich, es stirbt nicht, wenn der Körper stirbt." Der Patient mag sich eins mit allen Dingen fühlen, frei von Sorgen, einen vollkommenen Zustand des Friedens erleben.
Zusammengefaßt möchte ich sagen, daß unser schizophrener Patient tatsächlich die gleiche glückselige, ozeanische Tiefe erfährt, nach der der Yogi und der Heilige streben, die jedoch schwimmen, während er ertrinkt.
Doch falls der Patient überlebt und zurückkehrt, mag sich das wie die Erklärung jenes Mannes anhören, der sich irgendwie in dieser Erfahrung selbst rettete: Als ich auftauchte, hatte ich plötzlich die Empfindung, daß alles wirklicher war als je zuvor. Das Gras war grüner, die Sonne schien heller, die Menschen waren lebendiger, ich nahm sie klarer wahr …"
Joseph Campbell faßt zusammen: *„Die innere Reise des mythologi-*

schen Helden, Schamanen, Mystikers und Schizophrenen ist im Prinzip das gleiche, und wenn es zur Rückkehr kommt, wird diese als Wiedergeburt empfunden, als Geburt eines zum zweiten Mal ins Leben tretenden Egos, das nicht mehr durch den alltäglichen Horizont begrenzt ist. Es ist jetzt der Reflex eines größeren Selbst, und seine wahre Aufgabe liegt darin, die Energien des archetypischen Seins voll und erfolgreich in der gegenwärtigen, alltäglichen Situation in Raum und Zeit einzusetzen.
Man fürchtet sich nicht mehr vor der Natur und auch nicht vor dem Kind der Natur, der Gesellschaft – die monströs ist und nicht anders sein kann, da sie sonst nicht überleben würde. Das neue Ego befindet sich in Einklang mit all diesem, in Harmonie, Frieden und wie jene, die von der Reise zurückgekehrt sind erzählen, ist das Leben reicher, klarer und freudvoller."

Epilepsie und der mystische Zustand

Im Licht der Erforschung der mystischen Erfahrung sind die Grenzlinien und Überschneidungen von unschätzbarer Bedeutung. Epilepsie wie auch Schizophrenie werden aufgrund ihrer "mystischen" Qualitäten charakterisiert, und die Erforschung dieser Hirnabnormität könnte sich als bedeutsam bei der Suche nach dem Verständnis zum Wesen der Glückseligkeit erweisen. Die folgenden Kommentare von Dr. Peter Fenwick, die die Möglichkeit eines speziellen Bereiches im Hirn als Quelle mystischer Erfahrung betreffen, sind von besonderem Interesse. Dr. Fenwick, beratender Neurophysiologe des St. Thomas Hospitals und des Institues für Psychiatrie fragt: *„Kann eine einzige Hirnstruktur die Qualitäten mystischer Erfahrung vermitteln?"* Er fährt dann fort: *„In der psychiatrischen Literatur gibt es zweifellos eine Verbindung mystischer Erfahrung und mentaler Krankheit, die von Interesse ist, da sie auf spezifische Strukturen hinweist, wie die Vermittlung mystischer Erfahrung durch das Hirn. Solche Erfahrungen können sich spontan bei Menschen mit normaler Hirnstruktur ergeben, bei denen sich keinerlei mentale Krankheit feststellen läßt; es gibt Hinweise, daß die*

Schläfenlappen dabei am ehesten eine Rolle spielen. Neurologische Operationen, die bei nicht in Narkose versetzten Menschen zur Behandlung der Epilepsie durchgeführt wurden, haben z.B. gezeigt, daß verschiedene Elemente mystischer Erfahrung entstehen, wenn unterschiedliche Strukturen am Schläfenlappen stimuliert werden.

Ein weiterer Hinweis, daß der Schläfenlappen der Ursprung mystischer Erfahrung ist, wird durch die sehr seltenen Fälle der Schläfenlappenepilepsie erhärtet. Dabei werden im allgemeinen schreckliche Angstgefühle empfunden, positive Gefühle der Ruhe oder, was möglicherweise noch bedeutender ist, sind Gefühle der Freude und Glückseligkeit extrem rar. Trotzdem weist ihr Auftreten bei der Schläfenlappenepilepsie auf die Einbeziehung des Schläfenlappens bei der mystischen Erfahrung hin.
Es wird desweiteren von einem oder zwei Fällen berichtet, bei denen es zu einer Eiterung innerhalb des untergeordneten Schläfenlappens kam und eine mystische Erfahrung ausgelöst wurde; man weiß sicher, daß es im untergeordneten Schläfenlappen zu Reaktionen kommt.
Bei den in der Literatur beschriebenen Fällen scheint es, daß sich beim Entstehen der mystischen Erfahrung die Entladungen auf das untergeordnete limbische System beschränkten, vor allem auf die mittleren Schläfenstrukturen.
Jedoch wäre es zu einfach, die Quelle der Mystik auf den rechten Schläfenlappen zu beschränken. Eine annehmbare Hypothese wäre, daß der untergeordnete Schläfenlappen eine wesentliche Rolle bei der mystischen Erfahrung spielt und zur positiven Färbung der Wahrnehmung der Realität führt, wie es bei jener Erfahrung der Fall ist.

Die Abwertung der Beschreibung mystischer Erfahrung, die im rechten Schläfenlappen entsteht, vermittelt keinerlei Vorstellung der Größe der Erfahrung oder der damit verbundenen Überzeugung, sie sei die Pforte zur Schönheit, Wahrheit und Gewißheit.
Jedoch stellt die Erkenntnis, die Strukturen des rechten Schläfenlappens spielten bei der mystischen Erfahrung eine Rolle, einen Anfang dar, auf den die reduktionistische Wissenschaft bauen kann."

Dr. Tom Sensky, ein Biochemiker, der der Leiter der Psychiatrie des Maudsley Hospitals ist, begann sich für die mystische Erfahrung zu interessieren, als er auf der Epilepsiestation arbeitete. In einer Beitragsdiskussion zum Thema "Epilepsy, Schizophrenia und Mystic States" schreibt er:

„Traditionsgemäß neigten viele Ärzte und Psychiater dazu, mystische Zustände als Erfahrungen anzusehen, zu denen geistig oder psychisch Kranke keinen Zutritt besitzen. Trotz zunehmender Hinweise, wonach viele "normale" Menschen ebensolche Zustände erleben, ist die althergebrachte Ansicht noch weit verbreitet. Ein Grund dafür ist das Auftreten von Charakteristika bei einer Vielfalt von Krankheitszuständen, die denen des mystischen Zustandes ähneln, und von denen viele gründlich erforscht wurden.
In dem Maße, wie sich solche Untersuchungen dessen, was man als "ungesunde" mystische Erfahrung bezeichnet, auch auf ähnliche "gesunde" Erfahrungen anwenden lassen, mögen sie den Weg zu einem Verständnis der physiologischen und psychologischen Basis des mystischen Zustandes allgemein ebnen.
Das allgemeine Vorhandensein einer epileptischen Grundlage bei mystischen Zuständen ist eine nähere Untersuchung wert. Zuerst jedoch ist es erforderlich, einige hervorstechende Merkmale der Epilepsie im allgemeinen zu überprüfen. Unter normalen Umständen produziert das lebende Hirn beständig einen Komplex hochregulierter elektrischer Ströme, die sich über die gesamte Hirnsubstanz erstrecken. Unter besonderen Umständen kann die Regulierung dieser Hirnströme zusammenbrechen, und es kommt zu abnormen Hirnströmen. Dies ist die Basis eines epileptischen Anfalles.
Manchmal laufen diese abnormen Ströme sehr schnell durch das Hirn und bewirken größere Konvulsionen, jenen Anfall, den die meisten Menschen mit Epilepsie verbinden; die Glieder werden starr und zittern, was mit Bewußtseinsverlust einhergeht. Nicht alle Anfälle verlaufen jedoch nach diesem Muster. Manchmal nehmen die abnormen Ströme in einem bestimmten Teil des Hirns (im epileptischen Mittelpunkt) ihren Ausgang und erstrecken sich dann auf die angrenzenden Gebiete. Die Art und Weise, wie der Anfall

sich manifestiert, hängt vom Mittelpunkt und vom Ausbreitungsmuster ab. Wenn sich z.B. der Mittelpunkt in jenem Teil des Hirns befindet, der die Bewegung der Finger einer Hand steuert, wird ein Anfall Fingerbewegungen jener Hand bewirken; breiten sich die Hirnströme vom Mittelpunkt aus, kommt es schließlich zu Bewegungen des Handgelenkes, dann des Unterarms, des ganzen Armes usw.
Bei einem solchen Anfall bleibt das Bewußtsein aufrechterhalten. Eine ähnliche Wirkung läßt sich in der Hirnchirurgie erzielen, wenn man bestimmte Hirnbereiche mittels elektrischer Elektroden künstlich stimuliert.
Im Zusammenhang mit mystischen Zuständen konzentriert sich das Interesse in erster Linie auf epileptische Mittelpunkte, vor allem auf die Hirnbereiche der Schläfenlappen (von denen es zwei gibt – je einen in jeder Hirnhälfte). Epileptische Anfälle, die sich nur auf einen Schläfenlappen beziehen, rufen keine Krämpfe hervor; desweiteren weisen sie mit mystischen Zuständen eine Anzahl von gemeinsamen Merkmalen auf. Es handelt sich um hochkomplexe veränderte Wahrnehmungen des Selbst, der Zeit und der Welt. Die Anfälle mögen mit Gefühlen ausgeprägter Emotionen einhergehen. Sie sind charakteristischerweise kurz und obgleich sie unvorhergesehen auftreten, können sie manchmal ausgelöst werden.
Es ist auch interessant, was dabei geschieht, wenn man die Schläfenlappen durch Elektroden stimuliert. Eine ihrer Funktionen bezieht sich auf das Gedächtnis, und eine derartige Stimulation läßt die Versuchsperson offensichtlich vergessene Erfahrungen in Einzelheiten wiedererleben.
Es ist nicht schwer sich vorzustellen, daß die Überlagerung solcher Gedächtnisinhalte ein Gefühl der Allwissenheit oder Einheit, das bei mystischen Zuständen auftritt, hervorrufen kann. Die Schläfenlappen sind die einzigen Bereiche im Hirn, in denen sich durch elektrische Stimulation solche komplexen Phänomene hervorrufen lassen; die Stimulierung anderer Hirnbereiche ruft nur einfache Phänomene wie Lichtblitze hervor.

Das Muster der Anfälle bei Schläfenlappenepilepsie unterscheidet sich entschieden bei jedem Menschen, stellt jedoch stets ein konstantes Muster dar. Nur eine sehr kleine Gruppe von an Schläfenlappenepilepsie Leidenden be-

richtet, während ihrer Anfälle mystische Zustände erfahren zu haben. Einer von ihnen schilderte, daß die Anfälle nur unter diesen Umständen jene Merkmales mystische Zustände ausweisen.
Ein anderer Standpunkt, der jedoch für unsere Zwecke weniger hilfreich ist, besteht darin anzunehmen, daß diese Anfälle nur als mystisch interpretiert werden. Dieser Standpunkt erhält durch die Tatsache Unterstützung, daß viele Epileptiker mit mystischen Erfahrungen, die sie mit ihren Anfällen in Verbindung bringen, bereits vor ihrer ersten Erfahrung über einen religiösen Hintergrund verfügten.
Ein zusätzliches Problem, Schläfenlappenanfälle als Modell "gesunder" mystischer Zustände darzustellen, liegt in der Entdeckung, daß viele Epileptiker, die von solchen Phänomenen berichten, im allgemeinen ebenfalls schizophrenieähnliche Zustände aufweisen. Schizophrenie ist ein Geisteszustand, bei dem der betreffende Mensch über ein abnormes Wahrnehmungsvermögen verfügt, indem er z.B. Stimmen hört oder Dinge sieht (die als Halluzination bezeichnet werden), während er vollkommen wach und bewußt ist und diese Erfahrungen auf eine Weise erklärt, die zu falschen Schlüssen und zu Realitätsverlust bei dem Betreffenden führt.
Obgleich sich Unterscheidungen zwischen den schizophrenen und mystischen Erfahrungen treffen lassen, sind sie oft ziemlich subtil. Auf den ersten Blick läßt sich nicht sagen, ob die mystischen Erfahrungen der Schläfenlappenepileptiker sich direkt auf die Schizophrenie, die Epilepsie oder beides beziehen.

Es mag zwischen der Schizophrenie und den mystischen Zuständen tatsächlich engere Verbindungen geben, als man im allgemeinen glaubt. Die Neigung des einzelnen, an Schizophrenie zu erkranken, hängt teilweise von genetischen Faktoren ab; eines der Rätsel hat damit zu tun, warum die Evolution das Überleben von Genen zugelassen haben sollte, die zu einem Zustand verminderter Reproduktionsfähigkeit und fraglichem biologischen Nutzen führen. Dies wäre jedoch verständlich, wenn die gleichen Gene, die für Schizophrenie empfänglich machen, unter anderen Umständen auch plötzliche religiöse Einblicke vermitteln (mystische Zustände). Der Wert

dergleichen gründet sich auf die Voraussetzung, daß der religiöse Glaube für den Zusammenhalt der Gesellschaft eine bedeutende Rolle spielt, und dieser Glaube wahrscheinlich von jenen am ehesten verteidigt wird, denen plötzliche religiöse Einblicke zuteil wurden.
Dieses angenommene spezifische Bindeglied ist nicht so weit hergeholt wie es zunächst scheinen mag. Eine maßgebliche Studie über die Familien schizophrener Frauen zeigte, daß ihre Kinder (die kurz nach der Geburt zur Adoption freigegeben worden waren und deswegen keinem direkten mütterlichen Einfluß unterlagen) häufiger als erwartet tiefreligiös waren.
Eine Vielfalt von Hinweisen deutet darauf, daß bei der Schizophrenie ein besonderer Hirnbereich, nämlich der Nucleus Accumbens, Bedeutung besitzt. Er gehört zum limbischen System, und hier besteht eine weitere mögliche Verbindung zur Schläfenlappenepilepsie. Das limbische System beeinflußt unter anderem die Emotionen und die Motivation. Es ist durch Nervenstränge mit anderen Hirnbereichen verbunden, die mit verschiedenen Formen der Sinneswahrnehmung zu tun haben – dem Sehen, Tasten usw. Die Unterbrechung dieser sensorisch-limbischen Verbindungen bewirkt die sogenannte "psychische Blindheit"; Wahrnehmungen bleiben unverändert, doch ihre persönliche Bedeutung verändert sich, insbesondere gehen emotionale Inhalte verloren. Diese sensorisch-limbischen Stränge laufen durch die Schläfenlappen, und die Verletzung beider Schläfenlappen kann Formen "psychischer Blindheit" zur Folge haben.

Umgekehrt zielt eine interessante Hypothese, die Komplexität der Anfälle der Schläfenlappenepilepsie zu erklären, darauf ab, daß das Vorhandensein eines Epilepsiemittelpunktes im Schläfenlappen zu neuen, ausgedehnten sensorisch-limbischen Verbindungen führt. So erlangt ein früher neutraler Sinnesreiz tiefe emotionale Bedeutung. Wie man sich leicht vorzustellen vermag, kann etwas ähnliches beim mystischen Zustand auftreten.
Es ist schwierig, bei einer kurzen Besprechung wie dieser nicht dogmatisch zu erscheinen. Fast alle Beobachtungen, die hier als "harte Fakten" unterbreitet werden, müssen in der Praxis überprüft werden und gelten auf jeden Fall nur für ausgewählte Aspekte mystischer Erfahrung. Trotzdem ist es so-

wohl bemerkenswert als auch bedeutsam, daß Informationen, die sich aus so verschiedenen Zuständen wie der Epilepsie und Schizophrenie ergeben (zu denen sich weitere ungewöhnliche Geisteszustände hinzufügen ließen, wenn der Platz es erlauben würde), ein so übereinstimmendes Bild dessen liefern, woraus sich eine bedeutende Komponente der anatomischen und psychologischen Grundlage des mystischen Zustandes zusammensetzt. Es mag sich herausstellen, daß sich unser Verständnis mystischer Zustände nicht in dem von der Medizin und Wissenschaft angewandten Rahmen vervollständigen läßt. Dies sollte uns jedoch nicht abschrecken, alle vorhandenen Techniken bei der Suche nach einem besseren Verständnis anzuwenden."

Eine weitere Komponente zur mystischen Erfahrung, die weder zu dem Vorhergehenden im Widerspruch steht noch unvereinbar damit ist, wird von Dr. Richard Petty, einem Neurologen des Northwick Park Hospitals, London, beigesteuert:

„Das Verständnis der Neurophysiologie der Mystik resultiert daraus, indem man Techniken in Betracht zieht, die zur Hervorrufung mystischer Zustände dienen und einige Fälle mystischer Spontanerfahrung untersucht.

Wollen wir zuerst einen Blick auf einen vor kurzem entdeckten Mechanismus in den tiefer gelegenen Teilen des Hirnstammes werfen, der für die Anpassung der Wahrnehmung von grundlegender Bedeutung ist.

Im Hirnstamm dehnt sich vom obersten Punkt der Wirbelsäule bis zu den tiefsten Teilen des Hirns ein Netzwerk von Zellen aus, das als retikuläres System bekannt ist (RES). Innerhalb dieses retikulären Systems gibt es zwei Untergruppen von Nervenzellen (Neuronen), von denen jede als sogenanntes neurologisches Modulationssystem bezeichnet wird. Diese Systeme besitzen die Fähigkeit, alle das Hirn erreichenden Einflüsse zu regulieren – sie "entscheiden" im wahrsten Sinne des Wortes, welche Information und Empfindung letztendlich das Bewußtsein erreicht.

Desweiteren besitzen sie die Fähigkeit, die Art und Weise, auf die Gruppen von Nervenzellen, einschließlich des Hirns funktionieren, zu regulieren.

Am obersten Ende des Hirnstammes befindet sich das sogenannte rostrale retikuläre System. Es besitzt Verbindung zu allen Teilen der Hirnrinde in ihrer Funktion, d.h. es erhält die Hirnrinde funktionsfähig und aufnahmebe-

reit. Es besteht eine umfassende Wirkung – sobald seine Aktivität zunimmt, kommt es zur Stimulation der gesamten Hirnrinde.
Der größte Stimulationsfaktor des rostralen retikulären Systems ist das Kohlendioxyd, dessen Wirkung unverzüglich eintritt. Während des normalen Atemzyklus ist die Menge des Kohlendioxyds im Blut einer beständigen Schwankung unterworfen, und folglich ist die Aktivität des retikulären Systems ebenfalls Schwankungen ausgesetzt. Bei Patienten, die beständig über einen erhöhten Kohlendioxydspiegel im Blut verfügen, z.B. bei einer schweren chronischen Bronchitis, befindet sich die gesamte Hirnrinde in einem Zustand der Erregung; diese Menschen neigen zur Irritierbarkeit und reagieren übermäßig auf Empfindungen. Im Gegensatz dazu senkt tiefes oder schnelles Atmen den Kohlendioxydspiegel und bewirkt eine Herabsetzung der Aktivität des rostralen retikulären Systems und folglich der gesamten Hirnrinde. Als Ergebnis dessen kommt es zu einer Verminderung der kontinuierlichen Wahrnehmungsfähigkeit. Es ist z.B. wohlbekannt, daß es leichter ist, den Zustand der Hypnose zu erreichen, wenn man den Patienten zuerst bittet, einige Male tief zu atmen.

Das zweite Nervensystem befindet sich am unteren Ende des rostralen retikulären Systems und hat die Aufgabe, die Einflüsse der Körpernerven nur bedingt zuzulassen. Es reguliert sich selbst auf sehr komplexe Weise. Es ist deutlich erwiesen, daß, falls sich die Aufmerksamkeit auf einen einzigen Reiz entweder sensorischer oder mentaler Art richtet – auf einen Gedanken vielleicht – dies alle anderen Einflüsse herabsetzt, was durch jene zwei Gruppen von Zellen im rostralen retikulären System zustandekommt (der berühmte Neurologe Henry Maudsley beschrieb mystische Zustände als extreme Aktivität eines Hirnteiles und extreme Trägheit des übrigen Hirns.)"

Auslösetechniken

Atemkontrolle. Um zu veränderten Bewußtseinszuständen und vor allem zu mystischen Erfahrungen zu gelangen, wurden in verschie-

denen Kulturen im Laufe der Jahrhunderte verschiedene Techniken zur Atemkontrolle empfohlen. Das am höchsten entwickelte System ist hierbei der Yoga-Weg des Pranayamas.
Es besteht kein Zweifel, daß die Ausübenden jener Kunst regelmäßig mystische Zustände erreichten und ebenfalls außergewöhnliche physische Fähigkeiten besaßen. Jede Art von Atemübung dreht sich um die Stimulation und Zirkulation des "Prana" – eine Energie, die vor allem in der Luft vorhanden ist. Eine der bekanntesten Übungen ist als der "Yoga des reinigenden Atems" bekannt und beinhaltet eine Reihe von tiefen, kontrollierten, rhythmischen Atemzügen.
Auf jeden Fall wird die Kohlendioxydkonzentration im Blut auffallend herabgesetzt, und dies hat, wie wir gesehen haben, die Verminderung der Aktivität des rostralen retikulären Systems zur Folge, wobei die fortlaufend wahrgenommene Erfahrung durch die Hirnrinde ebenfalls reduziert wird. Dies führt vor allem zu einer nach innen gerichteten Aufmerksamkeit, die, wie wir noch sehen werden, die neurologische Hauptvorbedingung für die Auslösung einer mystischen Erfahrung liefert.

Gesang. Diese Technik wurde von einer Anzahl von Schulen empfohlen; am bekanntesten sind hier die esoterischen Orden von Zoroaster und einige Sufi-Gemeinschaften. Gesänge stellen wahrscheinlich auch einen Faktor bei der Erfahrung einiger christlicher Mystiker dar, die vom Auftreten eines mystischen Zustandes berichteten, nachdem sie Gebete, Psalmen und Hymnen gesungen hatten.
Der bedeutendste Faktor liegt hier in der Stimulierung des rostralen retikulären Systems und deswegen der Hirnrinde und zwar aufgrund eines Phänomens, das als "Gewöhnung" bekannt ist. Es ist deutlich bewiesen, daß jede Form wiederholter Stimulierung eine Aktivitätsverminderung der Neuronen bewirkt – sie werden "träge", und folglich kommt es zu einer Aktivitätsherabsetzung der Hirnrinde. Dies wiederum ruft die notwendigen Voraussetzungen für eine mystische Erfahrung hervor. Es ist sehr wahrscheinlich, daß

das gleiche Phänomen der Gewöhnung bei anderen Auslösetechniken auftritt, vor allem beim Klang der Gebetsmühlen im tibetischen Buddhismus und beim Beten des Rosenkranzes.

Tanz und Bewegung. Morihei Uyeshiba, der Erfinder des Aikido, berichtete von einer mystischen Spontanerfahrung, die nach der Ausübung einer Reihe von Katas auftrat – ritualisierter Übungen der Kampfsportarten. Er zählte zu den bedeutendsten Vertretern dieser Kunst; er hatte bei diesen Übungen einen solchen Grad der Geschicklichkeit erreicht, daß er sie ohne einen bewußten Gedanken auszuführen vermochte. In verschiedenen Kampfsportarten wird dies "als Zustand der geistigen Leere" bezeichnet. Dies beweist, daß die Erfahrung zu einem Zeitpunkt auftrat, zu dem die Aktivität seiner Hirnrinde maximal herabgesetzt war.

Es heißt, ein ähnliches Phänomen trete bei der Ausübung der Derwischtänze auf. Hochkomplexe Bewegungsserien werden in einem Zustand totaler Versenkung und ohne einen bewußten Gedanken herbeigeführt, was erneut auf eine Aktivitätshemmung der Hirnrinde schließen läßt. Das gleiche gilt für den Hatha-Yoga, wo besondere Asanas (Körperstellungen) und Mudras (Gesten) ausgeübt werden, um veränderte Bewußtseinszustände hervorzurufen.

Licht. Eine der bekanntesten mystischen Spontanerfahrungen ist die von Jakob Böhme, der im Jahre 1600 mit fünfundzwanzig Jahren jenen Zustand erlebte, nachdem er kurz in sehr helles Licht geblickt hatte – die sich in einem polierten Zinnteller reflektierende Sonne. Es ist möglich, einen neurologischen Entwurf zu erstellen, um wenigstens einen Teil der Geschehnisse zu erklären.

Licht dringt ins Auge ein und wird in elektrische Impulse verwandelt, die zur Sehrinde an der Rückseite des Hirns geleitet werden. Von hier werden Impulse zum retikulären System als auch zu verschiedenen anderen Teilen des Hirns geleitet. Diese massiven Eindrücke nur einer Art von Sinnesreiz führen zu einer Aktivitätshemmung des retikulären Systems und folglich der Hirnrinde und schaffen so die Voraussetzung für eine mystische Erfahrung.

Einige Meditationsschulen empfehlen die intensive Konzentration auf einen einzelnen Gegenstand – am bekanntesten dürfte wohl hier die Kerze sein – um einen mystischen Bewußtseinszustand zu erzielen. Da nur ein Sinnesreiz vorhanden ist, bewirkt dies eine Funktionsminderung des retikulären Systems. Bei dieser Übung stellt man oft Veränderungen der Lichtintensität fest, was von besonderem Interesse sein dürfte und auf das Phänomen der Gewöhnung hinweist, das höchstwahrscheinlich im retikulären System auftritt.

Biofeedback. Es ist offenkundig, daß einige hochentwickelte Formen des Biofeedbacks angewandt werden, um veränderte Bewußtseinszustände, einschließlich der mystischen Erfahrung, hervorzurufen. Durch diese Technik werden sich die Menschen bestimmter physikalischer Prozesse mittels eines Monitors in sich bewußt – ein modifizierter Typ des Elektroenzephalographen (EEG), der die Hirnströme mißt. Man lehrt dabei den Menschen, die Ergebnisse des Monitors, d.h. die inneren Prozesse, aufgrund von Willenskraft und Konzentration zu verändern.

Es ist nicht genau bekannt, wie dieser Prozeß funktioniert, doch die meisten der festgehaltenen Phänomene zeigen, daß es zu einer Art verbesserter Koordination zwischen den verschiedenen Hirnbereichen kommt. Die zunehmende Erregung der Hirnrinde dürfte dabei kaum der Grund sein, da bewiesen wurde, dies würde zu Irritierbarkeit und Übererregung führen, sondern es dürfte sich eher um die Folge einer umfassenden Aktivitätshemmung der Hirnrinde handeln.

Dies würde das Entstehen stabiler Muster in der Hirnrinde zulassen, da normale Sinnesreize auf ein Minimum reduziert sind und normalerweise diese Sinnesreize zur Instabilität der Hirnrinde führen.

Die Aktivitätshemmung der Hirnrinde kann, wie wir gesehen haben, durch das rostrale retikuläre System bewirkt werden. Vor kurzem wurde gesagt – was von großem Interesse sein dürfte – daß es wenigstens zwei Gruppen von Zellen im Stirnlappen gibt, die auf das retikuläre System wirken und seine Aktivität modulieren. Man weiß, die Stirnlappen stehen mit der Willenskraft und der Konzentration in engem Zusammenhang, und deswegen bietet sich uns hier eine ziemlich elegante Erklärung für die Art und Weise, in der Biofeedback angewandt wird, um einen veränderten Bewußtseinszustand hervorzurufen.

Mantra. Die Anwendung eines Mantras – eine beständige innere Wiederholung eines Tones, Wortes oder Satzes – kommt sehr häufig vor, um veränderte Bewußtseinszustände zu erreichen. Oberflächlich betrachtet, scheint bei dieser Technik ein enger Bezug zum Gesang zu bestehen, doch der fundamentale Unterschied liegt darin, daß das Mantra nicht ausgesprochen wird. Der ganze Prozeß vollzieht sich im Geist. Der Mechanismus dieser Wirkung ist sicher der gleiche wie der der anderen Techniken – wiederholte Stimulierung des rostralen retikulären Systems, was zur Gewöhnung und somit zur Aktivitätsverminderung der Hirnrinde führt. Hierbei wird die wiederholte Stimulierung des retikulären Systems wieder über Stränge, die von den Stirnlappen des Hirns zum retikulären System führen, weitergeleitet, die auch beim Mechanismus des Biofeedbacks eine Rolle spielen.

Die erste klar gegliederte Erklärung

Wir haben festgestellt, daß eine herabgesetzte Aktivität der Hirnrinde die Voraussetzung für eine mystische Erfahrung bietet. Es erhebt sich immer noch die Frage, was geschieht, nachdem diese Erfahrung stattgefunden hat.

Im Laufe der letzten Jahre wurde es modern, die mystische Erfahrung der rechten Hirnhemisphäre zuzuschreiben. Dies bildet ein interessantes Konzept, das sich auf die vermuteten Funktionen dieser

Hirnhälfte gründet, von denen behauptet wird, sie seien holistischer, intuitiver und kreativer Art. Die Nachweise darüber sind unvollständig und repräsentieren in einigen Fällen gewiß nur eine ungerechtfertigte Extrapolierung bekannter Fakten.
Die Anziehungskraft dieser "zwei Hemisphären" bezieht sich in vielerlei Hinsicht auf den natürlichen Wunsch, im Hirn einen Punkt für jene zwei Aspekte der Psychologie zu finden, die man in den letzten Jahren ignorierte – den intellektuellen und den intuitiven Aspekt. Jedoch verdeutlicht die Betrachtung der gegenwärtig bekannten Funktionen jeder Hemisphäre die beträchtliche Überschneidung der Funktion und Aktivität zwischen den beiden Hirnhälften.

Ein einfaches Beispiel dafür lautet wie folgt: In den meisten älteren Fachbüchern der Neurologie steht geschrieben, daß das Wiedererkennen von Gesichtern auf einem holistischen Wahrnehmungsvermögen beruht, das klar in der rechten Hirnhälfte liegt. Heutzutage weiß man, daß beide Hemisphären gleichermaßen diese Fähigkeit besitzen.
Die Wirkung des retikulären Systems ist umfassend – es beeinflußt gleichermaßen beide Hirnhälften, und obgleich dies zu einer Unterdrückung der normalerweise vorherrschenden linken Hemisphäre führen mag, was wiederum zu einem Vorherrschen der rechten Hirnhälfte führt, gibt es doch keinen absoluten Beweis dafür. Es bedarf eines weiteren Mechanismus, um das Auftreten veränderter Bewußtseinszustände zu erklären, ganz besonders der mystischen Erfahrung. Eine sehr anziehende Lösung wird hierbei vom bekannten, doch umstrittenen Neuropsychologen Karl Pribram geliefert.
Er hat eine Theorie entwickelt, für die es inzwischen beträchtliche Beweise gibt, daß wenigstens einige Teile des Hirns, besonders die, die mit dem Gedächtnis und der Wahrnehmung zu tun haben, ähnlich wie eine holographische Kamera funktionieren. Grundsätzlich ist bekannt, daß, wenn die Verbindungen – die Synapsen zwischen

den Nervenzellen im Hirn aktiviert werden, dies niemals isoliert auftritt, sondern es wird eine gewaltige Zahl von Synapsen gleichzeitig aktiviert; damit kommt es zu einer "Wellenfront" im Hirn. Diese Wellenfronten entstehen durch Veränderungen des elektrischen Potentials an den Nervenendungen. Da diese Wellen aus verschiedenen Richtungen kommen, beeinflussen sie sich gegenseitig und entwickeln Störungsmuster, und zwar auf die gleiche Weise wie die Wellen eines Teiches sich gegenseitig beeinflussen und Störungsmuster bilden. Grundsätzlich arbeiten Neuronen auf zweierlei Weise – sie können direkt leiten oder nicht leiten, oder sie können "zunehmende, langsame Potentiale" formen – wodurch sich allmählich an den Nervenendungen Strom entwickelt, und es an diesem zweiten Mechanismus liegt, daß die Wellenfronten entstehen. Als Ergebnis dessen breitet sich die Information im ganzen Hirn aus und nicht nur in kleinen, bestimmten Bereichen. Dies ist für uns wichtig, da es bedeutet, daß das Hirn auf einer Entwicklungsstufe seine Analysen im Frequenzbereich ausführt – dem Bereich der Welleninterferenz.

In diesem Bereich existieren weder Raum noch Zeit per se. Dies scheint natürlich sehr einem der wesentlichen Merkmale der mystischen Erfahrung zu gleichen. Es entsteht der Eindruck, daß der Geist in diesem Bereich einwirkt, doch nur, wenn die normale Aktivität der Hirnrinde reduziert wird, und es deswegen zu einer ununterbrochenen, koordinierten, holographischen Funktion kommt.

Dies entspricht einer sehr eleganten Theorie und erweist sich auf einer bestimmten Ebene als fast wahr; sie ist wahrscheinlich die erste klar verständliche Erklärung der mystischen Erfahrung in einer wissenschaftlichen Ausdrucksweise.

Die Messung der Glückseligkeit

„... wir müssen unsere allgemeine Bewußtheit erheblich verbessern, bevor wir wirklich zu schätzen wissen, was die östlich-westliche, alte-moderne Synthese der Selbstbewußtheit und Selbstkontrolle für die Menschheit bedeutet." – C. Maxwell Cade und Nona Coxhead, The Awakened Mind (1979)

Ein Faktor, der der Meditation und Kontemplation gemeinsam zu eigen zu sein scheint, ist die Aufmerksamkeit, bei der der Geist sich konzentriert auf einen Punkt richtet. Liegt es an dieser unsichtbaren Steuerung, die die "Wellenfronten" bewirkt oder aktiviert, die letztendlich zur "Hemmung" führen, was das "ununterbrochene, koordinierte Funktionieren" von Karl Pribrams faszinierender Hypothese gestattet? Arthur J. Deikman, Psychiater und Psychoanalytiker, schrieb 1964 einen Artikel mit der Überschrift "Deautomatization and the Mystic Experience", der für die moderne Betrachtung dieses entscheidenden Faktors von Bedeutung ist.

„Die "Automatisierung" beim Menschen läßt sich allgemein als Prozeß einer angelernten Funktion definieren, z.B. das Autofahren oder die angelernte "Zielorientierung", wie das Verdienen von viel Geld und das Erleben physischen Behagens, was sich unterhalb der Bewußtseinsebene vollzieht und automatisch erfolgt. So wird ein "automatischer" Mensch, was die Tätigkeit des Autofahrens betrifft, beschleunigen oder schalten, wenn die äußeren Umstände es erfordern, ohne sich dessen bewußt zu sein. Ähnlich strebt ein Mensch mit "automatischer Zielorientierung", sagen wir in Richtung körperlichen Wohlbehagens, seinem oder ihrem Ziel wie ein Automat entgegen, ohne sich über zukünftige Folgen bewußt zu sein oder sie zu berücksichtigen. Schlimmstenfalls ist eine solche Automatisierung pathologisch, wie im Fall eines Psychopathen.

"Entautomatisierung" bedeutet das Auflösen automatischer Strukturen und kann die Voraussetzung entweder für Fortschritt oder Rückschritt sein. So kann die Entautomatisierung eines Autofahrers, die Wiederaufnahme bewußten und überlegten Schaltens, bewußter und überlegter Beschleuni-

gung, entweder ein Rückschritt sein, wie im Fall eines Menschen, der mit großer Aufmerksamkeit fährt, da er oder sie unter Alkoholwirkung oder der Wirkung einer Krankheit stehen oder ein Fortschritt, wie im Fall eines Menschen, der mit einem neuen Vehikel umzugehen lernt."

In Bezug auf mystische Kontemplation schrieb Dr. Deikman:
„Wenn wir über die Technik der kontemplativen Meditation nachdenken, sehen wir, daß sie die Manipulation der Aufmerksamkeit wie erforderlich einzusetzen scheint, um Entautomatisierung zu bewirken. Die Wahrnehmbarkeit erhält intensive Aufmerksamkeit, während die Aufmerksamkeit zu abstrakter Kategorisierung und für abstrakte Gedankengänge deutlich unterbunden wird. Da die Automatisierung normalerweise die Übertragung der Aufmerksamkeit von der Wahrnehmbarkeit der Handlung bis zu abstrakter Gedankenaktivität beinhaltet, setzt der Meditationsprozeß eine Kraft in umgekehrter Richtung ein. Das Erkenntnisvermögen wird zugunsten des Wahrnehmungsvermögens unterdrückt, das Aktive, Intellektuelle wird durch das Empfängliche, Aufnahmebereite ersetzt.
Die Wirkung ist gemäß H. Werner folgende: Die Vorstellung ... verändert allmählich ihren funktionellen Charakter. Sie wird im wesentlichen Gegenstand für die Dringlichkeit des abstrakten Gedankens. Sobald sich die Vorstellung in ihrer Funktion verändert und zum Instrument des reflektiven Gedankens wird, verändert sich ihre Struktur. Nur durch eine solche strukturelle Veränderung kann die Vorstellung als Instrument des Ausdruckes für die abstrakte, mentale Aktivität dienen. Deswegen besteht die Notwendigkeit, daß das Sinnliche, die Detailfülle, die Farbe und das Lebendige der Vorstellung nachlassen. ...es ist verblüffend festzustellen, wie die klassischen Berichte über die mystische Erfahrung das Phänomen der Einheit betonen. Einheit kann als die Auflösung aller Unterscheidung gesehen werden, die alle Grenzen auflöst, bis das Selbst nicht mehr als getrenntes Objekt erfahren wird und die gewohnten wahrnehmbaren und mit dem Verstand erfaßbaren Unterscheidungen nicht mehr anwendbar sind. In dieser Hinsicht befindet sich die mystische Literatur in Einklang mit dem Entautomatisierungsprozeß.

Ein letzter Kommentar sollte noch abgehoben werden. Der Inhalt der mystischen Erfahrung reflektiert nicht nur ihren ungewöhnlichen Bewußtseinsmodus, sondern auch die besonderen Stimuli, durch die jener Modus in Gang gesetzt wird. Eine solche Erklärung sagt nichts Endgültiges über die Quelle "transzendenter" Stimuli aus. Gott oder das Unbewußte teilen sich hier gleichermaßen die Verantwortung, und die eigene Interpretation spiegelt die eigenen Glaubensinhalte und Annahmen wider.
Doch für die psychologische Wissenschaft ist das Problem, solche inneren Prozesse zu verstehen, nicht weniger komplex als für die Theologen das Problem, Gott zu verstehen. Doch ungeachtet der eigenen Richtung bei der Suche nach der Realität, scheinen ein Gefühl der Ehrfurcht, Schönheit, Ehrerbietung und Bescheidenheit das Ergebnis der eigenen Mühen zu sein. Da diese Emotionen für die mystische Erfahrung charakteristisch sind, mag die Frage der metaphysischen Gültigkeit jener Erfahrung eine geringere Bedeutung besitzen als ursprünglich angenommen wurde."

In einer neueren Arbeit, „The Observing Self", erklärt Arthur J. Deikman desweiteren, die westliche Psychologie habe es versäumt, das Mystische anzuerkennen. Er stellt fest, das größte Geschenk, das sie der Psychotherapie machen könne, bestünde darin, ihr die Lehrparabeln der mystischen Tradition einzugliedern – um eine neue Entwicklung der intuitiven Wahrnehmung einzuleiten, die Zugang zum Sinn gewährt. Er setzt sich ebenfalls für die Meditation ein, von der er glaubt, sie trage dazu bei, das "beobachtende Selbst" zu entwickeln.

Ralph Waldo Emerson, ein Philosoph des 19. Jahrhunderts aus Neuengland, sagte einst: *„Der Mensch sollte lernen, jenen Lichtstrahl zu sehen und zu beobachten, der aus seinem Innern heraus durch seinen Geist blitzt, anstatt nur auf die glänzende Schar der Propheten und Weisen zu sehen."*

Die Steuerung des Körpers während des Glückseligkeitszustandes

Bedingt durch die Erfahrung ihrer spezialisierten Forschung vermochte Hazel Guest, eine britische Psychotherapeutin mit eigener Praxis, jene "Blitze" zu steuern, die bei den Sitzungen der Sequenzanalyse (eine Form der Analyse, die von Dr. I.N. Marschall entwikkelt wurde) auftraten, um ihre physiologisch-psychologische Wechselwirkung zu messen und aufzuzeigen. Sie beschreibt ihre Arbeit wie folgt:

„Erst seit kurzem sind veränderte Bewußtseinszustände das Thema wissenschaftlicher Analysen, wobei sich die früheste dieser Studien auf die physiologischen Veränderungen konzentriert, die im Traum und Tiefschlaf stattfinden. Es besteht kein Problem festzustellen, ob ein Mensch schläft oder nicht, doch um zu wissen, ob er träumt, muß man ihn wecken und ihn fragen. Ein subjektiver Faktor hat sich jetzt beim Experiment eingeschlichen, und das ist etwas, das die traditionelle wissenschaftliche Methode nicht zuläßt. Die Forscher in diesem Bereich mußten zu einer neuen Einstellung finden und akzeptieren, daß der einzige Mensch, der zu sagen vermochte, ob er einen veränderten Bewußtseinszustand erlebt hatte, dieser selbst war. Charles Tart, Human- und Versuchspsychologe an der Universität von Kalifornien und bekannt für seine Arbeit auf diesem Gebiet, schrieb: „Ein veränderter Bewußtseinszustand kann als qualitative Veränderung des Gesamtmusters der mentalen Funktionen aufgefaßt werden; der Betreffende spürt, sein Bewußtsein unterscheidet sich radikal vom normalen Bewußtsein."
Veränderte Zustände beinhalten das Träumen, den Tiefschlaf, das Einschlafen, das Aufwachen, die tiefe Meditation, das plötzliche "Gipfelerlebnis", die Hypnose, psychedelische Erfahrungen, die Alkoholvergiftung und psychotische Erkrankungen. Davon sind hier der transzendente Zustand tiefer Meditation und das Gipfelerlebnis von Bedeutung."
Der erste Zustand ist ein Zustand wacher Entspannung, den man gewöhnlich als Ergebnis einer angemessenen Meditationsausübung

erlangt, der zweite Zustand ereignet sich spontan und ungeplant und ist das Ergebnis eines plötzlichen Einblickes oder einer neuen und wichtigen Erfahrung. Obgleich diese zwei Bewußtseinszustände (der mystische Zustand und das Gipfelerlebnis) auf verschiedene Art erreicht werden, werden sie als ähnlich erlebt und oft unrichtig als der gleiche Zustand beschrieben.

Es gibt auffallende physiologische Unterschiede zwischen ihnen, die ich später beschreiben werde, doch im Moment möchte ich diese Zustände gemeinsam behandeln, indem ich jene Aspekte aufführe, in denen sie sich ähneln.
Die früheste und bedeutendste Untersuchung über die subjektiven Qualitäten dieser Erfahrungen wurde von Dr. Abraham Maslow (1967) durchgeführt. Zuerst und vor allem handelt es sich um egolose Zustände, d.h. es gibt keine Unterscheidung mehr zwischen dem Selbst und der Umgebung – daher auch der Ausdruck "transzendente" und "ozeanische" Erfahrung. Ein Beobachter würde wahrscheinlich gewisse physische Veränderungen, vor allem im Gesicht, erkennen, wie z.B. den Ausdruck von Glücklichsein und Ruhe, verbunden mit einem jugendlichen Strahlen.

Sobald ein wissenschaftlicher Versuch unternommen wird, die physiologischen Funktionen während des transzendenten Bewußtseins zu steuern, gewinnen die Unterschiede zwischen den beiden vorher erwähnten Zuständen an Bedeutung. Zuerst geht es um die Frage, den Zustand hervorzurufen, damit er beobachtet werden kann. Es ist einfach, eine Anzahl Meditierender auszusuchen und sie zu bitten, zu meditieren, doch man kann bei niemandem ein Gipfelerlebnis oder eine mystische Erfahrung bewirken.
Deswegen wurde der Großteil physiologischer Untersuchungen bei Meditierenden durchgeführt. Man entdeckte, daß sich bei ihnen die Hirnströme verlangsamen, sich ihr Sauerstoffverbrauch reduziert und sich ihr elektrischer Hautwiderstand beständig erhöht. Manch-

mal kommt es zu spontanen Gipfelerlebnissen, doch trotzdem gibt es gewisse Techniken, die Einblicke in eine Art "Gipfelerlebnis" gewähren, z.B. das Zen-Koan (der Meister stellt dem Schüler eine Frage, die er beantworten soll, für die es jedoch keine logische Antwort gibt, z.B. „Wie klingt der Ton einer klatschenden Hand?")

Der Verfasser bedient sich Techniken, die eigentlich für Beratungen entworfen wurden, die jedoch "Blitze" der Einsicht bewirken. Bei den Sitzungen wird jenes Phänomen als "Befreiung" beschrieben, da seine Wirkung in der nachfolgenden Neuorientierung im Denken des Patienten liegt. Da bei diesen Sitzungen oft Geräte zur Messung des Hautwiderstandes verwendet werden, wurde das Phänomen des Hautwiderstandes in Zusammenhang mit der "Befreiung" viele Male beobachtet. Der Widerstand verringert sich im Augenblick der Erfahrung sehr plötzlich. Während des veränderten Bewußtseinszustandes bleibt er gering, wobei die unmittelbaren Störungen, die gewöhnlich beim normalen Bewußtseinszustand auftreten, vollkommen fehlen; tatsächlich scheint die Nadel des Gerätes zu schweben. Dies steht in auffallendem Kontrast zum Phänomen der Meditation, bei dem der Hautwiderstand allmählich zunimmt. Im Zen wird der veränderte Bewußtseinszustand, der der Erleuchtung folgt, Satori genannt; er wird sorgfältig vom Meditationszustand, Samadhi, unterschieden. Wir sollten jedoch daran erinnern, daß es möglich ist, aus dem Samadhi-Zustand plötzlich in den Satori-Zustand zu treten.
Da Erleuchtungen sich spontan und unerwartet vollziehen, werden die meisten von keinem Gerät zum Zeitpunkt ihres Auftretens aufgezeichnet. Allerdings ist es möglich, sich im nachhinein an den Erleuchtungszustand zu erinnern, indem man einfach an jene Einblicke denkt und das damit verbundene Gefühl wiedergewinnt. Der Hauptwiderstand sinkt nicht, da es an neuen Einblicken mangelt, doch ist die freischwebende Bewegung der Nadel zu beobachten, wenn die Versuchspersonen den Erleuchtungszustand erneut durch-

lebten. Dies stellt eine Möglichkeit dar, nachzuweisen, daß die frühere Erfahrung einen veränderten Bewußtseinszustand beinhaltete."

Da Hazel Guest selbst mehrere tiefe, mystische Erfahrungen durchlebte, resummiert sie: *„Die meisten Menschen, denen eine transzendente Erfahrung zuteil wurde, stimmen darin überein, daß sie schwer zu beschreiben ist, was daran liegt, daß es nichts gibt, mit der sie verglichen werden kann. Doch ebenfalls aus diesem Grund wird auch viel Unsinn über diese Zustände von jenen Menschen verbreitet, die sie nicht erfahren haben.*

Ein allgemeiner Fehler liegt darin, sie mit psychedelischen Erfahrungen zu verwechseln, die durch die Einnahme von LSD oder ähnlichen Drogen hervorgerufen werden. Ein weiterer Fehler besteht in dem Irrtum, alle als psychotisch zu bezeichnen, die behaupten, eine solche transzendente Erfahrung gemacht zu haben. Natürlich sind einige Erfahrungen während eines LSD-Trips transzendenter Art und einige Menschen, die transzendente Erfahrungen gemacht haben, auch psychotisch. Es ist möglich, von einem veränderten Zustand zum anderen zu gelangen; der Weg zu einem veränderten Bewußtseinszustand muß nicht unbedingt geradewegs vom normalen Wachzustand aus erfolgen.

Es ist auch wahr, daß es Menschen gibt, die aus verschiedenen persönlichen Gründen behaupten, transzendente Erfahrungen gemacht zu haben, obgleich dies nicht der Fall war. Doch sollte all dies nicht die wirkliche transzendente Erfahrung untergraben, die ein Glückseligkeitszustand ist, und den Menschen bereichert."

BIOFEEDBACK UND DER "FÜNFTE ZUSTAND"

C. Maxwell Cade, Wissenschaftler und einer der ersten britischen Erforscher der Anwendung des Biofeedbacks, kombiniert mit östlichen Meditationstechniken, ist der Ansicht, ein Zustand führe zum anderen und sogar Satori besitze Abstufungen – *"man mag vielleicht viele Satoris benötigen,"* sagt er, *"um zur Erleuchtung zu gelan-*

gen. Auf dem Gebiet der Messung der Hirnströme im Samadhi haben wir einen gewissen Fortschritt erzielt, doch nur langsam, da der Zustand als solcher plötzlich und unerwartet eintritt sowie von kurzer Dauer ist. Wir haben jedoch entdeckt, daß dem Auftreten des "fünften Zustandes" stets ein plötzliches Eintauchen in andere Bereiche vorausgeht."

Biofeedback ist die Wissenschaft, dem Körper mit Hilfe elektronischer Instrumente zuzuhören, deren Aufzeichnungen sich verändern, wie z.B. die elektrische Aktivität der Hirnströme, wobei die Information anhand einer Registriernadel oder eines Tones zurückgegeben wird – oder wie es im Fall eines der besten Instrumente, dem "Mind Mirror", geschieht, entstehen auf der Anzeigetafel anhand lichtaussendender Dioden verschiedene Muster. In seinem Buch "The Awakened Mind" (zusammen mit Nona Coxhead) beschreibt Maxwell Cade, wie diese Messungen und Aufzeichnungen sowie die persönlichen Gefühle zu der Überzeugung einer Geist-Körper-Einheit führen und das Tor zu einem neuen erweiterten Bereich der Selbstkontrolle und Selbstverwirklichung bilden. Besitzt man die Möglichkeit, bei sich selbst die biologischen Geschehnisse zu beobachten, derer man sich normalerweise nicht bewußt ist, z.B. der Alphaströme im eigenen Hirn, kann man üben, dies willkürlich zu beeinflussen. Im Fall der Alphaströme mag die Versuchsperson dazu angeleitet werden, willentlich einen tieferen Ruhezustand zu erreichen sowie eine losgelöste Bewußtheit, die damit einhergeht. So liegt ein Aspekt des Biofeedbacks im Training des einzelnen, seinen Bewußtseinszustand zu beherrschen, so wie ein Aspekt des Yoga, des Sufismus oder des Zen darin liegt, den einzelnen dazu anzuleiten, willentlich seine eigene innere Bewußtheit zu beherrschen. Man könnte das Biofeedback als instrumentelle mystische Selbstkontrolle bezeichnen. Setzt man alle grundlegenden Prinzipien und Techniken des Biofeedbacks als medizinische Möglichkeit der Kontrolle psychosomatischer und stressbedingter Krankheiten ein, betonte Maxwell Cade, und verbindet das Training und die Aufzeichnung mit der alten Kunst der Meditation, läßt sich eine maximale

Körper-Geist-Bewußtheit erreichen. Während viertausend Studenten seine Vorlesungen besuchten, lehrte er sie die Kunst der Meditation, unterwies sie in "gelenkter Vorstellung" und der Bedienung der Geräte, an die sie angeschlossen waren, wobei er allmählich eine "Hierarchie" von Bewußtseinszuständen ausmachen konnte, die in physiologischer Wechselwirkung standen. Den höchsten Zustand nannte er "Zustand fünf", über dem "Zustand vier" traditioneller Meditation und Entspannung.
Es bedurfte eines genaueren Instrumentes, um mehr über diese Zustände zu erfahren, vor allem über jene, die über dem "Zustand fünf" lagen. Mit Hilfe eines hervorragenden Elektronikingenieurs, der mit ihm arbeitete, Geoffrey Blundell von Audio Ltd., wurde der "Mind Mirror" entwickelt. Dieses Gerät zeichnet nicht nur den Muskeltonus und die Standardhirnströme auf, sondern unterscheidet außerdem zwischen der Aktivität der rechten und linken Hirnhälfte.
Das Training befaßte sich nun mit verschiedenen Methoden der Meditation, mit Übungen für die rechte und linke Hirnhälfte, die dafür entwickelt worden waren, um zwischen ihnen zu unterscheiden und weitere Hinweise zur EEG-Symmetrie der Hirnhemisphären zu erhalten. Wenn sie ihre Gefühle bei "Zustand fünf" oder manchmal "Zustand sechs" beschrieben, hörten sich die Studenten mehr und mehr wie Mystiker an. Menschen, die keine mystischen Neigungen oder künstlerischen Fähigkeiten besaßen, entwarfen schöne Zeichnungen, schrieben ekstatische Poesie oder weinten vor Freude. Einige "Erleuchtungen" des "Zustandes sechs" traten von allein auf, beobachtete Maxwell Cade und beendet sein Buch: *„Ich glaube, wir sollten zumindest einen meditativen Zustand erfahren – möglicherweise "Zustand fünf oder sechs" – um die wahren Charakteristika eines solchen Gefühls zu empfinden. Der Gebrauch beider Hirnhemisphären ist deutlich angezeigt und auch, um nach Jung die "Ganzheit" der Dinge einzubeziehen, von beiden Teilen des limbischen Systems und des Hirnstammes. Dies scheint die einzige Möglichkeit zu sein, durch die wir klar erfassen können, woher die Ganzheit kommt!"*

Dr. Peter Fenwick pflichtet dem zu einem gewissen Grad seitens der Neurophysiologie bei: *„...das Hirn sollte als Ganzes betrachtet werden, und man kann durch Hinweise annehmen, daß während der mystischen Erfahrung neue Muster der Nervenaktivität in beiden Hemisphären auftreten, und die mystische Erfahrung aufgrund einer Gleichgewichtsveränderung zwischen den Hemisphären entsteht. Wahrscheinlich verändern Trainingsmethoden die Gesamtaktivierung des Hirns derart, daß neue Muster auftreten. Gewiß besteht Grund zur Annahme, daß die mystische Erfahrung durch Prozesse hervorgerufen wird, die die Hemisphären ins Gleichgewicht bringen."*

Die Dauer der Glückseligkeit

Vielleicht geht die Veränderung der Versuchsperson selbst allen Messungen voraus – bevor eine Veränderung der Alphawellen oder des Gleichgewichtes der Hirnhemisphären eintritt. Peter Russell, Wissenschaftler, Schriftsteller und Lehrer der Transzendentalen Meditation steuert folgende Erfahrungen und Theorien bei:
So wie Maxwell Cade von verschiedenen Graden der Erleuchtung spricht, so meint P. Russell, nicht alle Erfahrungen treten plötzlich auf, sondern bauen sich, wie in seinem eigenen Fall, langsam auf. *"Maharishi leitete einen Kurs für Meditationslehrer auf Mallorca, und da ich lange Weihnachtsferien hatte, schloß ich mich für drei Wochen dem Kurs an. Bevor ich nach Hause zurückkehrte, suchte ich Maharishi auf, um mich von ihm zu verabschieden und auch, um seine Meinung über etwas anzuhören, über das ich nachgedacht hatte.*
...ich ging und verspürte jene Art vertrautes Hochgefühl, das aus dem persönlichen Kontakt und Segen "des Meisters" erwächst.
Zwei Stunden später saß ich in einem Flugzeug auf der Startbahn des Flughafens von Palma, und das Hochgefühl schien sich zu verstärken – es glich einer ruhigen, doch starken Energie, die meine Brust durchflutete. Ich brauche wohl nicht hinzuzufügen, daß ich mich auf mentaler Ebene sehr gut fühlte, voller Freude, die sich auf nichts Bestimmtes bezog, sondern eher auf alles – schlichtweg Lebensfreude."

Peter Russels Erfahrung wurde bis zu einem gewissen Maße von jenen geteilt, mit denen er eng verbunden war und hielt nach seiner Rückkehr noch eine Woche an. Er erzählt:
"Dieser Zustand dauerte insgesamt ungefähr eine Woche. Die ersten drei Tage war er am ausgeprägtesten und ließ dann in seiner Intensität langsam im Laufe der restlichen Woche nach. Doch ich besitze eine sehr lebhafte Erinnerung an ihn.
Außerdem bleibt noch die Erinnerung, daß solche Zustände möglich sind und zwar nicht nur individuell sondern auch kollektiv. Es bleibt die Erinnerung, daß das höhere Bewußtsein eines Menschen das eines anderen emporzuheben vermag. Die Inder nennen es "Darshan", und vielleicht liegt eine der größten Herausforderungen unserer Zeit darin, Wege zu finden, damit es einfacher und häufiger geschieht."

Wie können solche Erfahrungen mit der Aktivität des Hirns verknüpft werden? Zuerst müssen wir die einzelnen Arten der Nerventätigkeit verstehen, die im allgemeinen hinter der bewußten Erfahrung liegen. Es ist ein fundamentales Postulat der modernen Psychologie, daß zwischen der physikalischen Aktivität des Hirns und der bewußten Erfahrung eine enge Beziehung besteht, doch das genaue Wesen dieser Beziehung entzieht sich uns noch größtenteils.

Wir wissen, einige sehr allgemeine Muster der Nerventätigkeit lassen sich mit gewissen Bewußtseinszuständen verknüpfen (Wachzustand, Tiefschlaf, epileptischer Anfall, Koma usw., von denen ein jeder charakteristische EEG-Aufzeichnungen hinterläßt). Wir wissen ebenfalls, daß die Stimulierung bestimmter Hirnbereiche gewöhnlich die gleiche Art von Erfahrung hervorruft. Doch wir wissen sehr wenig darüber, warum oder wie eine besondere Hirntätigkeit eine bestimmte Bewußtseinserfahrung hervorruft.
Es ist äußerst unwahrscheinlich, daß die Tätigkeit einiger Neuronen allein die Bewußtseinserfahrung bewirkt; es ist fast sicher, daß eine hochkomplexe Aktivität von Nervenzellen nötig ist. Eine solche

Aktivität vollzieht sich in einem engen, begrenzten Zeitraum. Man nimmt dabei einen Zeitraum von einer Zehntelsekunde an.
Eine Zehntelsekunde mag sehr kurz erscheinen, doch am neurologischen Standard gemessen ist sie ziemlich lang. Wenn wir daran denken, daß ein Neuron ein anderes in einer Millisekunde zu erregen vermag und zwischen jeder Nervenzelle und zahllosen anderen Nervenzellen eine Wechselwirkung besteht, dann wird schnell offensichtlich, daß sich in einhundert Millisekunden eine gewaltige und komplexe Aktivität vollzieht. Eine vereinfachte mathematische Analyse zeigt, daß die potentielle Anzahl von Interaktionen im Hirn im Laufe einer Zehntelsekunde bei weitem die Anzahl der Atome im Universum übersteigt.

So vollzieht sich also in diesem unendlich kurzen Augenblick ein komplexes Aktivitätsmuster in der Hirnrinde, und unsere bewußte Erfahrung scheint von der Kohärenz und dem Aktivitätsmuster abzuhängen.
Je geordneter die Aktivität der Hirnrinde verläuft, lautet eine Hypothese, um so ausgeprägter die damit verbundene Erfahrung. Kybernetisch ausgedrückt repräsentiert die fortschreitende Komplexität der Nerventätigkeit eine Zunahme des Impuls-zu-Lärm-Verhältnisses. In diesem Fall stellt der Impuls die kohärente Aktivität dar und das Geräusch die eher zufällige Hintergrundaktivität. Wird durch die Hirnrinde ein bestimmter Grad der Kohärenz erreicht, unterscheidet sich der Impuls von den anderen Aktivitäten im Hirn und geht daraus als bewußte Erfahrung hervor. Es gibt tatsächlich eine Schwelle für die bewußte Erfahrung. Eine geringere kohärente Hirntätigkeit wird durch andere Aktivitäten überdeckt und bleibt unterhalb der Schwelle.
Wie läßt sich das mit der mystischen Erfahrung verknüpfen? Ein gemeinsames Charakteristikum dieser Erfahrung liegt im entspannten, ziemlich aufnahmebereiten Geisteszustand des betreffenden Menschen. Fast alle Meditationstechniken, deren Ziel darin besteht,

diese Bewußtseinszustände einfacher hervorzurufen, zielen auf die eine oder andere Weise darauf ab, den Körper und Geist dabei zu unterstützen, einen Zustand tiefer Ruhe zu erreichen. Wir dürfen deshalb erwarten, daß der allgemeine Pegel neuraler "Geräusche" im Hirn sich während solcher Bewußtseinszustände reduziert, mit dem Ergebnis, daß Aktivitätsmuster, die früher nicht kohärent genug waren, um sich gegen die Hintergrundgeräusche abzuheben, jetzt das Bewußtsein erreichen.
Die subjektive Wechselbeziehung würde darin bestehen, daß die Person beginnt subtilere Qualitäten seiner oder ihrer Erfahrung wahrzunehmen. Ist das Nervensystem sehr aktiv oder übererregt, neigen wir dazu, uns überdreht zu fühlen und nehmen nur den oberflächlichen Aspekt der Welt um uns herum auf. Sind wir extrem erregt, mögen wir nur eine gewisse Form eingeengter Wahrnehmungen erfahren und uns nur jener Aspekte bewußt sein, auf die wir uns konzentrieren. Wenn umgekehrt der Geist still ist, empfinden wir Frieden, und in diesem Frieden sind wir uns der Schönheit der Welt um uns herum viel bewußter.

Was ist Holographie?

Peter Russell zieht in Betracht, daß obige Hypothese durch die holographische Theorie der Hirnfunktion Unterstützung findet. Bevor wir uns damit befassen, was er darüber zu sagen hat, könnte es nützlich sein, mit einfachen Worten den Prozeß der Holographie zu beschreiben. Was er darstellt und beinhaltet soll später in Einzelheiten ausgearbeitet werden, doch folgende Auszüge aus "Das Holographische Weltbild", herausgegeben von Ken Wilber, vermitteln eine Anfangsidee:
"Ein Hologramm (jenes, das aus der objektlosen Photographie resultiert) ist eine besondere Art optischen Speichersystems, das sich am besten anhand eines Beispieles erklären läßt: Wenn Sie ein holographisches Photo, sagen wir

eines Pferdes, aufnehmen und einen Teil davon herausschneiden, z.B. den Kopf des Pferdes, und jenen Teil auf Originalgröße vergrößern, erhalten sie keinen Kopf, sondern das Gesamtbild des Pferdes. Mit anderen Worten, jeder Einzelteil des Bildes enthält das ganze Bild in verdichteter Form. Das Teil ist das Ganze und das Ganze ist in jedem Teil – eine Art von Einheit in der Vielheit und der Vielheit in der Einheit. Der springende Punkt liegt einfach darin, das Teil besitzt Zugang zum Ganzen ... und falls das Hologramm zerbricht, ergibt sich aus jedem Stück das ganze Bild."

Es gibt Hinweise, daß Erinnerungen auf ähnliche Weise im Hirn aufbewahrt werden, d.h. visuelle Bilder werden auf einer holographischen Platte gespeichert. Wenn die Hirnsubstanz eines Menschen wesentlich zerstört wird, tritt gewöhnlich kein totaler Erinnerungsverlust ein, wie es der Fall sein würde, wenn die persönliche Erinnerung in einzelnen Zellen oder Zellgruppen gespeichert würde. Statt dessen besteht das gesamte Erinnerungsvermögen oder der Großteil fort: Selbst wenn es verschwommen erscheint, wie ein unvollständiger holographischer Druck, so enthält ein kleines Stück des holographischen Druckes doch das ganze Bild.
Indem er über die holographische Theorie des Gedächtnisses – in Verbindung mit seiner Hypothese über die Glückseligkeitserfahrung – schreibt, fährt Peter Russell fort:
„Wenn man von einem Hologramm ein Bild reproduziert, ist die Klarheit des Bildes von der Kohärenz des Lichtes abhängig, die das entsprechende Störungsmuster bildete. Falls es in großem Maße visuelles Hintergrund-"Rauschen" im Hologramm gibt, beeinflußt dies das Detail und die Genauigkeit des endgültigen Bildes.
Falls das holographische Geistesmodell Gültigkeit besitzt, dann scheint es, als ob während höherer Bewußtseinszustände das Hologramm Person wird, sich vollkommen jenseits aller Sinneserfahrung bewegt (d.h. die Erfahrung irgendeiner besonderen Vorstellung im Hologramm) und auf der Ebene reinen Bewußtseins, eines Bewußtseins ohne Erfahrungsobjekt, zu funktionieren beginnt.

Dies bewegt sich in eine Richtung, die die empfundene Universalität und Verbundenheit solcher Zustände erklärt. Alle Bilder eines Hologrammes sind auf der Ebene reinen, kohärenten Lichtes verbunden, das die Grundlage jedes einzelnen Bildes darstellt.
Reines Bewußtsein wäre die Wechselbeziehung dieses Bildes im menschlichen Geist und würde einem hohen Kohärenzgrad der Nerventätigkeit entsprechen. Die EEG Aufzeichnungen von Menschen, die bereits seit vielen Jahren meditieren, besagen, daß dies tatsächlich der Fall ist."

Während die Steuerung, das Messen, die Aufzeichnungen der Momente transzendenter Glückseligkeit hinsichtlich ihrer physiologischen Wechselwirkungen zu immer subtileren Bereichen vordringen, wie den "Energiefeldern", die mit den Chakras bei der Kundalini-Lehre verbunden sind, den chinesischen Akupunkturmeridianen und vielen anderen Gebieten der Geist-Hirn-Körper-Kohärenz, macht die elektronische Forschung nur aufgrund zunehmender Empfindlichkeit der Geräte, wirksameren Versuchsmethoden und der Anhäufung statistischer Beweise Fortschritte.
Doch das Theoretisieren muß nicht auf Beweise warten; in bezug auf die Hirnfunktionen und die mystische Erfahrung besteht ein breites Interesse an der holographischen Hypothese, auf die sich Peter Russell und Dr. Richard Petty in Verbindung mit den Ideen von Karl H. Pribram, dem Professor der Neurowissenschaft an der Stanford Universität und Verfasser des Klassikers auf diesem Gebiet "Languages of the Brain" beziehen:

In der Zeitschrift "Revision" (1978) berichtete Karl Pribram, wie die Holographie an seine Untersuchungen bezüglich der Lokalisation des Gedächtnisses im Hirn anknüpfte.
"Spezifische Erinnerungen", schrieb er, *"erweisen sich trotz eines Hirnschadens als unglaublich widerstandsfähig. Entfernt man ein Stück Hirngewebe oder verletzt den einen oder anderen Teil des Hirns, bedeutet das nicht, daß besondere Erinnerungen oder eine Gruppe von Erinnerungen heraus-*

operiert werden oder fehlen. Der Prozeß der Erinnerung kann auch allgemein gestört oder sogar ein einzelner Aspekt des allgemeinen Prozesses unterbrochen sein. Doch niemals geht nur eine einzelne Gedächtnisspur einer bestimmten Erinnerung verloren, während alles andere, an das sich erinnern läßt, zugänglich bleibt.
Diese Tatsache wurde inzwischen durch klinische Beobachtung des Menschen und durch Tierexperimente bestätigt. Folglich muß das Gedächtnis auf die eine oder andere Weise aufgeteilt sein – die erfahrenen Sinneseindrücke verbreiten sich über eine genügend große Hirnfläche, um die Erinnerung jener Erfahrung gegen Hirnschäden abzusichern..."
Karl Pribram war der erste, dem es plausibel erschien, daß der verteilte Gedächtnisspeicher des Hirns einer holographischen Aufzeichnung ähneln könnte. Er schrieb:
„*Ich entwickelte eine präzise formulierte Theorie, die sich auf die bekannte Neuroanatomie und Neurophysiologie gründet, und die die Anschauung vom verteilten Gedächtnisspeicher des Hirns als holographische Darstellung rechtfertigt.*"
Von den Jahren seit jener Zeit spricht er rückblickend: „*Viele Laboratorien, einschließlich meines eigenen, haben Teile dieser Theorie durch ihre Untersuchungen gestützt. Andere Daten haben die Theorie verfeinert und lassen sie so noch genauer den bekannten Tatsachen entsprechen.*"

Karl Pribram interpretierte das ganze Universum als Holographie. Er behauptete, das Hirn selbst sei ein Hologramm, das das vollständige Bild eines holographischen Universums enthalte, in dem alles sofort und überall vorhanden sei und auf bestimmte Art alles andere enthalte. In einem solchen Universum wäre es unmöglich, ein Teil von der gesamten Realität auszusondern oder zu trennen, da der Teil stets das Ganze enthielte, ebenso wie das Ganze den Teil enthalte.

„*Vielleicht besteht der tiefste Einblick, der sich aus der Holographie ergibt, in der Wechselbeziehung zwischen dem Frequenzraum (dem holographischen) und dem Bild-/Objekt-Raum – erinnern wir uns daran, daß die grundsätzliche Frage lautet, ob der Geist eine sich entwickelnde Eigenschaft der Interaktion eines Organismus mit seiner Umgebung darstellt – oder ob der Geist die grundlegende Struktur des Universums reflektiert (einschließlich des Hirns des Organismus...).*

Der Organismus läßt sich nicht mehr scharf von dem abgrenzen, was jenseits der Grenzen der Haut liegt. Im holographischen Raum repräsentiert jeder Organismus auf gewisse Weise das Universum und jeder Teil des Universums auf gewisse Weise den in ihm enthaltenen Organismus ... Die Wahrnehmungen eines Organismus können nicht ohne die Natur des physikalischen Universums verstanden werden, und die Natur des physikalischen Universums kann nicht verstanden werden ohne ein Verständnis von den beobachteten Wahrnehmungsprozessen.
Der holographische Raum verhält sich daher reziprok zum Bild-/Objekt-Raum, was beinhaltet, daß mentale Tätigkeit (wie z.B. Mathematik) die grundlegende Ordnung des Universums reflektiert."

Pribram fügt hinzu, ein Charakteristikum der holographischen Ordnung sei von besonderem Interesse: *„Dieser Bereich hat nur mit der Dichte der Ereignisse zu tun; Raum und Zeit sind im Frequenzraum zusammengebrochen. Die gewöhnlichen Grenzen von Raum und Zeit, die Ortsbestimmungen in Raum und Zeit, werden außer Kraft gesetzt und 'ausgelesen', wenn die Transformationen in den Objekt-/Bild-Raum betroffen sind. In Abwesenheit der Raum-Zeit-Koordinaten muß die gewöhnliche Kausalität, von der die meisten wissenschaftlichen Erklärungen abhängen, ebenfalls außer Kraft gesetzt werden. Komplemente, Synchronizitäten (die wie gleichzeitige Ereignisse aussehen), Symmetrien und Dualitäten müssen als erklärende Prinzipien einbezogen werden.*
...ob der Geist, das Bewußtsein und psychische Eigenschaften erst geschaffen werden, oder Ausdruck eines grundsätzlichen Ordnungsprinzips sind, hängt davon ab, welcher der beiden reziproken Räume als primär angesehen wird, der Bild-/Objekt-Raum oder der implizite holographische Raum.
Könnte man die Regeln für "das Einstellen" auf den holographischen impli-

ziten Raum deutlicher ausdrücken, würden wir vielleicht eine gewisse Übereinstimmung darüber erzielen, was die grundlegende Ordnung des Universums ausmacht. Im Augenblick scheint sich diese Ordnung nicht von den geistigen Vorgängen unterscheiden zu lassen, durch die wir auf das Universum einwirken; folglich müssen wir entweder schließen, daß unsere Wissenschaft eine gewaltige Illusion darstellt, eine Erfindung unserer Gehirnwindungen, oder daß, wie es alle großen Religionen vertreten, eine Einheit die grundlegende Ordnung des Universums charakterisiert.“

Läßt sich hier ein Flüstern der Mystik vernehmen, ein Echo der Worte von William Blake?

Erschaue die Welt in einem Sandkorn,
und den Himmel in einer wildwachsenden Blume,
Halte die Unendlichkeit in deiner Hand,
und fasse die Ewigkeit in einer Stunde.

Oder Worte vom Heiligen Augustinus?

Gott ist ein Kreis, dessen Zentrum überall und
dessen Rand nirgendwo ist.

„Die mystische Erfahrung”, beobachtete Karl Pribram, *„ist nicht seltsamer als viele andere Naturphänomene, wie z.B. die selektive Repression der DNS, wodurch zuerst ein Organ entsteht und dann ein anderes. Wenn in der Physik paranormale Phänomene auftauchen, bedeutet das einfach, daß wir zu dieser Zeit ein Ereignis einer anderen Dimension erfahren. Mit unserer gewohnten Einstellung können wir das nicht verstehen.” „Doch irgendwann”*, sagt er voraus,” *wird die Wissenschaft von heute das Herz der praktischen Wissenschaft bilden, so wie die kognitive Psychologie den Vorrang vor dem Behaviourismus einnahm. Produktive Wissenschaftler müssen bereit sein, den Geist wie auch Daten zu verteidigen … Die Tage der kalt- und hartherzigen Technokraten sind gezählt.“*

Die implizite Ordnung

Neue Begriffe von Zeit, Raum und Materie werden seit vielen Jahren von Professor David Bohm geprägt, dem bedeutenden theoretischen Physiker am Birkbeck College in London, der mit Einstein zusammenarbeitete. Seine Theorie des Universums wird bestens in seinem Buch "Die implizite Ordnung" (1980) erklärt.
In seinem mutigen Werk "Implicate Enfolded Order", in dem Bewegung als Entfaltung einer zusammengefalteten Ordnung beschrieben wird und deswegen keine Bewegung in Raum und Zeit ist, schlägt Professor Bohm vor, daß die Funktion des Geistes mit derjenigen der Materie vergleichbar ist, das Universum auf eine Art funktioniert, die sich nicht von der Funktion des Bewußtseins unterscheidet, die gesamte Materie Bewußtsein besitzt und "Bewußtsein die Widerspiegelung der Realität" ist.
Um seine Theorie zu verstehen, ist es hilfreich, eine Analogie zur Natur zu ziehen. Stellen wir uns eine alte Eiche vor, vielleicht hundert oder mehr Jahre alt. Betrachten wir sie vom gewöhnlichen Standpunkt, dann ist sie eindeutig das Produkt von Bewegung in Raum und Zeit. Sie ist gewachsen – Bewegung im Raum – und hat das Auf und Ab der Ereignisse erlebt, ist alt geworden, bewegte sich folglich in der Zeit.

In einem gewissen Sinn jedoch stellen räumliche und zeitliche Bewegungen eine Illusion dar. Denn wir erkennen den ausgewachsenen Baum als "zusammengefaltete Form" in der Eichel, aus der er erwuchs. Durch die Anregung von Licht, Luft und Sonne "entfaltete" sich die Eichel (um mit Professor Bohms Worten zu sprechen) zuerst zu einem Schößling, dann zu einem jungen Baum und schließlich zu einer ausgewachsenen Eiche. Mit anderen Worten ist das, was sich darstellt, d.h. was zu einem bestimmten Moment zu beobachten ist, nur die Entfaltung der "zusammengefalteten Ordnung," wie sich z.B. die Eiche aus der Eichel entfaltet. Dieser Prozeß funktioniert “rückwärts” ebenso wie “vorwärts” – der ausgewachsene Baum entfaltet die Eichel genauso gewiß wie letztere den Baum entfaltet. *“...die Quantenmechanik,”* führt er aus, *“beinhaltet diskontinuierliche Übergänge von einem Zustand in einen anderen, ohne die Zustände dazwischen zu durchlaufen. Dies bedeutet, daß sich Raum, Zeit und Materie nicht trennen lassen ... aus der Vergangenheit erwächst nicht die Gegenwart, etwas Neues entfaltet sich in Ewigkeit – dieses Entfalten entspricht der Art und Weise, in der die Vergangenheit, Gegenwart und Zukunft gemeinsam gefaltet sind, alles Implizite wird mit all seinem Inhalt 'explizit', entfaltet sich.”*.

Professor Bohm erklärt die Idee des Hologrammes im Anschluß an Karl Pribrams Theorie:
Wir haben ein Bild vor uns, in dem alles “implizit” ist, d.h. gefaltet in jeden Teil, und sich durch angemessenes Licht entfalten kann, so daß wir ein dreidimensionales, daraus hervorgehendes Bild erblikken. Das Bild ist in jedem Teil des Bildes “eingefroren”. Es ist charakteristisch für dieses “Holomovement” (oder unsichtbaren Fluß), daß das Ganze in jedem Teil enthalten ist, es keine Trennung der Welt gibt.

Hinsichtlich dieser neuen, allgemeinen Weltsicht sagt Professor Bohm: *„Wir können nicht umhin, Materie allein durch die implizite Ordnung zu verstehen. Denn wir selbst sind zusammen mit den Elektronen, Protonen, Felsen, Planeten, Galaxien usw. nur relativ stabile Formen des Holomovements. Es ist erforderlich, nicht nur unsere Körper mit ihren Hirnen und Nervensystemen einzuschließen, sondern auch unsere Gedanken, Gefühle, Bedürfnisse, unseren Willen und unsere Wünsche, die sich nicht von den Funktionen des Hirns und Nervensystems trennen lassen. Wenn der Urgrund aller Materie in der impliziten Ordnung liegt, wie in der Holobewegung enthalten, scheint es unvermeidlich, daß das, was wir allgemein als Geist bezeichnen, den gleichen Grund besitzt.“*
Seine Forschungstheorie noch weiter auf das “unmeßbare” Konzept

des Holomovements ausdehnend, gestattete sich Professor Bohm in einem Tonbandinterview für dieses Buch über dessen Beziehung zur mystischen Erfahrung, vor allem zur Glückseligkeitserfahrung zu spekulieren:

"Der Mensch mag eine wahre oder falsche Glückseligkeitserfahrung erleben. Man fand heraus, sie wird von Hormonen oder Drogen wie Morphinen ausgelöst,... doch wenn man sie mit der Chemie erklären könnte, wäre sie nicht viel wert, und wollte man sie nur als Emotion darstellen, könnte dies falsch sein.

Sie müssen sich fragen, ob es sich um eine echte Wahrnehmung handelt? Das Wort mystisch bezeichnet ursächlich etwas Verborgenes – ein Mysterium. Was ist verborgen und wer verbirgt es? Es ist nicht wirklich verborgen, nur mit unserem sogenannten gesunden Menschenverstand, über den wir Zugang finden könnten, müssen wir annehmen, daß der normale Bewußtseinszustand etwas Tieferes vor sich selbst verbirgt. Wenn dieser aufhört, es zu verstecken, werden wir vielleicht etwas darüber Hinausgehendes erkennen. Die Glückseligkeitserfahrungen mögen bis zu einem gewissen Grade eine Reaktion auf die Ängste des Normalzustandes sein. Nur die Beseitigung von Schmerz oder Angst wird Vergnügen hervorrufen, d.h. wenn wir uns am Zeh stoßen, kommt ein Wohlgefühl auf, sobald der Schmerz nachläßt. Könnten Sie auch vieles über diesen Zustand sagen, würde das nicht viel bedeuten – wenn Sie ihn erklären könnten. Doch was Sie vielleicht zu deuten hoffen, ist die Frage, warum der Normalzustand dazwischenkommt. Aus der Sicht der zusammengefalteten Ordnung könnte ich noch weiteres bemerken – die Realität ist in den unbekannten Tiefen des inneren Wesens zusammengefaltet. Sie entfaltet sich im Bewußtsein und zeigt sich auf diese Weise. Sie entfaltet sich, um etwas zu offenbaren und nicht um ihrer selbst willen. Wenn die Pflanze sich entfaltet, entsteht aus ihr der Same, der Baum, doch sie offenbart nicht wirklich den Samen. Wenn Sie etwas vorweisen, legen Sie es auf den Tisch, um zu zeigen, was es ist.

Bewußtsein stellt in erster Linie die Hervorhebung von etwas Tieferem dar. Dabei wurde der Fehler begangen, das zur Schau gestellte als das aufzufassen, was ist.

Die explizite oder entfaltete Ordnung bildet die Ordnung der Realität. In diesem Fall ist alles für die anderen Menschen, die Natur und für alles Existierende äußerlich. Dies würde eine Empfindung der Isolation schaffen. Es würde Unglück und Angst erzeugen. Wir können vielleicht sagen, daß dies in Wirklichkeit lediglich eine Schaustellung ist, und es etwas Ganzheitliches und Tieferes gibt, das alles zusammengefaltet ist, als eine Einheit.
Wenn dies der Fall ist, würde die Wahrnehmung dessen den Geist von Furcht, Angst und Unglück befreien, was sich aus Getrenntsein und Gefahr sowie allem, was damit zusammenhängt, entwickelt. Wenn dies auf einer korrekten Wahrnehmung beruht, wird der Geist aus einem gewissen Grund die tiefere Ordnung richtig wahrnehmen, anstatt sie in der gegenwärtigen Ordnung zu suchen.
Einige Menschen bezeichnen die "Glückseligkeitserfahrung" als Erfahrung kosmischen Bewußtseins. Es gibt verschiedene Ebenen – eine sieht den Kosmos als Einheit, oder als eine Stufe oder Grundlage, die über den Kosmos in Raum und Zeit hinausgeht.
Die meisten Menschen, die dies nicht erlebt haben, könnten behaupten, es handele sich um eine Illusion, oder es sei eine gängige Wahnvorstellung – d.h. es gäbe Geistesgestörte, die diese Erfahrungen erfinden. Man muß alle Möglichkeiten in Betracht ziehen. Die Gemeinsamkeit allein reicht nicht für einen Beweis aus.
Was verhindert die Erfahrung? Falls es sich um eine Realität handelt, besitzt die ganze Menschheit das Potential dazu. Sie wird durch den normalen Bewußtseinszustand verhindert, durch Gedanken, die die Dinge getrennt sehen, und diese Getrenntheit als wirklich erachten. Dies ist bereits in Fleisch und Blut übergegangen, entspricht eher einer Neigung. Aus irgendeinem Grund mag man damit aufhören und aus dem gleichen Grund wieder beginnen.
Bewußtsein ist eine Erscheinung; der Verstand offenbart eine Art entfalteter Realität. Diese Offenbarungen leiten uns richtig bei allgemeinen Tätigkeiten an. Es liegt an der Ähnlichkeit der Dinge, d.h. wenn ich mich rasieren möchte, rasiere ich nicht das Bild im Spiegel. Meine Tätigkeiten beziehen sich auf mich. Jedoch ist das Bild immer noch ein Bild in dem Sinne, daß es

mir ähnelt. In diesem einen Teil von mir lebt auch ein Teil des Bildes. Jenseits von mir besteht ein Bild dessen, was ich nicht bin. Ich betrachte es als aufrichtige Darstellung von mir.

Denken wir an ein äußeres Objekt, entfaltet sich Ähnliches in unserer Vorstellung – d.h. wenn Sie Ihre Augen schließen und an diesen Raum denken, sehen Sie ihn vor sich, wenn Sie sich die Umgebung eingeprägt haben. Richtig oder verkehrt. Doch Sie sind getrennt.

Was geschieht, wenn ein Mensch versucht, eine Darstellung (das äußere oder entfaltete Bild im Gegensatz zum zusammengefalteten oder impliziten) seiner selbst zu sehen? Er erlebt eine Introspektion. Verschiedene Bilder zeigen sich ihm, scheinen im Inneren abzulaufen, doch ich behaupte, sie sind kein Bild "von ihm". Das Bild ist die Entfaltung der Darstellung "von ihm". So kann die Darstellung im Bewußtsein nicht für ihren Inhalt stehen, sondern eher als Hinweis auf etwas Inneres (Zusammengefaltetes) angesehen werden, das nicht richtig funktioniert.

Man könnte sagen, das, dessen man sich im Inneren bewußt ist, mag eine Darstellung der tatsächlichen Bewußtseinsaktivität sein.

Evolution bedeutet Entfaltung. Evolution bedeutet Freiheit von den Dingen, die sie aufhalten, und diese Schaustellung zeigt, was sie aufhält, und läßt Aktivitäten zu, die zu einer Veränderung führen, die Licht hineinbringen. Wenn Sie das Hindernis kurz beseitigen, entfaltet es sich, taucht dann wieder auf. Das Wichtigste ist nicht allein die Beseitigung des Hindernisses, sondern das Hindernis zu erkennen, sich des Hindernisses bewußt zu sein, damit es nicht zu einem Hindernis wird.

Wie läßt sich das ändern? Es ist für die Menschen notwendig zu erkennen, was in ihrem Bewußtsein geschieht. Die Aktivität, die Bewußtsein schafft, entspricht nicht dem Bewußtsein.

Alles, was im Bewußtsein falsch läuft, wird letztlich durch die Aktivität gebildet. Doch die Aktivität wird durch den Inhalt beeinflußt, da sich die Aktivität dem Inhalt entsprechend vollzieht; es besteht eine Wechselwirkung zwischen ihnen. Diese Aktivität ist sich ihrer nicht bewußt, und darin liegt eine der Schwierigkeiten.

Der Großteil des Bewußtseins besteht aus dem reaktiven Gedächtnis, um

Bilder und Wörter zu bilden etc., d.h. wenn sich jemand ärgert, wird dieses Gefühl aufgespeichert. Die Erinnerung an den Ärger besteht dabei nicht nur in den damit verknüpften Bildern des Geschehenen, sondern ruft auch die chemischen Zustände der Wut hervor, so daß wirklich Wut "entsteht". Erinnerung an Ärger produziert Ärger. Desweiteren erkennt das Gedächtnis nicht jenen Ärger, den es erzeugt hat, als selbst verursacht, sondern behandelt ihn als etwas Unabhängiges, und wir sagen: "Das bin ich, wie ich mich ärgere". Das Gedächtnis vermag nichts gegen den Ärger zu unternehmen, da es jetzt vom Ärger beherrscht wird. Sobald Ärger aufkommt, entwickelt sich jener chemische Zustand des Bewußtseins und bewirkt Gedanken, die den Ärger nähren, wie Eifersucht, Furcht, Haß.
... manchmal akzeptieren Menschen, nur um angenehme Gedanken zu hegen, Falsches als Wahrheit. Ich glaube dies ist ein Problem, dem die Menschheit jetzt gegenüber steht; wir besitzen eine primitive Art des Denkens, die wirklich auf die Steinzeit zurückgeht und für die Steinzeit auch angebracht war, sich jedoch heutzutage als zu gefährlich erweist. Wenn sich z. B. Menschen verschiedener Nationen, Religionen zusammensetzen und darüber diskutieren, tritt die Chemie in Aktion und beherrscht das Verhalten. Dies scheint nicht noch weitere hundert oder tausend Jahre so zu bleiben, etwas wird sicher irgendwo passieren. Etwas muß durchbrechen ...
Doch für lange Zeit glaube ich nicht, daß die mystische Erfahrung praktische Menschen, Politiker, beeinflussen wird.
Ich möchte damit nicht behaupten, die mystische Erfahrung könnte einen Einblick in die Realität vermitteln, der die Hindernisse beseitigt, und auch nicht die Realität letztendlich als die zusammengefaltete Ordnung darstellen. Dies muß nicht unbedingt wahr sein ...
Aber – es ist eine Möglichkeit."

Die Harmonie des Meßbaren und Unmeßbaren

David Bohm ist Wissenschaftler, doch er zieht keine starre Grenze zwischen Physik und Metaphysik bei seiner Suche nach Antworten.

Er hat sich mit östlicher Philosophie befaßt und sich mit geistigen Lehrern wie Krishnamurti über das entgültige Wesen des Bewußtseins auseinandergesetzt. Er glaubt, daß die 'Zersplitterung' der Grund des Unterschiedes zwischen den östlichen und westlichen Philosophien darstellt, die westliche Wissenschaft sich auf die Messung der Dinge in getrennten Zusammenhängen konzentriert und dabei ihre durchdringende Ganzheit übersieht, während der Osten die Ganzheit, das Unmeßbare, immer als Realität betrachtet hat. Er sagt:

"Natürlich ist es unmöglich, zu einem Zustand der Ganzheit zurückzukehren, der vor der Trennung zwischen Ost und West existierte (und sei es nur deswegen, weil wir wenig, wenn überhaupt etwas über diesen Zustand wissen). Wir müssen wieder lernen, die Bedeutung der Ganzheit zu erkennen und zu entdecken.
Tatsächlich gibt es keinen direkten und aktiven Weg, den der Mensch beschreiten könnte, um mit dem Unermeßlichen in Berührung zu kommen, da es jenseits von dem liegt, was der Mensch mit seinem Geist erfassen oder mit seinen Händen oder Werkzeugen zustandebringen kann.
Der Mensch "vermag" jedoch seine ganze Aufmerksamkeit und seine kreativen Energien darauf zu richten, Klarheit und Ordnung in die Gesamtheit des Meßbaren zu bringen (d.h. in die meßbaren Dinge). Dies beinhaltet natürlich nicht nur die äußere Darstellung des Maßes in Form von äußerlichen Maßeinheiten, sondern auch das innere Maß, wie die körperliche Gesundheit, eine Mäßigung von Handlungen und Meditation, wodurch man Einblick in das Maß des Denkens erhält ... Eine solche Einsicht beinhaltet den ursprünglichen und kreativen Akt der Wahrnehmung aller mentalen und physischen Aspekte des Lebens, mentale und physische, sowohl über die Sinne als auch den Verstand, und darin liegt vielleicht die wahre Bedeutung der Meditation.
Da Zersplitterung und feste Formen des Maßes im allgemeinen zu mechanischem und gewohnheitsmäßigem Denken führen, sind diese letztendlich nicht mehr angemessen und führen zu Unklarheit und Verwirrung.

Wenn jedoch der gesamte Bereich des Maßes für den ursprünglichen und schöpferischen Einblick ohne festgesetzte Grenzen und Barrieren aufgeschlossen bleibt, verharrt unsere Weltsicht nicht in Starrheit und der gesamte Bereich des Maßes harmonisiert sich …

Doch der ursprüngliche und schöpferische Einblick in das Meßbare "besteht" in der Tat des Nichtmeßbaren. Denn wenn es zu solchen Einblicken kommt, kann die Quelle nicht innerhalb der Ideen liegen, die bereits im Meßbaren existieren, sondern muß sich im Unmeßbaren befinden, das die formende Ursache all dessen enthält, was im Bereich des Meßbaren auftritt. Das Meßbare und das Unmeßbare bilden eine Harmonie und man erkennt, daß es sich hier nur um unterschiedliche Betrachtungsweisen des einen und unteilbaren Ganzen handelt.
Wenn eine solche Harmonie herrscht, hat der Mensch nicht nur Einblick in die Bedeutung der Ganzheit, sondern, was noch wesentlicher ist, er wird sich der Wahrheit dieses Einblicks in jeder Phase und jedem Aspekt seines Lebens bewußt. Wie Krishnamurti mit großer Kraft und Klarheit gesagt hat, erfordert dies, daß der Mensch alle seine kreativen Energien der Erforschung des gesamten Bereiches des Meßbaren widmet. Dies zu tun, mag vielleicht außerordentlich schwierig und hart sein, doch da alles in diese Richtung weist, verdient es sicher die ernste Aufmerksamkeit und genaueste Betrachtung eines jeden von uns."

Glückseligkeit, die neue Physik und Ökologie

"… seit der 'Quantenrevolution' vor fünfzig Jahren haben verschiedene Physiker verblüffende Parallelen zwischen ihren Ergebnissen und bestimmten mystisch-transzendenten Religionen entdeckt." – Ken Wilber, The Holographic Paradigm and Other Paradoxes (1982)

In seinem weithin gelesenen Buch "Das Tao der Physik", das zuerst 1975 veröffentlicht wurde, untersuchte Fritjof Capra, ein Physiker, der gegenwärtig in Berkeley an der Universität von Kalifornien lehrt, die mögliche Wechselbeziehung zwischen den grundlegenden Konzepten der modernen Physik und den Ideen der östlichen Mystik.

In einem Vortrag, den er anläßlich einer Vorlesung am Kings College, Winchester, 1978 hielt, gab Fritjof Capra eine Übersicht über die Parallelen.

"Lassen Sie mich am Anfang kurz das Weltbild beschreiben, das sich mit den Entdeckungen der modernen Physik veränderte. Es herrschte ein mechanistisches Weltbild. Dies hatte seine Wurzeln in der Philosophie der griechischen Atomisten, die Materie aus verschiedenen "Grundbausteinen", den Atomen, zusammengesetzt betrachteten, die ihrerseits passiv und eigentlich tot sind. Man glaubte, sie würden durch irgendeine äußere Kraft bewegt, von der man annahm, sie sei geistigen Ursprungs und folglich grundlegend verschieden von der Materie.

Dieses Bild wurde zu einem wesentlichen Teil westlichen Denkens und begründete den Dualismus zwischen Geist und Materie, zwischen Geist und Körper, was für den westlichen Gedanken charakteristisch ist. Dieser Dualismus drückte sich in seiner schärfsten Form in der Philosophie von Descartes aus, der seine Ansicht über die Natur auf die fundamentale Teilung zwischen Geist und Materie, zwischen dem 'ich' und der Welt gründete ... Ein solch mechanistisches Weltbild wurde auch von Newton vertreten, der seine Technik auf der Grundlage dieses Weltbildes aufbaute und zur Grundlage der klassischen Physik machte. Von der zweiten Hälfte des 17. Jahrhunderts bis zum Ende des 19. Jahrhunderts beherrschte das mechanistische Modell Newtons das gesamte wissenschaftliche Denken.

Im Gegensatz zum mechanistischen Weltbild ist das östliche Weltbild ein 'organisches'. Für den östlichen Mystiker stehen alle Dinge und Phänomene, die wir mit unseren Sinnen wahrnehmen, in Wechselbeziehung, sind miteinander verbunden und stellen nur verschiedene Aspekte oder Manifestationen der gleichen Realität dar. Unsere Neigung, das von uns Wahrgenommene in einzelne und getrennte Dinge zu teilen und uns selbst als isolierte Egos in dieser Welt zu erfahren, wird als Illusion betrachtet, die aus

*unserer zum Messen und Kategorisieren neigenden Mentalität herrührt ...
Der Kosmos wird als eine untrennbare Realität betrachtet, die ewig in Bewegung, lebendig, organisch, spirituell und materiell gleichzeitig ist. Ich werde jetzt versuchen aufzuzeigen, wie die Hauptmerkmale dieses Bildes in der moderen Physik erscheinen.*

Zu Beginn unseres Jahrhunderts erbrachte die experimentelle Erforschung der Atome sensationelle und vollkommen unerwartete Ergebnisse. Weit davon entfernt, jene festen Teile zu sein, die man sich seit der Antike vorstellte, entpuppten sich die Atome als zu weiten Bereichen aus leerem Raum bestehend, in dem sich extrem kleine Partikel – die Elektronen – um einen Kern bewegten.

Als man die Quantentheorie, die theoretische Grundlage der Atomphysik, 1920 ausarbeitete, wurde klar, daß selbst die subatomaren Partikel, d. h. die Elektronen und die Protonen und Neutronen des Kerns, den festen Teilen der klassischen Physik nicht entsprachen. Die subatomaren Materieteilchen sind sehr abstrakte Gebilde. Je nachdem aus welchem Blickwinkel heraus wir sie betrachten, erscheinen sie manchmal als Partikel, manchmal als Wellen. Diese Dualität der Materie war besonders verwirrend. Das Bild einer Welle, die sich stets im Raum ausbreitet, unterscheidet sich vollständig vom Partikelbild, das auf eine genaue Ortsbestimmung bezogen ist.

Der offensichtliche Widerspruch zwischen den beiden Bildern wurde letztendlich auf eine ganz und gar unerwartete Weise gelöst, die der Grundlage des mechanistischen Weltbildes, dem Konzept der Realität der Materie einen Schlag versetzte. Auf subatomarer Ebene gibt es mit Sicherheit keine Materie an genau definierten Orten, statt dessen zeigt sie "Tendenzen zur Existenz".

Diese Tendenzen werden in der Quantentheorie als Wahrscheinlichkeit ausgedrückt, und die entsprechenden mathematischen Größen nehmen die Form von Wellen an. Aus diesem Grund können Partikel gleichzeitig Wellen sein. Dabei handelt es sich nicht um dreidimensionale Wellen, wie Klang- und Wasserwellen. Es sind "Wahrscheinlichkeitswellen", abstrakte mathematische Größen mit allen charakteristischen Eigenschaften von Wellen, die

mit den Wahrscheinlichkeiten verknüpft sind, die Partikel zu bestimmen Zeiten an bestimmten Orten im Raum zu finden.
Es ist wichtig, sich darüber bewußt zu werden, daß die statistische Formulierung der Gesetze der Atom- und Subatomphysik nicht unser Unwissen über die Physik widerspiegelt, – so wie Versicherungsgesellschaften oder Spieler mit Wahrscheinlichkeiten arbeiten. In der Quantentheorie betrachten wir Wahrscheinlichkeit als fundamentales Merkmal der atomaren Realität, das alle atomaren und subatomaren Phänomene beherrscht.

Diese fundamentale Rolle der Wahrscheinlichkeit beinhaltet einen neuen Kausalitätsbegriff. In der Quantentheorie besitzen individuelle Begebenheiten keine wohldefinierte Ursache. Zum Beispiel vollzieht sich die Bewegung eines Elektrons von einem Atomring zum anderen oder die Auflösung eines Subatompartikels ganz spontan ohne irgendeine Ursache. Wir können nur die Wahrscheinlichkeit dieses Ereignisses voraussagen.

Das heißt jedoch nicht, daß sich Entwicklungen im atomaren Bereich auf beliebige Weise vollziehen; sie werden durch statistische Gesetze beherrscht. Der enge klassische Kausalitätsbegriff wird durch das umfassendere Konzept der statistischen Kausalität ersetzt, bei dem die Wahrscheinlichkeit der atomaren Bewegungen durch die Dynamik des ganzen Systems bestimmt wird."

Das kosmische Gewebe

Auf atomarer Ebene lösen sich folglich die festen Objekte der Materie der klassischen Physik in wellenähnliche Muster der Wahrscheinlichkeit auf. Diese Muster repräsentieren außerdem nicht die Wahrscheinlichkeit der Dinge, sondern die Wahrscheinlichkeit von gegenseitigen Verbindungen. Eine sorgfältige Analyse des Beobachtungsprozesses in der Atomphysik zeigt, daß die subatomaren Teile isoliert keine Bedeutung besitzen, sondern nur als Verbindungen

zwischen der Vorbereitung eines Experimentes und der nachfolgenden Messung verstanden werden können. Subatomare Partikel sind keine "Dinge", sondern Verbindungen zu Dingen, und diese "Dinge" wiederum stellen Verbindungen zwischen anderen Dingen dar, usw.
In der Atomphysik stößt man am Ende der Kette niemals auf irgendwelche Dinge, sondern immer auf Verbindungen.
Deswegen offenbart die Quantentheorie eine grundlegende Einheit des Universums. Sie zeigt, daß wir die Welt nicht in voneinander unabhängige kleinste Teilchen zu zerlegen vermögen. Befassen wir uns mit der Materie, so zeigt uns die Natur keine isolierten Bausteine, sondern erscheint eher als kompliziertes Gewebe von Beziehungen zwischen den verschiedenen Teilen eines einheitlichen Ganzen. Mit den Worten von Werner Heisenberg: *„Die Welt erscheint deshalb als kompliziertes Gewebe von Geschehnissen, innerhalb derer sich verschiedene Verbindungen miteinander abwechseln, überschneiden oder kombinieren, und dadurch die Struktur des Ganzen bestimmen."*
Dies ist auch die Art, in der östliche Mystiker die Welt erfahren, und ihre Erfahrung mit Worten ausdrücken, die fast identisch mit jenen der Atomphysiker sind. Nehmen wir z. B. den folgenden Ausspruch eines tibetischen Buddhisten, Lama Govinda: „Die äußere Welt und seine eigene Innenwelt bilden für den Buddhisten nur zwei Seiten des gleichen Stoffes, in dem die Fäden aller Kräfte und Geschehnisse, aller Bewußtseinsformen und aller Objektformen zu einem eng verknüpften Gewebe endloser, sich gegenseitig bedingender Beziehungen verwoben sind."

Diese Worte von Lama Govinda weisen auf ein weiteres Merkmal hin, das sowohl in der modernen Physik als auch in der östlichen Mystik von fundamentaler Bedeutung ist. Die universale Wechselbeziehung der Natur schließt immer den menschlichen Beobachter und sein oder ihr Bewußtsein auf wesentliche Weise ein. In der Quantentheorie können die beobachteten "Objekte" nur im Sinn einer Interaktion zwischen der Vorbereitung und dem eigentlichen

Messen verstanden werden. Das Ende dieser Kette von Prozessen liegt stets im Bewußtsein des menschlichen Beobachters.
Das entscheidende Merkmal der Quantentheorie besteht darin, daß der menschliche Beobachter nicht nur notwendig ist, um die Eigenschaften eines Objektes zu beobachten, sondern auch, um diese Eigenschaften hervorzubringen. Meine bewußte Entscheidung darüber, wie ich z.B. ein Elektron beobachte – ob ich auf die eine oder andere Weise bestimmte Geräte verwende – bestimmen in einem gewissen Ausmaß die Eigenschaften des Elektrons. Mit anderen Worten besitzt das Elektron keine objektiven Eigenschaften, die von meinem Geist unabhängig sind. In der Atomphysik bleibt die tiefe Kluft zwischen Geist und Materie, zwischen dem Ich und der Welt nicht länger gültig. Wir können niemals über die Natur sprechen, ohne nicht gleichzeitig auch über uns zu sprechen. Mit den Worten von Heisenberg: *„Die Naturwissenschaft beschreibt und erklärt die Natur nicht nur, sie bildet einen Teil der Wechselwirkung zwischen der Natur und uns."*
In der modernen Physik kann der Wissenschaftler nicht die Rolle eines entfernten Beobachters einnehmen, sondern er ist mit der Welt verbunden, die er oder sie beobachtet ... Er oder sie nimmt an ihr teil. Der Begriff des Teilnehmenden, Teilhabenden spielt in der mystischen Tradition des Fernen Ostens eine grundlegende Rolle.
Es ist faszinierend zu beobachten, wie die Idee des einzelnen Partikels (in dem Vortrag umrissen als Unruhe der Materie, Relativitätstheorie, 'Bootstrap-Theorie', d.h. daß sich die Natur nicht auf fundamentale Teilchen reduzieren läßt, und Hadronen Bootstrap, wobei es sich um dynamische 'raum-zeitliche' Muster handelt, die einander nicht enthalten, sondern aufeinander in mathematischem Sinne einwirken, der sich nicht leicht in Worten ausdrücken läßt) das alle anderen enthält, auch in der östlichen Mystik existiert. Man findet sie im Mahayana Buddhismus, wo sie als "Durchdringung" bekannt ist. Mit den Worten von D. T. Suzuki: *„Stellt man das eine gegen all die anderen, erkennt man, es durchdringt alle anderen und nimmt sie gleichzeitig in sich auf."*

Dieses Konzept wird in buddhistischen Texten durch viele Parabeln illustriert. Das folgende Beispiel benutzt das Bild eines Perlennetzes, um die Idee des verknüpften Gewebes zu veranschaulichen: *"Es heißt, es gibt im Himmel Indras ein Perlennetz, das so angeordnet ist, daß sich in einer Perle alle anderen spiegeln. Auf die gleiche Weise existiert jeder Gegenstand der Welt nicht nur für sich allein, sondern bezieht jeden anderen Gegenstand mit ein und ist tatsächlich alles andere."*

Die Ähnlichkeit dieses Bildes mit ... der Bootstap Theorie (der Teilchenphysik) eines verwobenen Beziehungsnetzes, in dem sich die Partikel dynamisch aus einander zusammensetzen, repräsentiert den Höhepunkt einer naturwissenschaftlichen Betrachtungsweise, die sich in der Quantentheorie aufgrund der Erkenntnis einer fundamentalen Verbundenheit entwickelte, und die weiter durch die Relativitätstheorie beeinflußt wurde, als man erkannte, daß das kosmische Netz eigentlich dynamisch ist und seine Aktivität die eigentliche Essenz seines Wesens darstellt.

Gleichzeitig näherte sich diese Betrachtungsweise der Natur dem östlichen Weltverständnis immer mehr an und harmonisiert heute mit der östlichen Mystik, sowohl die allgemeine Philosophie betreffend als auch hinsichtlich des spezifischen Bildes der Materie.

Im Nachwort seines Buches The Tao of Physics gelangt Fritjof Capra zur Schlußfolgerung: *„Sobald diese Parallelen zwischen westlicher Wissenschaft und östlicher Mystik akzeptiert werden, wird es bezüglich ihrer Tragweite zahlreiche Fragen geben. Entdeckt die moderne Wissenschaft mit all ihrer Technik nur die alten Weisheiten, die den östlichen Weisen bereits seit Tausenden von Jahren bekannt sind? Sollten Physiker deswegen die wissenschaftlichen Methoden aufgeben und meditieren? Oder kann es zwischen Wissenschaft und Mystik eine gegenseitige Beeinflussung geben, vielleicht sogar eine Synthese?*

Ich glaube, alle diese Fragen müssen negativ beantwortet werden. Ich meine, Wissenschaft und Mystik sind zwei gegensätzliche Manifestationen des menschlichen Geistes, seiner rationalen und intuitiven Fähigkeiten. Der

moderne Physiker erfährt die Welt durch eine extreme Spezialisierung des rationalen Geistes. Diese zwei Betrachtungsweisen unterscheiden sich vollkommen voneinander und beinhalten weitaus mehr als eine bestimmte Auffassung von der physischen Welt.
Jedoch sind sie gegensätzlich, wie wir in der Physik behaupten. Keine wird durch die andere begreiflich, und keine von ihnen kann auf die andere reduziert werden, doch beide sind notwendig, ergänzen einander zu einem besseren Weltverständnis.
Um es mit einer alten chinesischen Redensart auszudrücken, verstehen die Mystiker etwas von den Wurzeln des Tao, jedoch nichts von seinen Zweigen, die Wissenschaftler verstehen etwas von den Zweigen, jedoch nichts von den Wurzeln. Die Wissenschaft braucht die Mystik nicht und die Mystik nicht die Wissenschaft, der Mensch jedoch benötigt beides. Die mystische Erfahrung ist notwendig, um das tiefste Wesen der Dinge zu erfassen, und die Wissenschaft ist für das moderne Leben wesentlich. Deswegen benötigen wir keine Synthese, sondern eine dynamische Wechselwirkung zwischen mystischer Intuition und wissenschaftlicher Analyse." Er schließt mit der Beobachtung, daß dergleichen noch nicht in unserer Gesellschaft erreicht wurde, vor allem, da es trotz der Tatsache, daß ihre Theorien zu einem Weltverständnis führen, das dem der Mystik gleicht, *„... ist es verblüffend, wie wenig dies die Einstellung der meisten Wissenschaftler beeinflußt hat."* Um mystisches Wissen zu erlangen, muß man, wie er glaubt, eine Umwandlung durchmachen; man könnte sogar behaupten, das Wissen selbst sei die Umwandlung. Wissenschaftliches Wissen kann andererseits oft abstrakt und theoretisch bleiben ... die heutigen Physiker scheinen sich nicht der philosophischen, kulturellen und spirituellen Inhalte ihrer Theorien bewußt zu sein, sondern unterstützen auch noch aktiv eine Gesellschaft, die sich auf das mechanistische Weltbild gründet. Um einen Zustand dynamischen Gleichgewichtes zwischen diesen zwei Auffassungen herzustellen, bedarf es einer vollkommen anderen sozialen und wirtschaftlichen Struktur: einer Kulturrevolution im wahrsten Sinne des Wortes.

Die neue Physik und das Unbeschreibliche

In einer weiteren Studie dieser Parallelen oder ergänzender Konzepte offeriert Gary Zukav, der zwar kein Physiker, sondern interessierter Journalist ist, in The Dancing Wu Li Masters, An Overview of the New Physics (1979), eine weitere Beschreibung des Themas für den Laien. Insbesondere zeigt er auf, wie sich die Physik im subatomaren Bereich von dem Meßbaren ab- und der Statistik von Wahrscheinlichkeit zuwendet. Wellen und Partikel werden nicht nur austauschbar, sondern sie scheinen ohne sichtbare Anzeichen einer Botschaft oder einer Beeinflussung zu wissen, was sie tun, wo immer sie sich auch befinden. Wie erfolgt diese Informationsübertragung – findet sie überhaupt statt?

Im letzten Kapitel von The End of Science schreibt Gary Zukav: *„Es gibt mehrere Möglichkeiten, die sich gegenseitig ausschließen. Die erste Möglichkeit … besteht darin, selbst wenn es gegenteilig scheinen mag, daß es wirklich keine "Einzelteilchen" in unserer Welt gibt (mit der Sprache der Physik 'versagt die Lokalität'). In diesem Fall wird die Vorstellung von Ereignissen als autonomen Geschehnissen zu einer Illusion. Dies würde für jegliche "Einzelteilchen" zutreffen, die sich zu irgendeiner Zeit in der Vergangenheit wechselseitig beeinflußten. Wenn "separate Teilchen" in Wechselbeziehung zueinander stehen, entsteht durch den Austausch von konventionellen Impulsen (Kräften) zwischen ihnen (ihren Wellenfunktionen) eine Wechselwirkung.*

Solange diese Wechselwirkung nicht von anderen äußeren Kräften unterbrochen wird, stehen diese Wellenfunktionen, die die "separaten Teilchen" repräsentieren, immer in Beziehung zueinander. Bei diesen verbundenen "separaten Teilchen" hat das Tun des Experimentierenden in diesem Bereich eine wesentliche Wirkung auf die Ergebnisse des Experimentes in einem entfernten, raum-ähnlichen, getrennten Bereich. Diese Möglichkeit beinhaltet eine Kommunikation, die schneller als Licht ist, und zwar eines unterschiedlichen Typs, der von der konventionellen Physik nicht erklärt werden kann.

Bei diesem Bild ist alles, das hier geschieht, unmittelbar und eng mit dem, was woanders im Universum geschieht, verknüpft usw., und dies einfach, da die "getrennten Teile" des Universums keine Einzelteile darstellen."
Gary Zukav unternimmt an dieser Stelle einen Vergleich zwischen buddhistischer Philosophie und dem *Tantra*: erstere kann intellektualisiert werden – es ist eine Funktion des rationalen Verstandes; das zweite transzendiert das Rationale. "Die weisesten und tiefgründigsten Denker der indischen Zivilisation entdeckten, daß Worte und Konzepte sie bis an diesen Punkt brachten – Tantra, ein Wort aus dem Sanskrit das „weben und verknüpfen" bedeutet, bezeichnet eine Praxis, die *gelebt* werden muß.
„Die Entwicklung des Buddhismus in Indien zeigt, daß eine tiefe und durchdringende intellektuelle Suche bis in das letzte Wesen der Realität zu einem Quantensprung jenseits alles Rationalen zu führen vermag. Die Entwicklung der Physik im 20. Jahrhundert hat bereits das Bewußtsein derer verändert, die damit zu tun haben. Das Studium der Komplementarität, der Unschärferelation, der Quantenfeldtheorie und der Kopenhagener Interpretation der Quantenmechanik bewirkt Einsichten in das Wesen der Realität, die denen ähnlich sind, die sich aufgrund eines Studiums östlicher Philosphie einstellen." Durch die neue Physik dieses Jahrhunderts werden sich die Physiker zunehmend bewußt, daß sie dem Unbeschreiblichen gegenüberstehen. Gary Zukav zitiert Professor G. G. Chew, Vorsitzender der Fachrichtung Physik an der Universität in Berkeley, Kalifornien: *„Unser ständiger Kampf (mit gewissen Aspekten der fortgeschrittenen Physik) kann deshalb nur ein Vorgeschmack auf eine vollkommen neue Form einer intellektuellen Anstrengung des Menschen sein, einer Form, die nicht nur außerhalb der Physik liegt, sondern einer, die sich nicht einmal als "wissenschaftlich" charakterisieren läßt. Wir brauchen keine Pilgerreise nach Indien oder Tibet zu unternehmen. Es gibt dort zwar viel zu lernen, doch unser eigener formloser Weg entwickelt sich hier zu Hause unter Teilchenbeschleunigern und Computern."*
Ähnliche Theorien, mit einem leicht unterschiedlichen Standpunkt, werden auch von Fred Alan Wolf vertreten, einem theoretischen

Physiker der Universität von San Diego, Kalifornien, der neben David Bohm am Birkbeck College tätig war und 'Taking the Quantum Leap' schrieb:
„Im Quantum Leap verwies ich auf die Idee, daß die Quantenphysik und das menschliche Bewußtsein miteinander verknüpft sind. Die Grundlage dafür liegt in der Rolle des Beobachters bei der Beobachtung. Der Beobachter ist nicht passiv. Stattdessen spielt er eine einzigartige Rolle. Die Rolle hängt davon ab, was der Beobachter zu finden glaubt. (Sucht jemand nach Wellen, findet er Wellen, sucht jemand nach Partikeln, findet er Partikel.)
So spielt der Mensch hinsichtlich seines Schicksals eine weit größere Rolle, als er ursprünglich dachte. Tatsächlich scheinen wir von unseren Projektionen dessen beherrscht zu werden, was ist und was nicht ist. Mit anderen Worten, wir leben durch unseren Verstand in dem Sinn, in dem wir unsere Abstraktionen in die physische Welt projizieren. Als Beispiel mag das Konzept des Staates dienen.
Der "Staat" ist eine reine Abstraktion. Doch wir glauben alle an ihn und seine Macht, uns zu regieren. Wir erschaffen manifeste Gebäude – Kongreßgebäude usw., die den "Staat" verkörpern. Wir fühlen uns durch ihn gefangen usw. So nimmt unsere Abstraktion eine eigene Existenz an. Folgt daraus nicht, daß wir durch unsere eigene Beobachtung den "Glückseligkeits-Zustand" erschaffen können?

Es scheint nicht nur möglich zu sein, es passiert und passierte. Es wimmelt heutzutage von geistigen Lehrern (obgleich einige von ihnen Schwindler, jedoch die meisten aufrichtig sind). Wenn wir ihnen glauben, gibt es den Glückseligkeitszustand. Es handelt sich um ein lernbares Konzept für jene, die es erlernen möchten. Es kann auf die gleiche Art vermittelt werden, auf die jede scheinbar komplexe Fähigkeit vermittelt werden kann. (Die meisten geistigen Lehrer würden wahrscheinlich sagen, man müsse sich dazu vom Intellekt befreien. Trotzdem bedürfen die meisten von uns einer Führung ...) Selbst wenn wir diesen geistigen Lehrern nicht glauben, brauchen wir nur einen Blick auf die Quantenphysik zu werfen, um uns darüber klar zu werden, daß die physische Welt ohne uns nicht existieren kann, nicht exi-

stiert und nicht existieren wird! Unsere Anwesenheit ist für ihre Existenz unerläßlich.
Es gibt absolut – und ich meine total und unleugbar – kein bekanntes Phänomen in der Natur, bei dem es sich nicht um ein beobachtbares Phänomen handelt. Zum Beispiel gehört jede atomare Erfahrung dazu. Haben wir es mit groben makrokosmischen Wahrnehmungen zu tun, dann sind wir mit einer extrem großen Anzahl von feinen mikroskopischen Wahrnehmungen befaßt. Unser Nervensystem wird beständig von diesen Mikro-Wahrnehmungen bombardiert. Diese feinen Wahrnehmungen werden durch eine Auswahl gesteuert, die letztendlich von uns selbst durch unsere Evolutionsfähigkeiten getroffen wurde, um den abstrakten Gedanken in lebendige Erfahrung zu projizieren. Es ist jetzt für alle Menschen an der Zeit zu lernen, wie man Glückseligkeit erreicht.
Was ist der Glückseligkeitszustand, und wie erlange ich ihn? Zuerst wird klar, daß keine "greifbare" Substanz Glückseligkeit verleiht … Glückseligkeit ist ein Bewußtseinszustand. Ich glaube, er kann durch individuelle Anstrengung erreicht werden (obgleich er letztendlich, wie jede andere Fähigkeit, mühelos eintritt). In diesem Zustand herrscht göttliche "Ignoranz". Allerdings ist "Ignoranz" nicht das richtige Wort, ein besseres Wort wäre "Unwissenheit". Es existiert eine Bewußtheit der Unwissenheit. Es gleicht dem Gefühl, das ein Künstler verspürt, wenn er/sie etwas erschafft. Es besteht die Identifizierung des "ich" mit dem Schöpfungsprozeß. Man macht die Entdeckung, daß alles ständig und immer wieder neu ist.
Diese Unwissenheit ist das grundlegende Quantum in der Natur. Sie hängt von der zugrundeliegenden Realität der Quantenwellenfunktion – der Welle aller Möglichkeiten – ab. Der Glaube an ihre Existenz oder einen anderen Namen dafür leitet den Prozeß der Glückseligkeit ein. Im Glückseligkeitszustand gibt es keine Opfer, keine Manipulationen, keine Schuld, keine Erkenntnisse, sondern die Erkenntnis einer Nicht-Erkenntnis. Erkenntnisse manifestieren sich und verschwinden wie Gedanken."
Wie nahe sich der Physiker und der Mystiker scheinbar kommen, wird durch die Wahrnehmung von Sir James Jeans veranschaulicht, "das Universum sei ein großer Gedanke" und die Worte Aurobin-

dos, des östlichen Weisen, *"die Unwissenheit der Materie sei ein verborgenes oder nachtwandlerisches Bewußtsein, das alle latenten Kräfte des Geistes enthält. In jedem Partikel, Atom, Molekül, jeder Zelle der Materie lebe im Verborgenen und wirke unerkannt die Allwissenheit des Ewigen und die Allmacht des Unendlichen."*

Ken Wilber, Autor von *The Atman Project, Up from Eden* und Herausgeber von *The Holographic Paradigm,* setzt die Auswahl der Gedanken zur „neuen Wissenschaft" fort, indem er ausführt:

"Man mag zustimmen oder ablehnen ... eine Schlußfolgerung ergibt sich unmißverständlich: meistens verlangt die neue Wissenschaft Geist, doch wenigstens räumt sie reichlich Raum für den Geist ein. Dies ist epochemachend. Hans Küng bemerkte, daß die Standardantwort auf die Frage "Glauben Sie an den Geist?", "Natürlich nicht, ich bin Wissenschaftler" zu sein pflegte, bald jedoch "Ja, natürlich glaube ich an den Geist. Ich bin Wissenschaftler" lauten könnte."

Andererseits warnt Ken Wilber vor der "Popmystik" und fügt hinzu:

"... ich finde, ehrliche Arbeit wird fast vom Wirbel absolut verrückter Ideen überdeckt, die mit dem Ziel hervorgebracht werden, zwischen der Quantenmechanik und Mystik eine Verbindung herzustellen ... viele Physiker sind bereits ganz verrückt hinsichtlich der "mystischen" Anwendung, der die Teilchenphysik ausgesetzt ist ...

Mögen Physik und Mystik einander schätzen, und möge ihr Dialog und wechselseitiger Austausch von Ideen niemals aufhören. Doch unberechtigte und voreilige Gemeinschaften oder Verbindungen enden gewöhnlich mit Scheidung, und oft handelt es sich um eine Scheidung, die beiden Seiten furchtbaren Schaden zufügt."

Die Trennung zwischen Wissen und Sein

Ravi Ravindra, der sich vielleicht in der einzigartigen Situation befindet, gleichzeitig Professor der Physik und Religionswissenschaften an der Dalhousie Universität von Halifax in Kanada zu sein, warnt ebenfalls vor der "gefälligen Wiedervereinigung" zwischen der neuen Physik und der Mystik. Er schreibt:

"Wahrnehmung ist sowohl in der Physik als auch im Yoga sehr bedeutend: beide streben nach objektivem Wissen und beide sind an empirischer Überprüfung interessiert. Sie sind experimentell, erfahrungsorientiert und empirisch. Meines Erachtens ist dies so. Doch gestatten Sie mir eine Verdeutlichung; um Klarheit zu gewinnen, darf man nicht über den Unterschied zweier Worte hinwegsehen: Experiment und Erfahrung. Ich möchte betonen, daß die moderne Naturwissenschaft dem Charakter nach eine vollkommen experimentelle Natur besitzt, doch sie richtet sich tatsächlich fast gegen Experimente ...

... man experimentiert mit etwas; man kann mit Menschen experimentieren, mit LSD, Ratten oder was auch immer. Was der einzelne dabei erfährt, ist etwas anderes. Ein Wissenschaftler experimentiert in seinem Labor mit Dingen; er führt aufgrund dieser Experimente Messungen durch; es wäre totale Ironie zu behaupten, er erfahre diese Dinge.

... In der Physik stehen experimentelle Daten, Beobachtungen und Wahrnehmungen im Dienst der Theorie. Was wir letztendlich als wissenschaftliches Wissen bezeichnen, ist eine Ansammlung von Theorien. Hingegen steht die Theorie im Yoga oder einer anderen geistigen Disziplin ganz im Gegensatz dazu im Dienst der Wahrnehmung. Schließlich spielt es auch keine Rolle, welche Theorie man vertritt. Theorie ist ein Schema, ein Trick, um den Verstand zu beruhigen, ihn zu beschäftigen oder zu erweitern.

Deswegen spielen Wahrnehmungen und Empfindungen in der Physik eine andere Rolle als im Yoga ... Im Yoga besteht die Annahme, daß man sieht, da man ist. Dies trifft in der Wissenschaft überhaupt nicht zu. Es werden in der Wissenschaft nur jene Wahrnehmungen zugelassen oder sind überhaupt nur erlaubt, bei denen es belanglos ist, was für ein Mensch man ist. Das Wesentliche besteht in einer Trennung zwischen Wissen und Sein; die Seinsebene eines Menschen oder der Bewußtseinszustand sind für die Art des hervorgebrachten Wissens belanglos.

Worin besteht in beiden Fällen das Ziel des Wissens? Warum fasziniert uns Wissenschaftswissen so sehr? Nehmen wir an, wir wüßten alles über den Planeten Mars, was würde das ändern? Diese Frage ist schwer zu beantworten. Beobachtet man, wofür diese Art Wissen tatsächlich verwendet wird, scheint im allgemeinen ein tiefes Bedürfnis nach Kontrolle und Manipulation dessen zu bestehen, was man studiert: ... wie können wir es verwenden, wie können wir es selbst beim Studium des Geistes einsetzen? Wie können wir Meditation anwenden, um in der Geschäftswelt voranzukommen, bessere Liebhaber oder erfolgreicher zu werden?

Die Einstellung des Yoga besteht nicht darin, wie ich den Geist für meine Zwecke einsetze, sondern wie ich vom Geist für seine Zwecke eingesetzt werde. Dies ist eine grundlegend andere Haltung hinsichtlich des Zweckes und Wertes von Wissen...

Man könnte sagen, im Yoga stellt das Wissen im Grunde das Ende von Wissen dar. So läßt sich "Vedanta" wortwörtlich übersetzen. Es bezeichnet den Zustand, in dem man das Verständnis oder das Bewußtsein einer essentiellen Unerkennbarkeit (dies ist die wortwörtliche Bedeutung von Brahman), dieser Unermeßlichkeit, von der man selbst ein Teil ist; dann beruhigt sich der Verstand und das Herz und haben an dieser Weite teil. In diesem Sinne wird der, der Brahman kennt, Brahman. Man kann Brahman nicht kennen, wenn man von ihm getrennt ist ...

Es deutet auf eine vollkommene Ignoranz hinsichtlich der Methoden und Ziele der alten geistigen Traditionen, wenn wir uns vorstellen, die heutige Wissenschaft sei wahrscheinlich wegen einiger oberflächlicher Ähnlichkeiten des Ausdruckes mit dem alten esoterischen Wissen gleichwertig. In diesen sentimentalen Behauptungen über Ähnlichkeit und Gleichheit der modernen Wissenschaft und dem esoterischen Wissen spiegelt sich die naive und arrogante Annahme wider, daß morgen – in der nächsten Dekade, dem nächsten Jahrhundert oder ganz sicher im nächsten Jahrtausend – unsere Wissenschaft bei weitem die alten Mystiker, Weisen und Propheten und Propheten übertreffen wird.

Vom geistigen und traditionellen Standpunkt aus betrachtet sind solche Behauptungen nicht nur naiv, sondern auch gefährlich und einschläfernd; sie stellen ein Mittel dar, den Einfluß des esoterischen Wissens für nichtig zu erklären, das den Menschen zur Wahrheit führt – zu seinem richtigen Platz im Kosmos, zu seiner Verantwortung hinsichtlich der Aufrechterhaltung des Rechts innerer und äußerer Ordnung und zu seinen wahren Möglichkeiten."

Da die Physik uns viel über hypothetische, physikalische Wahrscheinlichkeiten zu sagen vermag, jedoch fast nichts über Farbe, Geschmack, Gefühl, Bedürfnis, Liebe, darüber, was gut oder schlecht, moralisch oder unmoralisch ist, über Freude, Frieden, Harmonie, die mystische Erfahrung der Glückseligkeit, verhält es sich so wie Fung Yolan in *The Spirit of Chinese Philosophy* gesagt hat:

"Fassen wir die Ganzheit als Objekt des Gedankens auf, schließt die Ganzheit als Objekt des Denkens nicht den Gedanken darüber ein. Die Ganzheit besitzt deshalb etwas außerhalb ihrer selbst und kann nicht die Ganzheit sein. Die Schlußfolgerung liegt darin, daß die Ganzheit nicht Gedanke sein kann."

Ein bemerkenswerter Aspekt der Beziehung zwischen Wissenschaft und Mystik ist der Ansatz von Glen Schaefer, Professor der ökologischen Physik am Cranfield Institut of Technology.

Er pflegte vielfältige Interessen – schon früh widmete er sich dem Studium der Vögel, ihrem Flug in warme Gebiete, der Metereologie, dem Fliegen, der Mathematik und Physik einerseits und der Biologie andererseits. Glen Schaefer bewältigte verschiedene wissenschaftliche Aufgaben, bis er eine Theorie des Flugzeugmotorenlärms entwickelte, die zu seiner erfolgreichen Theorie der Aerodynamik des Vogelflugs führte. Während er mit Atomkraft befaßt war, war er fasziniert davon, wie Millionen von Vögeln aus Südeuropa die Sahara offensichtlich im Nonstopflug von 1.500 Meilen nach Mittelafrika überquerten.

Da es ihn immer dahin zog, die Gesamtheit von jedem und allem sehen zu wollen, nicht nur in der Wissenschaft, sondern auch in der Metaphysik, untersuchte er eingehend das Vogelflugphänomen mit einem Radargerät, das die Geräusche der Vögel empfing und sie durch das Flügelschlagmuster identifizierte, wobei er seine Forschungen mit den wachsenden Gefahren von Vögel für Flugzeuge und umgekehrt in Zusammenhang brachte. In seinen darauffolgenden Studien befaßte er sich mit fliegenden Insekten. Daraus entstand die Entwicklung eines neuen Themas – der ökologischen Physik.

Hinter allem befindet sich eine verborgene Intelligenz

Indem er sich mit ökologischen Problemen in verschiedenen Teilen der Welt auseinandersetzte, gelangte er zur Überzeugung einer dem Universum zugrundeliegenden Ordnung, die auch den Menschen einschließt, jedoch von der Wissenschaft nicht grundlegend manipuliert oder kontrolliert werden kann.

Er entdeckte z. B. eine um so stärkere Vermehrung von Insekten, je intensiver sie im Jahr zuvor mit Insektiziden vernichtet worden waren. Indem er verschiedene Methoden in unterschiedlichen Ländern ausprobierte, erkannte er, daß dort, wo die Natur ihre eigenen Kontrollgesetze hatte (eine Insektenart vernichtete die andere), dies nicht der Fall war, und es wurde unwiderlegbar deutlich, daß früher oder später (tatsächlich ziemlich bald) keine Insektizide mehr wirken würden, und der Mensch außerstande wäre, die Natur mit Gift zu beherrschen.
Einen weiteren Hinweis darauf lieferten die Forschungen zur augenlosen Obstfliege, die aufgrund ihrer leicht identifizierbaren Gene am häufigsten für genetische Experimente verwendet wird. *"Man nehme viele von ihnen und lasse sie sich vermehren, überlasse sie der Inzucht und ihre Nachkommenschaft hat keine Augen. Doch nach einigen Generationen der Inzucht haben trotzdem einige von ihnen wieder Augen! Untersucht man die Gene, so findet man überhaupt keine Veränderung; es handelt sich immer noch um augenlose Gene!*
Es geschah folgendes: einige Gene, die in Bezug zu anderen Systemen ste-

hen, schlossen sich zusammen und bildeten einen neuen Komplex, um die "augenlosen Gene" außer Kraft zu setzen und damit sicherzustellen, daß das Insekt Augen hat. Dies ist wirklich erstaunlich. Niemand vermag es zu erklären.

Nach meiner Intuition liegt die Lektion klar auf der Hand. Weder Gene, die Funktionen, noch die Biochemie des Körpers beherrschen uns in irgendeinem Sinne. Etwas anderes beherrscht sie. Sie sind nur Diener, um Wege aufzuzeigen, zu schaffen. Sie unterliegen der Wandlung; ein Gen oder eine Gruppe von Genen kann sich offensichtlich zusammenschließen, um ein bestimmtes Ergebnis zu bewirken. Es gibt keinen genetischen Code, der mein Wachstum und mein Verhalten beherrscht. Zündstoff! Das äußere Universum ist veränderlich. Etwas bedient sich dieser Veränderlichkeit, einschließlich der unseres Hirnes, und formt sie, um gewisse Funktionen zu bewirken, z.B. um Licht zu sehen.

Das ist fundamentaler als Gene. Gene sind untergeordnet. Die Archetypen erscheinen wieder als dominante Kraft. Sie sind mental oder spirituell – ich möchte hier keine Unterscheidung treffen. Die Materie und ihr Antrieb liefern nur die Voraussetzung, um sicherzustellen, daß Dinge sich vollziehen und geschehen."

Glen Schaefer weist ebenfalls darauf hin, daß es keine Möglichkeit gibt, die Tatsache zu widerlegen, daß der Mensch und die Insekten vollkommen abhängig voneinander sind." Normalerweise halten wir die Insekten für etwas, auf das man tritt, besprüht, massenweise vernichtet. Da wir sie nicht verstehen oder fürchten, vernichten wir sie.

Doch wo immer man dies in großem Umfang tut, z.B. wenn es eine plötzliche Zunahme der Fichten-Knospen-Motte gibt, und man ihr mit DDT zu Leibe rückt, darf man sicher sein, die Insekten werden überleben. Überall sonst stirbt die sogenannte Plage aus und ist in weiteren fünf Jahren wirklich verschwunden, außer dort, wo gesprüht wurde: Die Plage wurde durch das Sprühen aufrechterhalten.

Doch dies paßt nicht in das westliche Paradigma! Das Paradigma heißt: "Der Mensch dominiert." Doch hier wird bewiesen, daß die chemische Wi-

derstandskraft Parasiten gegenüber schneller unwirksam wird als natürliche Feinde. Wir bedrängen die Natur mit unserem einfältigen westlichen Materialismus, mit unserem Beherrschenwollen ... und die Natur findet einen anderen Weg. Wie es für die Gene zutrifft, so findet sich auch hier ein anderer Weg, das zu erreichen, was erreicht werden muß. Gott sei Dank steckt hinter allem eine verborgene Intelligenz."

Wenn Glen Schaefer von der kosmischen Evolution spricht, meint er, die Geburt eines neuen Paradigmas habe gerade erst begonnen. Was für die konventionelle Physik und für Tausende von Physikern schmerzlich sein wird (auch für die Öffentlichkeit, die das alte Paradigma als maßgebende Wahrheit vorgesetzt bekam), die für die Urknalltheorie eintreten, um damit den Ursprung aller Dinge zu erklären. Er beschreibt die Urknalltheorie wie folgt:

"Zum Zeitpunkt Null gab es eine gewaltige Explosion, wobei enorme Lichtenergien bei einer Temperatur von Milliarden von Grad ursprünglich auf kleinstem Raum zusammengedrängt waren ...

Das Ganze dehnte sich aus und kühlte rapide ab. Nach wenigen Millionstel Sekunden begann die Kondensation in Form von Materiepartikeln, die aus dem Licht hervorgingen. Alles war aufgrund der gewaltigen Temperaturen und der Kraft der Explosion ein Chaos ...

Aus diesem Chaos von Wasserstoff und Helium entstanden hier und dort Galaxien, Inseln im Chaos ... und da die Galaxien sich durch die Schwerkraft zusammenzogen, entwickelten sich zufällig Inseln von größerer Dichte, aus denen aufgrund ihrer eigenen Schwerkraft wiederum Sterne hervorgingen.

Die Sterne zogen das sie umgebende Gas an und wurden im Laufe von Tausend Millionen Jahren schwerer. Einige explodierten – Supernovas. Bei der Explosion vollzogen sich nukleare Verschmelzungen, wobei aus den leichten schwerere Elemente entstanden, die für unser späteres Entstehen wesentlich waren. Wir gingen aus den Sternen hervor.

Planeten verdichteten sich aus den Gasen um jeden Stern und bewegten sich in Bahnen. Als sie abkühlten, entstand Wasser und Gestein; es gab Blitze

und gewaltige Stürme. Aus den Blitzen und der heißen Vulkanmasse entwickelten sich verschiedene organische und biologische Moleküle. Aus diesen Molekülen wiederum entwickelte sich rein zufällig nach Milliarden von Jahren die erste Zelle und dann durch Darwinsche Prozesse die Pflanzen, Tiere und der Mensch. Zuletzt tauchte in dieser langen Geschichte das Bewußtsein auf.
Diese kosmologische und biologische Geschichte wurde von etwa zehntausend Wissenschaftlern geschaffen; alle glauben daran und arbeiten jedes Jahr fieberhaft an Tausenden von Unterlagen, in denen es um Einzelheiten geht. Nur mit diesen Einzelheiten ist es möglich, das materialistische Paradigma auf innere Sprünge hin zu untersuchen, und dies kann nur von einem brillanten Verstand ausgeführt werden."

Ein Universum, das von "Zufälligkeiten" abhängt

"Begraben unter der großen Urknallkosmologie sind die erst kürzlich entdeckten bemerkenswerten Zufälligkeiten. Zuerst gibt es da genau die richtige Expansionsrate des Universums. Hätte sich alles langsamer vollzogen, wäre alles durch die Schwerkraft in sich zusammengefallen, und es wäre keine Zeit für die Evolution verblieben. Hätte sich alles schneller vollzogen, wäre es zu keiner Verdichtung gekommen. In beiden Fällen hätte es also keine Sterne, Planeten, Leben oder Verstand gegeben. Die Expansionsrate war also zur Entstehung dieser Formen genau richtig.
Zufall?
Ja, vielleicht. Kehrt man der Theorie entsprechend zu den ersten Sekunden des Universums zurück, in denen es sich rapide ausdehnte und verändert die Expansionsrate nur um einen millionstel Teil, wäre sie zu langsam oder zu schnell, und es würde nicht das gegenwärtige Universum voller Leben entstehen. Was für ein bemerkenswerter Zufall! Wir haben genau die richtige Expansionsrate, damit Galaxien, Sterne, Planeten und wir entstehen. Erstaunlich. Eins zu 10^{12}, falls jemand mit Zahlen etwas anfangen kann… Dieses kleine Bruchstück macht die ganze Geschichte zunichte. Es sei

denn, man nennt es Glück, oder dies war unter vielen Explosionen genau die richtige.
Das Universum erstand aus dem Chaos – hohe Temperaturen – und wenn Teleskope das Universum nach Hintergrundstrahlung abtasten, so stoßen sie mit einem Fehler von 1 zu 1000 in jeder Richtung des Weltraums auf genau die gleiche Strahlungsmenge. Es sollte nicht so einfach sein. Wie kann soviel Ordnung aus soviel Un-Ordnung hervorgehen?

...Außerdem sind die Kräfte, die den Kern eines jeden Atoms zusammenhalten, genau richtig; wären sie um ein Prozent geringer gewesen, würde es nichts anderes als Wasserstoff und Helium und kein Leben geben. Wären sie um ein Prozent größer gewesen, würde es überaus schwere Elemente geben, und es hat den Anschein, daß das Leben sich nicht hätte entwickeln können. Die Kraft der elektrostatischen Kräfte – zwischen den Elektronen und Protonen, die die Atome zusammenhalten – ist also genau richtig. Würde man sie um ein Prozent verändern, würde es nicht die komplexen Moleküle geben, die das Leben benötigt.

Noch mehr Zufälligkeiten? Dies ließe sich noch weiter fortsetzen, was alles richtig sein mußte, damit wir entstehen konnten. Diese Fakten werden natürlich nur selten angeführt; sie existieren noch nicht als Buch, da sie erst fünf Jahre bekannt sind.
Folglich hängt die Möglichkeit des Kosmos, Leben zu entwickeln, von einer ganzen Serie von bemerkenswerten Zufällen ab, und so mußten einige Menschen, die sich dessen bewußt wurden, ein neues Prinzip einführen, das der Wissenschaft fremd ist, um die Evolution auch ohne Zufälligkeiten zu gewährleisten. Man nennt es das anthropische Prinzip, und Sie werden noch viel darüber hören... Sie müssen dieses Prinzip dem materialistischen Paradigma zuordnen, um uns überhaupt zu rechtfertigen, um am Ende der Evolution einen bewußten Beobachter zu haben, der zu sagen vermag: „Ja, ich begreife und verstehe das Universum."Niemand hat eine Idee, auf was es sich gründet, doch es muß eingeführt werden, selbst wenn dadurch das westliche Paradigma ernsthaft ins Wanken gerät."

Glen Schaefer fügt den Zufälligkeiten die Tatsache hinzu, daß man noch vor fünfzehn Jahren glaubte, es handele sich bei dem Staub und Gas zwischen den Sternen vor allem um Atome. Dann fanden Fred Hoyle und seine Mitarbeiter heraus, daß es sich um organische Materie handelte, um komplexe organische Moleküle und nicht nur um Atome. Seit neuestem spricht man von bio-organischer Materie. *"Es gibt Leben im gesamten Universum... fundamentale Formen des Lebens, virusähnlich, doch sehr komplex im Vergleich zu organischen Molekülen (d.h. Molekülen aus Kohlenstoffverbindungen)...*

...Aufgrund der vorhandenen Theorie kann man sich die Wahrscheinlichkeit dafür ausrechnen, daß Wasserstoff- und Kohlenstoffatome sowie andere Atome, die nach dem großen Urknall und den stellaren Explosionen im Raum schwebten, im Laufe der Zeit und durch Zufall tatsächlich aufeinandertrafen und sich verbanden, um eines dieser Moleküle zu bilden. Unter Annahme eines Alters von zehntausend Millionen Jahren für unser Universum und die Gase zwischen den 10^{40} Sternen im gesamten Universum, liegt die Wahrscheinlichkeit für die Entstehung eines organischen Moleküls, geschweige denn für ein Lebewesen, gemäß Hoyle bei einem Zufallstreffer von $1 : 10^{200}$...

Nehmen wir an, der Exponent 200 stimmt bis auf plus oder minus einhundert. Man glaubt, die Anzahl der Protonen, der Kerne der Wasserstoffatome im gesamten Universum betrage 10^{80}, was unserer Meinung nach eine enorme Zahl darstellt, bis man die Wahrscheinlichkeit in Betracht zieht. Dann werden Sie zugeben, sie ist gleich null; es gibt null Wahrscheinlichkeit allein aufgrund des Zufalls."

Glen Schaefer stieß vor zehn Jahren auf diese Zahlen; er sagt, sie veränderten seine gesamte Einstellung zu diesem Thema so, wie sie ebenfalls die von Fred Hoyle veränderten, dessen Bücher materialistisch und antireligiös waren, und der jetzt ankündigte (im BBC), er werden den Rest seines Lebens mit der Suche nach jener "unsichtbaren Hand", nach der Wissenschaft dieser intelligenten Quelle verbringen.

Glen Schaefer, der weder den Ausdruck mystisch noch Mystik verwendet, schließt mit Worten, die den Charakteristika der mystischen Erfahrung ähneln.

"Eine Intelligenz beherrscht das gesamte Universum und die gesamte Evolution – nicht nur gelegentlich... Ich glaube, selbst eine Mikrosekunde lang die Erfahrung des Bewußtseins einer höheren Ebene (der Erleuchtungsblitz!), der nächsten Dimension, zu erleben, die im Vergleich zu jeder Subdimension unendlich ist, eine Mikrosekunde des Einblicks heilt ganz und gar, erlöst, befähigt auf dem Wasser zu schreiten. Dies übertrifft bei weitem die Intelligenzdimensionen, die Irrtümer beinhalten, da sie Atombomben ebenso wie Pflugscharen bereitstellen...
Ordnung, Verstand und sein Einfluß, die zentrale Intelligenz – verändern wir unsere Visionen und erleben wir sie."

Eine solche Veränderung der Vision stellt sicher die neue Hypothese der "formativen Ursache" dar, die von Rupert Sheldrake vorgetragen und von ihm in seinem Buch A New Science of Life – The Hypothesis of Formative Causation (1981) erklärt wurde und die ganze wissenschaftliche Welt verblüffte. Rupert Sheldrake war Dozent am Clare College in Cambridge, wo er Naturwissenschaften lehrte. Er studierte Philosophie und Geschichtswissenschaften an der Harvard-Universität, kehrte dann nach Cambridge zurück, wo er sein Studium der Biochemie und Zellbiologie fortsetzte und sich später mit Pflanzenforschung und dem Alterungsprozess der Zelle befaßte. In den 70-er Jahren schloß er sich der Belegschaft des International Corps Research Institute in Hyderabad, Indien, an und ist jetzt dort als beratender Pflanzenphysiologe tätig.

Einstimmung auf die Urerfahrung

Seine Theorie, so unorthodox und revolutionär für die Physik und Biochemie, daß sie deswegen in einer führenden Wissenschaftszeitschrift lächerlich gemacht wurde, als man sie zum ersten Mal veröffentlichte, beinhaltet eine Bildung der Form, Entwicklung und des Verhaltens lebender Organismen durch das, was er als morphogenetische Felder bezeichnet (*morph* bedeutet Form, *genesis* ins Leben treten), die einem Typus angehören, der gegenwärtig noch nicht von der Wissenschaft erkannt wurde. Diese Felder entstehen durch die Form und das Verhalten vergangener Organismen der gleichen Art, durch direkte Verbindungen in Raum und Zeit. Rupert Sheldrake bezeichnet diesen Prozeß als 'morphische Resonanz'.

Da sich die morphische Resonanz mit den Worten bestehender Konzepte ähnlicher Systeme schwer erklären läßt, beschreibt Rupert Sheldrake sie als physikalische Analogie, die der Resonanz: *"Energetische Resonanz tritt auf, wenn auf ein System eine andere Kraft einwirkt, die mit seiner natürlichen Schwingungsfrequenz übereinstimmt. Beispiele schließen die Nebenwellenschwingungen gespannter Saiten als Reaktion auf bestimmte Klangwellen ein; das Einstimmen der Radiogeräte auf die Frequenz der Radiowellen, die von Sendern übertragen werden; die Absorption von Lichtquellen besonderer Frequenzen durch Atome und Moleküle, woraus sich ihr charakteristisches Absorptionsspektrum ergibt, und die Reaktion der Elektronen und Atomkerne in Anwesenheit von Magnetfeldern auf elektromagnetische Strahlung bei der elektronischen Spinresonanz und der magnetischen Kernresonanz. Allen Resonanztypen gemein ist das Prinzip der Selektivität: aus einer Mischung von Schwingungen, so kompliziert sie auch sein mag, reagieren die Systeme nur auf jene einer bestimmten Frequenz.*
Doch die "morphische" Resonanz ähnelt der energetischen Resonanz noch in anderer Hinsicht: sie vollzieht sich zwischen den Schwingungssystemen. Atome, Moleküle, Kristalle, Organellen (ein besonderer Teil der Zelle, der

als Organ dient), Zellen, Gewebe, Organe und Organismen bestehen alle aus Teilen, die sich in unaufhörlicher Schwingung befinden; alle besitzen ihre eigenen charakteristischen Schwingungsmuster und ihren inneren Rhythmus. Die morphischen Einheiten sind dynamisch, nicht statisch..., während energetische Resonanz nur von der spezifischen Reaktion auf bestimmte Frequenzen, auf "eindimensionale" Stimuli abhängt, hängt die morphische Resonanz von dreidimensionalen Schwingungsmustern ab."

Bei der morphischen Resonanz, schlägt Rupert Sheldrake vor, *"wird die Form eines Systems einschließlich der charakteristischen inneren Struktur und der Schwingungsfrequenz für das nachfolgende System mit ähnlicher Form offenbar, das Raum-Zeit-Muster des früheren Systems überlagert letzteres."*

Ohne seine Theorie in ihrer Gesamtheit mit allen tiefgreifenden Einzelheiten zu erklären, lautet die grobe Zusammenfassung: die morphische Resonanz ist nicht-energetisch, und morphogenetische Felder tragen weder Masse noch Energie; deswegen unterliegen sie auch nicht den Gesetzen, die für die Bewegung der Körper, Partikel und Wellen gültig sind; deswegen sind sie in einer Entfernung von zehntausend Kilometern genauso wirksam wie in einer Entfernung von dreißig Zentimetern, und über ein Jahrhundert hinweg so wirksam wie im Laufe einer Stunde.

Rupert Sheldrake erklärt ebenfalls, daß morphische Resonanz sich nur aus der Vergangenheit heraus ereignet: *„Nur morphische Teilchen, die bereits existieren, üben auf die Gegenwart einen morphischen Einfluß aus."*

(Eine Wirkung von Zukunftssystemen auf die Vergangenheit besteht als Möglichkeit, die gegenwärtig jedoch durch keinerlei Erfahrung gestützt wird).

Wie geschieht solches, fragt Rupert Sheldrake? Er spekuliert: *„Der morphische Einfluß eines vergangenen Systems könnte einem nachfolgenden ähnlichen System offenbar werden, indem dieser Raum und Zeit über-*

windet und dann 'erneut auftritt', wann und wo immer sich ein ähnliches Schwingungsmuster entwickelt. Oder er mag über andere "Dimensionen" damit verbunden sein oder... durch einen Raum-Zeit-Tunnel unverändert in der Gegenwart eines späteren, ähnlichen Systems auftauchen. Oder – der morphische Einfluß vergangener Systeme kann einfach auch überall vorhanden sein."

Unter den vielen anschaulichen Beispielen, die sich von der Vermehrung und Regeneration der Libelle bis hin zur 'Angleichung' menschlicher Gesichter erstrecken, spricht Rupert Sheldrake auch von seinem Konzept, Tiere könnten sich in gewisser Weise auf die Erfahrungen ihrer Vorfahren einstimmen; wenn z.B. eine Anzahl von Ratten ein Verhalten lernt, das Ratten niemals zuvor gezeigt haben, dann sind die Ratten überall in der Welt in der Lage, dieses schneller zu lernen, obgleich es zwischen ihnen keine physische Verbindung oder Kommunikation gibt.
Er spricht von einem verblüffenden Vorfall, der aus einer langen Serie aufeinander aufbauender Experimente hervorging, die vor mehr als sechzig Jahren begannen. Man experimentierte mit Laborratten und der erste Experimentierende war William McDougall, ein anerkannter Harvard-Psychologe, der vielen Generationen von Ratten beibrachte, einem Wassertank auszuweichen, um einen elektrischen Schock zu vermeiden. Er beobachtete, daß jede Generation schneller lernte als die vorhergehende. Jede einzelne Ratte der ersten Generation erhielt im Durchschnitt 160 Elektroschocks, bevor sie ihre Lektion beherrschte. In der 30. Generation war jedoch der Durchschnitt um 90% gesunken; die normale Ratte benötigte nur noch zwanzig Elektroschocks.
William McDougall glaubte, dies beweise die Evolutionstheorie von Lamarck – die angenommene Vererbbarkeit erworbener Charakteristika. Doch weitere ähnliche Experimente, die von Dr. F. A. E. Crew in Edinburgh und W. E. Agar in Melbourne durchgeführt wurden, schlossen diese als zufriedenstellende Erklärung der beob-

achteten Phänomene aus. Das Konzept der morphischen Resonanz würde jedoch damit übereinstimmen, daß jede beliebige Ratte durch die Erfahrung jeder Ratte, die lebt oder lebte, beeinflußt wird.

Das Konzept der morphischen Resonanz scheint sich auch bei Experimenten mit Menschen zu bewähren, die wissenschaftlich geleitet wurden, mit dem Ziel, Sheldrakes Theorie zu prüfen. Die Ergebnisse sind höchst verblüffend und öffnen den Weg für weitere denkbare Überprüfungen. Zum Beispiel wurde in einem Experiment eine zufällige Auswahl englich sprechender Menschen gebeten, einen japanischen Kindervers, sowie ein Gedicht, das aus zufälligen japanischen Worten bestand, und einer Reihe japanisch klingender erfundener Wörter aufzusagen und im Gedächtnis zu behalten. Der Kindervers, der bereits zahllosen Generationen von japanischen Kindern vertraut ist, wurde schneller gelernt als die zwei anderen Abschnitte, wobei das "Gedicht" noch leichter erinnerbar war, als die Reihe von erfundenen Wörtern, die noch niemals jemand zuvor ausgesprochen hatte. Dieses Ergebnis verdeutlicht schon, wie gegensätzlich viele der klaren Folgerungen in Dr. Sheldrakes Forschung selbst im Bereich des Lernens und Erinnerungsvermögens zu der orthodoxen Wissenschaft und zum "gesunden Menschenverstand" sind.
Die kulminierende Wirkung der ursächlichen morphogenetischen Felder zusammen mit der morphischen Resonanz beschränkt sich jedoch nicht nur auf das Lernen, Verhaltens- und Gewohnheitsmuster, sondern bezieht sich auf die Erblichkeit und die Aufrechterhaltung physischer Strukturen, ja sogar auf das Gedächtnis, das als direkter Zugang des bewußten Selbst zu seiner eigenen Vergangenheit verstanden werden kann. Mit anderen Worten: statt des allgemein angenommenen genetischen Prozesses der Veränderung würde es darüber hinaus eine direkte formende Veränderung geben, die das Hirn mit einschließt, und die sich aus der Wiederholung vergangener Muster herleitet.

Da dies die Frage des Ursprungs neuer Formen und Muster offenläßt, die nicht der orthodoxen Theorie entsprechen, die jede evolutionäre Schöpfung auf Zufallsmutationen zurückführt, bringt die Hypothese von Rupert Sheldrake über die formative Ursache das Wesen einer schöpferischen, transzendenten Kraft auf, eine transtemporale Ursache hinter allen Ursachen, handelt es sich dabei nun um die inneren oder äußeren Strukturen aller Lebensteilchen, eine Ursache, die energetisch entstandenen Veränderungen eine räumliche Ordnung auferlegt... die selbst nicht energetisch sind und sich auch nicht auf die Ursache reduzieren lassen, die durch die bekannten physikalischen Felder herbeigeführt wurde.

Drücken wir es anders aus: die Hypothese der formativen Ursache erklärt die Wiederholung von Formen, jedoch nicht, wie das erste Muster jeder Form ursprünglich entstand. Dieses einzigartige Ereignis mag auf den Zufall zurückgeführt werden, auf eine Kreativität, die der Materie innewohnt oder auf eine transzendente, schöpferische Kraft. Eine Entscheidung zwischen diesen Alternativen kann nur auf metaphysischer Grundlage getroffen werden und liegt außerhalb des Rahmens dieser Hypothese. Auf wissenschaftlicher Ebene orientiert sich Rupert Sheldrake am wissenschaftlichen Experiment, das, wie er sagt, durchgeführt werden muß, um für sich selbst zu sprechen.
Am Ende seines Buches bringt er jedoch vier metaphysische Theorien zur Sprache, die mit seiner Theorie der formativen Ursache nicht unvereinbar sind – die letzte dieser Theorien steht mit mystischer Forschung in Zusammenhang:

Transzendente Realität

“Das Universum als Ganzes kann nur eine Ursache und einen Sinn haben, wenn es von einer bewußten Kraft erschaffen wurde, die es transzendiert.

Anders als das Universum entwickelt sich das transzendente Bewußtsein nicht in Richtung auf ein Ziel hin, da es sein eigenes Ziel darstellt. Es strebt nach keiner endgültigen Form; es ist vollkommen in sich selbst.
Wenn dieses transzendente, bewußte Sein der Ursprung des Universums und alles in ihm Enthaltenen ist, hätten alle erschaffenen Dinge in einem gewissen Sinn an seinem Sein teil. Die mehr oder weniger begrenzte "Ganzheit" aller Organismen auf allen Ebenen der Komplexität könnte dann als Reflexion der transzendenten Einheit, von der sie abhängen, und aus der sie letztendlich hervorgingen, betrachtet werden.
Gerade diese... metaphysische Position bestätigt die kausale Wirksamkeit des bewußten Selbst und die Existenz einer Hierarchie kreativer Kräfte, die der Natur innewohnen, sowie die Realität eines transzendenten Ursprungs des Universums."
Vergangene Gewohnheiten, das Gedächtnis, nicht-räumliche Übertragung, eine bestimmte Form der Resonanz, damit sich Bedingungen ändern – keine Notwendigkeit für Begrenzungen eines mechanischen Prozesses oder einer lineare Ursache, alles wird unsichtbar hervorgebracht, sogar Gedanke und Emotion, freundliche Handlungen, Mitgefühl, Geben, Liebe, nichts Gelerntes geht verloren oder wird verschwendet! Was für ein welterschütterndes Konzept, vielfach erklärt, jedoch niemals durch die Wissenschaft. Die Lebensqualität würde sich zu einem menschlichen Gebot entwickeln, richtiges Denken und moralisches Handeln würden einen entscheidenden Sinn erhalten.
Doch – wie Rupert Sheldrake schlicht bestätigt, *"erfordert die Hypothese der formativen Ursache die radikale Abwendung von der orthodoxen Art der Weltbetrachtung, weshalb sie kaum angenommen werden dürfte, es sei denn, sie wird durch überzeugende Hinweise belegt. Falls sich jedoch ihr Wert herausstellt, wird dies von revolutionärer Tragweite sein."*

Eine Untertreibung, doch eine, die sich auch auf die Realität mystischer Erfahrung, die Bedeutung von Glückseligkeit, anwenden läßt.

GLÜCKSELIGKEIT UND PHILOSOPHIE

"Sei wenigstens darüber versichert, daß es für den Geist kein mögliches Vergessen gibt; tausend Geschehnisse können und werden unvorhergesehene Ereignisse zwischen unser gegenwärtiges Bewußtsein und die verborgenen Aufzeichnungen des Geistes setzen; Ereignisse gleicher Art werden ebenfalls den Schleier wegreißen, doch die Aufzeichnungen bleiben ewig bestehen, seien sie verborgen oder unverborgen, wie die Sterne vor dem Tageslicht weichen, doch wir wissen alle, daß das Licht sie gleich einem Schleier verhüllt – sie warten darauf sichtbar zu werden, wenn das sie verbergende Tageslicht verblaßt. – Thomas de Quincey, Confession of an English Opium-eater (1821)

Ein "Anwesenheits-Abwesenheits Universum"

Das vorhergehende Kapitel handelte von der persönlichen Beschäftigung einiger Physiker mit Techniken zur Herbeiführung von Glückseligkeitszuständen und der daraus sich ergebenden Evolution von Standpunkten aus, bei denen die Annäherung des Mystikers durch Erfahrung im Gegensatz zur experimentellen Annäherung des Wissenschaftlers steht.

Nach der Tradition war es jedoch der Philosoph und nicht der Wissenschaftler, der bemüht war, das Phänomen der mystischen Erfahrung mit den wahrgenommenen Tatsachen der gewöhnlichen menschlichen Existenz zu verbinden.

Die traditionellen Gedanken, die für die Glückseligkeitserfahrung eine theoretische, logische Grundlage liefern, sind untrennbar mit den vielen philosophischen Systemen sowohl des Ostens als auch des Westens verwoben. Der Platonismus z.B. und noch mehr der Neuplatonismus mit seinen Konzepten mehrerer "Welten" – von

Ideen, mit denen verglichen die von uns wahrgenommenen Gegenstände nichts anderes als Schatten sind – kann als Versuch einer Erklärung angesehen werden, daß die mystische Erfahrung keine Traumwelt von Geistern und Phantasiegebilden darstellt, sondern ein Universum, das "wirklicher" ist als die physische Welt.

Seit zweitausend Jahren, von Sokrates bis Spinoza, wurde die westliche Philosophie größtenteils vom Gedanken der Mystik und der veränderten Bewußtseinszustände beherrscht. Einige Metaphysiker behaupteten, die Mystik transzendiere die Philosophie und Thomas von Aquin, der größte unter den gelehrten Philosophen, hörte, nachdem er wirklich die mystische Glückseligkeit erfahren hatte, zu schreiben auf, denn, wie er sagte, dadurch erschien ihm alles von ihm Geschriebene "wie Stroh".
Im gegenwärtigen Jahrhundert kann der bestehende Einfluß der Mystik immer noch in den philosophischen Schriften erkannt werden, doch im allgemeinen neigen die modernen Philosophen dazu, sich in einem begrenzten Feld einzuschließen, das kaum mehr als eine linguistische Analyse darstellt, und dem es sowohl an mystischer Tiefe als auch an systematischem Aufbau mangelt, d.h. des Entwickelns von Modellen universaler Gültigkeit.
Einer der Gegenwartsphilosophen hat sich jedoch weder dem Systemaufbau noch der Mystik entzogen. Geoffrey Read, der Mitglied des "Wissenschaftlichen und medizinischen Netzwerkes" ist und am Richmond Adult College Vorträge über Themen hält, die mit seiner Arbeit zu tun haben, ist nicht bestrebt, sich einer besonderen Form moderner Philosophie anzuschließen, sondern erhebt statt dessen den Anspruch, daß der rationale Gedanke heutzutage dazu beiträgt zu erkennen, daß die mystische Erfahrung das ist, wofür sie von Mystikern stets gehalten wurde: eine vergängliche Angleichung an die ewige geistige Ordnung. Seiner Ansicht nach ist das Universum eine Substanz, die durch ihr Wesen die mystische Erfahrung beinhaltet, so wie das für weitere sogenannte „übersinnliche"

Elemente wie Telepathie, Reinkarnation oder das Leben nach dem Tod zutrifft.

Geoffrey Reads Denken reicht sogar noch weiter in die Bereiche unorthodoxer und unvertrauter Hypothesen hinein als die Schriften jener, die versuchen, zwischen der Mystik und der theoretischen Physik Parallelen zu ziehen. In grober Analogie kann sein Standpunkt mit einem thematischen Film verglichen werden, der statt der häufig angewandten Technik, von der entfernten Panoramaeinstellung auf eine bestimmte Stadt oder ein Dorf dann zu den Hauptpersonen der Geschichte und zu den Einzelheiten überzugehen, bei der Inszenierung beginnt und sich auf eine entfernte Perspektive richtet, wo die Handlung in einem unerschlossenen Bereich beginnt.
Wie bei der entfernten Perspektive, so fehlt es auch dem, was Geoffrey Read hier zeigt, an einem menschlichen Bezugspunkt, doch tatsächlich umfaßt es ihn und liegt ihm untrennbar zugrunde.
Liest man seinen Beitrag, der aus einem Buch stammt, an dem er gerade arbeitet, dann sollten die Grenzen vorgefaßter Meinungen, der wissenschaftlichen Orientierung, sogar die der vorgeschriebenen Terminologie gelockert werden, um eine freie Forschungsarbeit zu gewährleisten!
Er schreibt:

Ein Musteruniversum

"Dem Philosophen, der zusammenfassend über die Resultate der Naturwissenschaft reflektiert, offenbaren sich heutzutage gewisse strukturelle Merkmale des Universums, die eindeutig zu einer Tatsache geworden sind. Diese sind kurz gesagt: die Erhärtung der alten Strukturtheorie, daß die Unterschiede unter den Dingen nicht auf verschiedene Substanzen zurückzuführen sind, sondern allein auf den Unterschied der Anordnung oder der angeordneten Gruppierung der Elemente einer einzigen universalen Substanz –

mit einem Wort: Essenz ist Struktur oder Sein ist Form. Diese Substanz ist nicht länger ein Prozeß, deren Elemente aus einer gewissen Veränderung hervorgehen und auch für ihre Strukturen, Aktivitätsmuster oder die Synthese der Ereignisse trifft es nicht zu. Wenn Sein Form ist, sind die Dinge um so komplexer, je mehr Sein sie besitzen, und um so reicher ist die Erfahrung. Durch das holistische Kriterium können die Organismen der Natur von den subatomaren Partikeln bis zum Menschen in hierarchischer, weitreichender, evolutionärer Serie angeordnet werden, so daß sich aus Wenigem Komplexes ergibt. Das Zentralprinzip der Lebensdauer der Organismen ist ein zyklischer Prozeß, die gleichen Aktivitäten wiederholen sich mit geringen Abweichungen unaufhörlich; bis schließlich, wie auch immer sie bezüglich der Stimulation auf Äußeres zurückzuführen sind, die Empfindungen höherer Organismen die ausgebildeten Prozesse ihres eigenen Nervensystems darstellen."

In Richtung einer Welttheorie

„Alles dies trägt zu einem großen, wegweisenden Fortschritt in bezug auf ein systematisches Verständnis bei, doch große Rätsel bleiben trotzdem noch auf allen drei organischen Ebenen bestehen. Auf der Ebene der Materie gibt es immer noch keinen verständlichen Nachweis über das Wesen der grundlegenden Antriebskräfte, insbesondere darüber, wie sie sich auf die "innere Zeit" und den "inneren" Raum beziehen. Auf der Ebene des Lebens ist immer noch keine angemessene Erklärung über die organische Evolution entwickelt worden, über das Wesen des Kausalfaktors, der über den konventionellen physikalischen Kräften steht, die aus sich selbst heraus keine Erklärung dafür liefern können. Auf der Geistesebene sieht die Lage sogar noch ernster aus, da sich das Weltverständnis auf zwei allgemeine Arten zu widersprechen scheint: durch die mangelnde Angemessenheit des neutralen Prozesses als phänomenale "Wechselbeziehung" der Erfahrung und durch die massive Offenkundigkeit, die auf die Realität der körperlosen Existenz hinweist. Es bleibt der Metaphysik des 20. Jahrhunderts überlassen, diese Schwierigkeiten zu lösen."

Das Hirn hat sein Erinnerungsvermögen verloren

Es war Henri Bergson (französischer Philosoph, 1859 - 1941), der zuerst die Richtung aufzeigte, in der nach einer Lösung gesucht werden muß. Er sammelte eine vernichtende Anzahl rationaler Argumente und klinischer Beweise, um die Wertlosigkeit der orthodoxen Erklärungen hinsichtlich des Erinnerungsvermögens offenzulegen, und die gesamte neuro-physiologische Wissenschaft hat seit seiner Zeit die wesentliche Wahrheit seiner Diagnose bestätigt. Sowohl das vollkommene Versagen, die Gedächtnisaufzeichnungen zu lokalisieren, als auch das vollkommene Versagen, selbst im Prinzip diese Gedächtnisaufzeichnungen in einer ihrer angenommenen Formen aufzuzeigen – der molekularen Verschlüsselung, abgelenkter Aktivität, synaptischer Veränderung, holographischer Diffusion oder was auch immer – konnte die Gedächtnisfunktion erhellen oder mehr vermitteln als man darüber schon wußte. Auf der Erfahrungsebene statt auf der gewöhnlichen (gewissermaßen Computerebene) zu denken, bedeutet sich sofort dessen bewußt zu werden, daß solche Theorien von Anfang an durch jenen Umstand dem Untergang geweiht sind, da, seit die rhythmisch gebildete Aktivität, die die Erfahrung ausmacht, in ihrem Wesen Dauer beinhaltet; die nachfolgenden Komponenten dieser Aktivität müssen in gewissem Sinn koexistieren – was bis zur subatomaren Ebene zutrifft. Oder, um es zu wiederholen: falls man solche Faktoren als massiven Körper experimenteller Beweise in Betracht zieht, die der Unterdrückung der Auslöschungstheorie des Vergessens Wohlwollen entgegenbringen; der fast totale Einfluß der Vergangenheit in jeder Sekunde unseres Wachzustandes; der scheinbar unerschöpfliche Inhalt des Unbewußten, das sich im Traum, der Phantasie, in hypnotischer und mediumistischer Trance offenbart; jene Erfahrung, bei der wir in einem Augenblick die Vergangenheit in ihrer Einzigartigkeit durchleben; wenn man über das und noch vieles mehr nachdenkt, beginnt man die Größe dessen zu erfassen, an den die Gedächtnistheorie sich wendet, um sich zu rechtfertigen sowie die Wertlosigkeit aller "Erklärungen" des mechanistischen Typs.

Ein kumulatives Universum

Diese Idee beinhaltet in Verbindung mit der modernen metaphysichen Theorie die grundlegende Tatsache, daß der universale Prozeß nicht substitutiv sondern kumulativ ist: die gesamte Vergangenheit besteht ewig und ist in der Gegenwart ewig aktiv. Es wurde biologisch bestätigt, daß z. B. der Instinkt im Grunde genommen Gedächtnis ist; es wurde überzeugend von den Anhängern Bergsons dargelegt und wurde jetzt verständlich als wissenschaftliche Hypothese von Rupert Sheldrake in seinem Werk "Das morphogenetische Feld" entwickelt. Obgleich Bergson fest auf diesem Konzept universaler Umwandlung beharrte, waren seine Theorien über Materie, Veränderung und Raum so vollkommen wirr, daß man jede Integration in die monistischen, strukturellen Konzepte, die wir feststellten, ausschloß und damit die Erlangung einer universalen Synthese. Soweit mir bekannt ist, war keiner seiner Nachfolger in dieser Beziehung bemerkenswert erfolgreich. Diese Synthese möchten wir nachfolgend zu skizzieren versuchen.

Die grundlose Grundlage des Materialismus

Man spürt hinsichtlich des überwältigenden Beweises zu seinen Gunsten, daß das kumulative Wesen des zeitlichen Prozesses schon lange allgemein aktzeptiert worden wäre, gäbe es nicht die außerordentliche Besessenheit des westlichen Intellektes mit seiner Vorstellung, dieser Prozeß bilde sich grundlegend aus den Veränderungen der räumlichen Lage von undifferenzierten, bleibenden Partikeln. Doch diese Vorstellung, die von orthodoxer Seite unkritisch als

selbstverständlich hingenommen wurde, ist wirklich nichts mehr als ein naiver Irrtum; um so mehr ein Irrtum, da das Grundkonzept des Materialismus kaum zu größeren vernichtenden oder deprimierenden menschlichen Konsequenzen führen kann.
Die klassische Atomtheorie glich die innere Veränderung der räumlichen Veränderung an, indem sie alle inneren Veränderungen im Sinne einer räumlichen Neuverteilung der innerlich unveränderlichen, elementaren Partikel erklärte. Diese einfache Idee besitzt große systematisierende Kraft und gestattet eine detaillierte Darlegung – bis zu einem gewissen Punkt. Doch ihre Annahme bedeutete die Aufgabe aller Hoffnung, Materie, Bewegung, Zeit und Raum jemals rational zu erfassen oder in Beziehung zu setzen. Genau entgegengesetzt zum gesunden Menschenverstand, gleicht schließlich die sinnvolle Theorie die räumliche Veränderung der inneren Veränderung an. Die wirkliche physikalische Situation besteht nicht darin, daß Unterschiede auf ansonsten identische, innerlich unveränderbare, elementare Partikel durch ihre Positionen und Bewegungen in einem unabhängig existierenden Medium, dem Raum, übertragen werden – der tatsächlich keine objektive Existenz besitzt; sondern daß Ähnlichkeiten und Unterschiede unter innerlich veränderbaren, nicht beweglichen, elementaren "Partikeln" gemeinsam jene Art von Beziehung hervorbringen, die wir als räumlich bezeichnen. Mit einem Wort vollzieht sich jede letztendliche Veränderung "innerhalb" der "Atome" (Prequarks, Rishons, Subtronen oder was auch immer), die sich selbst nicht bewegen, nicht einmal im Raum. Was auch immer die fundamentale Aktivität sein mag, so ist sie sicherlich nicht Bewegung.

Die Fallstricke der Sinneswahrnehmung

Hinsichtlich der großen Fortschritte in der Wissenstheorie, der Wahrnehmungspsychologie und der Neurophysiologie, die dieses

Zeitalter mit sich gebracht hat, gibt es keine Entschuldigung mehr, diese radikale Alternative übersehen oder versäumt zu haben. Tatsächlich sollte diese Wahrheit inzwischen ziemlich offensichtlich sein. Wir sind uns darüber bewußt, daß die Merkmale des Ganzen selten die Merkmale ihrer Bestandteile darstellen; folglich empfinden wir es auch nicht als paradox, Bewegung schließlich im Sinne von Unbeweglichkeit zu erklären. Wir wissen auch, daß wir den Raum nicht mit dem gleichen optischen Sinn wahrnehmen, mit dem wir Farbflecken sehen. Wir bilden aus zwei sich überschneidenden, veränderbaren, zweidimensionalen Farbstückwerken eine Welt fester Objekte in einem dreidimensionalen Raum, indem wir sie mit visuellen, fühlbaren und kinästhetischen Erinnerungen (vor allem Reiseerinnerungen) verbinden sowie mit gegenwärtigen motorischen Empfindungen und Umschaltungen interneuraler Reizung. Wir begreifen richtigerweise eine äußere Quelle als Sinnesobjekte und folglich, natürlich genug doch insgesamt verkehrt, eine ähnliche Quelle als das verbindende Medium, den Raum. Überdies wissen wir im Zeitalter des Kinos, Fernsehens und der Elektrizität, daß Bilder sich bewegen können, obgleich sich keine Körpersubstanz durch den Raum bewegt.

Selbst wenn jedoch offensichtlich eine solche substantielle Bewegung erfolgt, da z. B. ein Fußgänger mein Blickfeld kreuzt, besteht Übereinstimmung darin, daß kein Klümpchen Materie meinen Sehnerv kreuzt; alles, was geschieht, ist eine Veränderung im nervlichen Erregungsmuster. Ebenfalls erklärt die Neurophysiologie die kinästhetischen Empfindungen des Fußgängers nicht im Sinne einer Veränderung der räumlichen Position der Fasern seiner Bewegungsnerven, sondern nur im gleichen grundlegenden Sinn wie die visuellen Empfindungen: Veränderung im Erregungsmuster der Nerven, die selbst unverändert bleiben. Schließlich leitet sich unsere Wahrnehmung der undifferenzierten bleibenden Körper von den ständigen, offensichtlich unveränderlichen Empfindungen ab; doch wir wissen jetzt, daß dieses Empfinden des Unveränderlichen aus der regelmäßigen Wiederholung einzelner Nervenerregungen heraus resultiert, die zu schnell erfolgen, um individuell unterschieden werden zu können.

Abstieg zum Weltengrund

Wenn also die ursprüngliche Aktivität keine Bewegung ist, was ist sie dann? Alles in der modernen Physik deutet auf eine gewisse Art periodischer Aktivität hin, doch um ihr wirkliches Wesen zu entdekken, brauchen wir nicht die Physik zu konsultieren: wir müssen nur unsere Erfahrung analysieren. Wie Arthur Schopenhauer (1788 - 1860), nachdem er den Unterschied zwischen Physik und Metaphysik betont hatte, sagte: *„Der Mensch trägt das letzte grundlegende Geheimnis in sich, und es ist ihm auf die unmittelbarste Weise zugänglich; deswegen kann er hoffen, nur dort den Schlüssel zum Rätsel der Welt zu finden, um einen Einblick in das Wesen aller Dinge zu gewinnen."* ("Die Welt als Wille und Vorstellung", Buch IV).

Das vielfältige Wesen der Erfahrung beinhaltet notwendigerweise, daß sie sich letztendlich aus einfachen Komponenten zusammensetzt. Doch da diese der Bestimmung nach keine Teile besitzen, scheint es, sie können nicht teilweise verschieden sein; sie müssen deswegen entweder ganz gleich sein und sind in diesem Fall nicht viele, sondern identisch eines oder ganz verschieden, und wie können sie in diesem Fall die Synthese bilden, die die Erfahrung ausmacht. Es ist eine ästhetische Binsenwahrheit, daß jedes Element eines Kunstwerkes sowohl von relativer als auch absoluter Natur ist. Eine Musiknote besitzt einen einzigen absoluten Ton, doch in bezug auf die sie umgebenden Noten viele Töne. Die sensitive Innenschau offenbart, daß, obgleich dieses qualifizierende Prinzip die Verherrlichung der Künste erreicht, es in jeder Erfahrung vorhanden ist. Während überdies ein 'Absolutes' verschiedene Eignungen aufweisen muß, um aus ihm relativ viele zu machen, können diese Eignungen selbst nur unterschiedlich sein, da sie selbst auch verschiedene Eignungen besitzen. Daraus folgt, nur zwei Einfache können eine unbegrenzte Anzahl geeigneter Einfacher entstehen lassen. Desweiteren kann eine dieser 'Absoluten' "Nichts" sein, da "Nichts" sich von der anderen 'Absoluten' herleitet, die wir das ABSOLUTE nennen. Ein Wesen erlangt seine Bestimmung daher durch die Negation oder die Anwesenheit des Absoluten. So daß, um es ungezwungen auszudrücken, sich alle Strukturen des Universums letztendlich in verschiedene Muster der Gegenwart und Abwesenheit eines absoluten, einfachen Einen auflösen.

Zeit als Prozeß

Der universale oder vergängliche Prozeß beginnt mit dem Absoluten, das logischerweise die *causa sui* sein muß; dieses bringt logischerweise sein Nichtvorhandensein hervor (das Nichts wird durch das Absolute bestimmt); diese beiden erzeugen einerseits wieder das Absolute und andererseits das Nichts, das durch sie bedingt ist. Jede dreifache Sequenz bestimmt desweiteren sowohl das Absolute und das Nichts und setzt sich so bis ins Unendliche fort, wobei die Zahl der Eignungssequenzen sich in jeder logischen Generation (Augenblick) verdoppelt, um 2n-2 Eignungssequenzen durch den n-ten Augenblick der Zeit hervorzubringen. Eignung, nicht Zeit, ist deswegen das ontologische, ursprüngliche, strukturelle Prinzip und bringt nicht nur die Elementar-Teilchen der Existenz hervor, sondern dadurch auch die Kontinuität einer jeden Generation. Ereignis A bestimmt nicht Ereignis B, da es diesem vorangeht: es geht ihm voran, da es dieses bestimmt. Diese Eignungssequenzen sind die Realitäten, von denen eine jede eine einzigartige Folge unterschiedlich geeigneter Absoluter und Nullen darstellt, die von der orthodoxen Seite als Elementarteilchen bezeichnet werden.

Das elementare Eine

Doch was ist das absolute Eine? Der wesentliche Schlüssel zu seiner Natur wird von der betreffenden Dimension der Erfahrung geliefert – ihrem alles durchdringenden Wohlklang. Jede Ordnung ist angenehme Erfahrung (mit negativer Beeinflussung, die aus der Unterbrechung der Ordnung entsteht). Doch warum sollte man Ordnung, d. h. Form oder Struktur als angenehm erfahren? Jede Tatsache ist Erfahrung und folglich muß die Erfahrung der Annehmlichkeit etwas sein, das alle Formen und Strukturen letztendlich bestimmt. Sie sind Aussagen des Absoluten, Muster seiner Selbst-Assoziation. Sie sind weitere Verwirklichungen seines Wesens, das wir wie folgt definieren: als jenes, dessen Wesen darin liegt, es selbst zu sein (oder alternativ: Selbstverwirklichung). Die positive Beeinflussung ist ganz einfach die Erfüllung seines Wesens durch das Absolute. Das unbestimmte Absolute ist der Minimalzustand dieser Selbstverwirklichung; da es sein Wesen ist, es selbst zu sein, wird diese Selbstverwirklichung als Minimalgefühl der Selbsterfüllung erfahren. Jenseits dieses Gefühls wird logischerweise kein Selbst benötigt, da ein Gefühl der Selbsterfüllung in sich die Gewißheit der Selbsterfüllung darstellt, und da sein Wesen darin liegt, es selbst zu sein, muß es als logischer Ausdruck dieses Wesens sich "auch" als Gefühl der Selbsterfüllung erfahren. Was heißt, daß eine solche Existenz aus sich selbst hervorgeht oder die *causa sui* ist. Definiert man es so, scheint es uns kaum vom Nichts unterscheidbar, das wir in einem Universum erwarten sollten, wo das Sein Form ist; in sich selbst ist es alles außer Nichts – woraus notwendigerweise alles entsteht.

Ordnung sucht sich selbst.

Alle komplexen Dinge sind natürliche Gruppen von Eignungssequenzen: Sequenzen, deren kollektiver Besitz einer einheitlichen

Eigenschaft sie verbindet, während er sie gleichzeitig kollektiv vom Rest trennt. Solche Dinge erstehen aus der genauen oder der genau abgewandelten Wiederholung einer oder mehrerer Sequenzen der grundlegenden Mustereinheit: X bestimmt folgerichtig die Absoluten, gefolgt von Y, das folgerichtig Null bestimmt. Struktur wird deswegen endlich rhythmisch, periodisch und streng mit der Synchronizität verbunden. Kausalität reduziert sich deswegen auf die logische Erzeugung der Sequenzen, zusammen mit der holistischen Selbstselektion jeder strukturellen Ordnung, die innerhalb ihrer Gesamtheit ersteht. Unser Kosmos muß eines von zahlreichen Sequenzsystemen sein, wovon sich jedes durch ein einzigartiges, selektives Prinzip definiert: durch das Veränderungsmuster einer Mitgliedssequenz, die in Übereinstimmung mit den Veränderungen, die in allen anderen stattfinden, ausgewählt wurde.

Eine Physik der Kraftfrequenzen

In jedem System muß sich dieses selektive Prinzip auf das Zwischenspiel von Muster und Sequenz gründen: auf das geordnete Wiederauftreten von ähnlichen oder identischen Mustern bei verschiedenen Mitgliedssequenzen. Bewegung entsteht aus dem beständigen Erscheinen und Verschwinden von bekannten Mustern "über" sich sonst beständig ändernden Sequenzen, der kosmisch beherrschten Regelmäßigkeit einer solchen Veränderung, die die räumlichen Beziehungen innerhalb des Systems erschafft. In unserem Kosmos lautet die grundlegende Regel, daß die elementaren Musterteilchen sich vor dem beständigen Hintergrund mit der Schwingungsrate eines Teilchens per Sequenz bewegen, womit die absolute Geschwindigkeit direkt proportional zur Frequenz der Veränderung und Beschleunigung direkt proportional zur Veränderung dieser Frequenz steht. Daraus folgt, daß die selektiven Zwänge, die unseren Kosmos charakterisieren, Beschleunigungen festlegen müssen und deswegen die Realitäten darstellen, die die außergewöhnliche Wissenschaft als Kräfte empfindet. Diese Kräfte sind schließlich alle elektrisch, die zwei Arten der Ladung sind natürlich nichts anderes als das Vorhandensein und Nichtvorhandensein des Absoluten. Die Strahlung ist einfach die schnelle Veränderung dieser anziehenden und abstoßenden Kräfte – eine direkte Folge der wechselnden Struktur der Sequenzen. Organismen sind sehr komplexe rhythmische Strukturen, die innerhalb des Kosmos als ein Ergebnis kombinierten Wirkens seines beständigen Auswahlprinzips entstehen sowie der wichtigen Veränderung der Aktion dieses Prinzips und zwar durch etwas, was die orthodoxe Seite leugnet: die ewige, ko-existierende Vergangenheit.

Die Mutter-See

Der zeitliche Prozeß verläuft kumulativ und nicht substitutiv, wie in der orthodoxen Theorie. Bei diesem radikalen Mißkonzept bewegt sich ein wirklich unveränderbares Partikel von Punkt A zu B durch den Raum, so daß seine Ankunft bei Punkt B notwendigerweise sein Nichtvorhandensein bei Punkt A erfordert, wobei eine Position durch eine andere ersetzt wird. In der Realität werden das Absolute und das Nichts unaufhörlich durch die vorhergehenden Eigenschaften bestimmt, wobei jede augenblickliche Eigenschaft zur kumulativen Gesamtheit hinzugefügt wird, deren Bestandteile in sich immer unverändert bleiben. Die Vergangenheit macht so den stets lebendigen Erfahrungskörper aus, bei dem die orthodoxe Seite nur die abstrakte Oberfläche anerkennt. Dadurch entstanden im Laufe der Zeitalter solche Konzepte wie die Akasha-Chronik, die Weltseele, das kollektive Unterbewußte, das kosmische Gedächtnis, das psychische Reservoir usw. Aus dem Zwischenspiel seiner Inhalte mit dem Physischen wissen wir gegenwärtig nur, wie das Leben und der Geist entstehen.

Einheit, die Raum und Zeit transzendiert

Durch welche strukturellen Gesetze ist die stets feststehende Vergangenheit mit der Gegenwart verbunden? Allein durch das Identitätsprinzip: je mehr zwei Erfahrungen (Aktivitätsmuster) miteinander identisch sind, d. h. je größer die Proportion der Strukturelemente, die sie gemeinsam besitzen, um so mehr existieren sie als eine einzige Erfahrung. Wenn sich irgendein Bereich der kosmischen Gegenwart ändert, da wechselnde Frequenzen durch physikalische Gesetze bestimmt werden, dann verändert sich auch die Ähnlichkeit und deswegen die Verbindung jenes Bereiches mit jeder vergangenen Erfahrung und veranlaßt beide im Bewußtsein zuzunehmen und abzunehmen. Da diese wechselnden Gruppen hinzugefügt werden, wird die Struktur des Reservoirs der vergangenen Erfahrung außerordentlich komplex. Bergson behauptete, Erfahrungen verschmelzen ohne Rücksicht auf ihre anfängliche Trennung in der Zeit. Bei dieser verschmelzenden, vergangenen und gegenwärtigen organischen Erfahrung im konkreten Universalen, steht das Identitätsprinzip nicht nur bei all unseren alltäglichen Fähigkeiten im Mittelpunkt – Gedächtnis, Wahrnehmung, Gedanke, Vorstellung, Wille – sondern gleichermaßen auch bei all jenen Dingen und Prozessen, die die sogenannte irrationale Existenzdimension ausmachen, die wirklich nur jenen Teil eines vollkommen rationalen Universums bildet, das sich für den menschlichen Verstand bis jetzt als eigenwillig erwiesen hat. Ich meine mit diesen Realitäten die Telepathie, das kollektive Unterbewußte, die mystische Erfahrung, Reinkarnation und das Leben nach dem Tode, wo, wie Swedenborg sagt: *„… Nähe nichts anderes als Ähnlichkeit und Entferntheit nichts anderes als Verschiedenheit des Geisteszustandes ist."* ("Himmel und Hölle")

Vergangene Handlung in der Gegenwart

Doch wie verändert das Identitätsprinzip die Handlungsweise des physikalischen Gesetzes? Alle organischen Erfahrungen sind letztendlich molare oder molekulare Verhaltensweisen. Wenn eine solche vereinheitlichte Folge oder ein dynamisches Muster von Ereignissen sich in der physischen Gegenwart entfaltet, verbindet es sich gleichgestimmt mit vergangenen Augenblicken. Wirkten keine konkurrierenden physikalischen Kräfte, würde diese gleichgestimmte, verbundene Vergangenheit für die physische Gegenwart der Organismen die nachfolgenden Musterelemente aussuchen. Wir sprechen hier von mnemischer*) Kausation. Da diese zum Gedächtnis gehörenden, selektiven Zwänge den Frequenzwechsel der Veränderlichkeit bestimmen, d. h. Beschleunigungen, müssen sie ebenfalls definiertermaßen Kräfte sein. So sind die physikalischen Ereignisse, die sich innerhalb eines Organismus vollziehen, das Ergebnis zweier Arten der Kraft – der physikalischen und der mnemischen. Genauer gesagt, wenn die mnemischen und physikalischen selektiven Kräfte entgegengesetzt (d. h. die eine zunehmend, die andere abnehmend) bei einer Eignungsfrequenz wirken, ist der sich ergebende Frequenzwechsel (Beschleunigung) die algebraische Summe der Veränderungen, die sie unabhängig hervorrufen würden. Wirken sie im gleichen Sinn, ist die sich ergebende Veränderung (Beschleunigung) die größere Frequenzänderung, da alles, das identisch beteiligt ist, sich nicht summiert. Die mnemische Kausation in ihren verschiedenen Manifestationen erklärt die gesamte strebende Willensdimension der Erfahrung. Mit einem Wort, es handelt sich um die lange vorausgesetzte, doch bisher schwer zu erfassende "Lebenskraft".

*) Anm.: zum Gedächtnis gehörend

Der unaufhaltsame Aufstieg

Alle organischen Prozesse gehen aus der gemeinsamen Aktion der mnemischen und physikalischen Kausation hervor. Da die mnemische Kraft nur durch vereinheitlichte Erfahrung eingesetzt wird, muß ihre vereinigte, verändernde Wirkung auf die physikalische Kraft immer auf die Wiederholung des geordneten Prozesses gerichtet sein – ob auf den gleichen oder einen anderen Organismus ist unerheblich. Aus ähnlichen Gründen muß die mnemische Reaktion auf neue Situationen, seien sie durch die Umgebung oder genetisch bedingt, sich immer auf ihre holistische Anpassung ausrichten. Während ohne die mnemische Neigung zu größerer Ordnung kein einziger Organismus entstehen könnte, müssen sich aus ihr und dem unvermeidlichen Wirken der neodarwinistischen Mechanismen passende planetarische Bedingungen ergeben. Die wesentliche Einheit in der Vielheit der entstehenden organischen Komplexität wird durch die Evolution eines beständigen Kurses interneuraler Aktivität aufrechterhalten. Verändert durch die sensorische Aufnahme, koordiniert dies die zusammengetragene Information, liefert eine gemeinsame Basis, auf die sich diese vielfältige Veränderung beziehen läßt und verknüpft vor allem durch die Wirkung des Identitätsprinzips die Folgezustände der Organismen enger. Obgleich das gegenwärtige Bewußtsein weiterhin durch die physikalische Gegenwart beherrscht wird, hat es zunehmendermaßen an einem sich gegenseitig durchdringenden Hintergrund vergangener Zustände teil. Auf diese Art entsteht Ideenbildung. Doch in einer sich wiederholenden Welt ist das Gedächtnis zugleich Ahnung und als solches für seinen Besitzer von entscheidendem biologischen Vorteil. Die Evolutionslinie aktiver Ideenbildung, die die Primaten in ihrer gedächtnisbegründeten Konstruktion einer Welt von sich gegenseitig beeinflussenden Körpern im Raum zum Ausdruck bringen, gipfelt im Menschen als Denker. Die spezifischere, physikalische Grundlage für diesen zielgerichteten Vorstellungsprozeß, den wir als Gedanken bezeichnen, wird von den anderen Hirnregionen geliefert. Überaus beständig, funktionsmäßig unabhängig und mnemisch leicht reagierend, gewähren sie das erforderliche, physische Milieu für den aktiveren, konstruktiveren Zugang zur Vergangenheit. Die Evolution prägt die Psyche.

Das rationale Übernatürliche

Wenden wir uns jetzt der verborgeneren Manifestation des Identitätsprinzips zu: Aufgrund der Ähnlichkeiten, die zwischen allen Erfahrungen bestehen, ist die Identitätsverbindung ebenso sehr inter- wie intrapsychisch. Letzteres gewährt allein die gleichbleibend beeindruckenden Beispiele dessen, was in der Tat universal in seiner Auswirkung ist, so daß Individualität, selbst auf menschlicher Ebene, weit vom Absoluten entfernt ist. Deshalb konkurriert Telepathie, wo die außerordentlich enge Gefühlsverbindung den interpsychischen Inhalt auf eine assoziative Ebene hebt, mit dem intrapsychischen Inhalt um unsere Aufmerksamkeit. Deswegen setzt sich auch das kollektive Unterbewußte aus grundlegenden psychischen Merkmalen zusammen und drückt sich im Bewußtsein in der passiven Form archetypischer Symbole aus. Reinkarnation ist die Manifestation eines Prozesses auf der menschlichen Ebene, der bis zu den niedrigsten Stufen organischen Lebens hinabreicht: die identische Verbindung eines psychophysischen Organismus mit der Erfahrung vergangener ähnlicher Organismen. Instinkt ist folglich mnemische Kausation, die von der Basis eines identischen Gedächtnisses wirkt: kurz gesagt des Artgedächtnisses. Doch mit der Evolution der psychischen Komponente über die physische hinaus wird dieser Prozeß zu einer mnemo-identischen Verbindung einer beständigen individuellen Psyche, mit der Folge von weitgehend ähnlichen physischen Organismen. Außerkörperliche Erfahrung entspringt auf biologischer Ebene identischer Erregung durch körperliche Erfahrung; doch sowie die Psyche unabhängig wird – sich in Intellekt und Willen entwickelt – erschafft die unkörperliche Psyche zunehmendermaßen durch identische Verbindung in ihrem Bereich selbsterhaltende Vereinigungen, die zu gegebener Zeit ihre körperlichen Ursprünge grenzenlos in allem übertreffen, das die harmonische Lebenserweiterung ausmacht.

Paradiesisches Gedächtnis

Die mystische Erfahrung stellt im wesentlichen die identische Verschmelzung mit paradiesischem Leben dar; entweder durch ein Aufwallen unserer eigenen vergangenen Erfahrung oder durch die Verschmelzung mit dem gegenwärtigen, körperlosen Leben jener, zu denen wir einst eine liebevolle Beziehung unterhielten. Während eine gewisse Ebene geistiger Entwicklung eine notwendige Vorbedingung für diese herrliche Erfahrung darstellt, ist sie in sich ungenügend. Wir benötigen also für die identische Übereinstimmung jenen Modus physischer Bewußtheit – frei, ruhig, expansiv, verbindend, losgelöst – der fast wie ein paradiesischer Grundton klingt.

Da Paradiese schließlich aus Erderfahrungen hervorgingen, wäre es überraschend, wenn wir uns nicht, selbst in den einengenden Grenzen des Körpers, ein Stück in diese Richtung bewegen würden. Zu dieser paradiesischen Voraussetzung kann es auf vielerlei Art kommen: Vornehmlich mnemisch oder vorwiegend physisch, bewußt oder unbewußt, beabsichtigt oder unbeabsichtigt. Ihre wichtigsten Funktionen scheinen zu sein: Teilweise Isolierung der Hirnrindenaktivität, sowohl vom Körper als auch der Umgebung, durch Aktion im retikulären und limbischen System und globale Vereinheitlichung dieser folglich reduzierten Aktivität. Wenn wir jedoch kurz in die grenzenlose Verbindung mit dem Geist flüchten, bringt das fundamentale Wesen des Universums es mit sich, daß das gewaltige

Einströmen der Ordnung als jenes unaussprechliche Glück erfahren wird, das man so unzureichend als Ekstase oder Glückseligkeit abstempelt.
Diese Art des bewegungslosen Tanzes der absoluten Einheit, die von Geoffrey Read als logischer Höhepunkt des wissenschaftlichen und philosophischen Gedankens von vier Jahrhunderten aufgezeigt wird, reicht sehr weit in die unbekannte, unendliche Ferne, doch hat sie tatsächlich die Distanz zwischen den meisten universalen Systemen und der mystischen Erfahrung beseitigt. Sie scheint sicherlich die Aussage von Albert Schweitzer, dem Theologen, Missionar und Arzt, der den Nobelpreis erhielt, zu bekräftigen: *„Seit meiner Jugend war ich überzeugt, daß jeder Gedanke, der auf ein Ergebnis abzielt, bei der Mystik endet."*

Glückseligkeit und Gnade

Wenn ich bete, ereignen sich Zufälle, bete ich nicht, geschieht nichts.
Erzbischof William Temple

Eine innere Gewißheit erfordert direkte innere Erfahrung. Für Pfarrer Anthony Duncan gibt es kein Überlegen – der transzendente Augenblick ist Gnade.
Bevor er Priester bei der Kirche von England wurde, war er befehlshabender Offizier beim Militär, doch als Ergebnis einer "mystischen Erweckung" verspürte er eine Berufung und veränderte sein Leben, um es dem Glauben zu widmen. Obgleich Anthony Duncan seine mystische Glückseligkeit innerhalb des Begriffsrahmens der traditionellen christlichen Theologie interpretierte, war es in keinerlei Sinn eine begrenzte Erfahrung. Es folgte eine ständig zunehmende Bewußtheit über das Wesen religiöser Erfahrung anderer Glaubensrichtungen und Religionen. Als Folge dessen kam er dazu, Bücher wie "The Christ, Psychotherapy and Magic", eine zusam-

menfassende Studie zur modernen Kabbala und "Lord of the Dance", ein traditionelles, frommes Werk mit radikalen Interpretationen (alter religiöser Konzepte) zu schreiben. Im folgenden Beitrag berichtet Anthony Duncan über seine "Erweckung" wie auch über sich daran anschließende Gedanken, von denen einige in von ihm verfaßten Büchern erschienen:

„Eines Tages, es war in der ersten Hälfte des Jahres 1960, saß ich in meinem Arbeitszimmer, um eintönige Routinearbeit zu erledigen, als das "ganz Andere" in mein Bewußtsein einbrach, und in einer kurzen Vision erblickte ich die gesamte Menschheit als Eines und das Prinzip ihrer Vereinigung war Christus; die Menschheit war eins in ihm. Es war vollkommen einfach, es bestand keinerlei Zweifel, daß es eine andere Möglichkeit gab; so war es, so ist es und so wird es immer sein. Die reine Freude des unvergleichlich Offenbarten war überwältigend, doch ich empfand sie auf eine sehr ruhige und emotionslose Art als überwältigend. Ich vermag es am besten mit Christi Worten an Julian von Norwich zusammenzufassen: „Alles wird gut und alle Dinge werden gut."

Der Erleuchtung, ich meine der objektiven Wahrheit, die mir geschenkt wurde, folgte nach einem kurzen, jedoch deutlich unterscheidbaren Intervall ein Aufruhr der Verwirrung, da meine Sinne verzweifelt versuchten, ein subjektives Gewand für die objektive Realität zu finden. Ich muß sagen, es gelang ihnen nicht. Ich erinnere mich sehr klar, wie ich den Prozeß als Zuschauer beobachtete und mich über den Unsinn, der als Resultat dabei herauskam, amüsierte. Als ich über die Erscheinung und das absurde psychologische Phänomen meditierte, wurde ich erinnert, daß ich ähnliches bereits zuvor erlebt hatte.

In den ersten zwei oder drei Jahrzehnten meines Lebens hatte ich das "ganz Andere" mehrere Male erlebt. Plötzlich befand ich mich nicht mehr in der Zeit, sondern in der Ewigkeit, und sie war mein Zuhause. Mir war der Inhalt dieser kurzen Episoden vollkommen vertraut; sie waren reine und einfache Realität. Doch stets gab es eine gerade noch wahrnehmbare Zeitkluft zwischen der objektiven Realität und dem subjektiven Gewand jener Wirk-

lichkeit im räumlich/zeitlichen Sinn. Meine Sinne mußten sozusagen als 'Transformator' arbeiten und das Ganze auf meine sterbliche 'Spannung' reduzieren. Ich war mir des Objektiven, des Umwandlungsprozesses und des subjektiven Gewandes bewußt.

Es war alles sehr gleichbleibend, doch die subjektiven Phänomene stellten blasse Reflexionen der Realität dar. Ich hatte dieses Phänomen mehrere Male erlebt, ohne ihm bewußte Aufmerksamkeit zu schenken. Nachdem jetzt die Sicherungen meines "Transformators" durchgebrannt waren, war ich imstande, die gesamte Angelegenheit von einem Standpunkt vollkommener Loslösung zu betrachten und das Ganze zu genießen, da alle subjektiven Ergänzungen sich als verkehrt herausstellten.
Ich sagte, daß das "ganz Andere" in mein Bewußtsein "einbrach". Dies stellt eine Art der Ausdrucksweise dar, doch ich glaube, es ist genauer, wenn ich sage, daß mein Bewußtsein "erhoben" wurde. Ich gebe nicht vor zu wissen, was mit dem Bewußtsein geschah oder wie das Unbeschreibliche geschah. Ich weiß es nicht.
Bei längerem Nachdenken gleicht diese Art der Erfahrung eher einem "Offenwerden" als einem Einbruch. Mir ist ziemlich klar, und das ist gemeinsames Merkmal aller Erfahrungen dieser Art, die mir geschenkt wurden, daß die objektive Realität oder Botschaft ihren eigenen Ausdruck besitzt. Ich habe das, was schon lange "gesagt" wurde, bevor die Sinne damit begannen, einen Ausdruck für das "Gesagte" für den Sterblichen zu finden, schon lange gewußt und in mich aufgenommen.

Es bleibt jedoch die Verpflichtung, die jedes Privileg dieser Art begleitet. Diese Dinge sind kein Privatbesitz, und nach meinem Verständnis wurden sie bestimmten Menschen nur zur Erhebung geschenkt. Sie sind Erfahrungen der Wahrheit, der ganzen Menschheit gehörend. Die Menschheit ist nach der christlichen Lehrmeinung ein Wesen mit unendlich vielen Personen. (Darin spiegelt sich gewissermaßen die Trinität, der Schöpfer.) Was ich auf jeder Ebene erfahre, ist ein Teil der Wahrheit der Menschheit als ein Ganzes. Es ist deswegen meine Pflicht, hinsichtlich der wesentlichen „Bot-

schaft" sowohl metaphysisch (so gut ich kann) als auch moralisch zu einer Einheit zu finden. Bei dieser Übung kann ich meine eigene Erfahrung im Vergleich zur kollektiven Erfahrung der Menschheit testen. Die mystische Erfahrung macht einen nicht "heilig" oder "gelehrt" oder zum Guru von jemandem. Die Vision der Wahrheit schafft eine Verpflichtung, auf die man unnachgiebig und lebhaft beharren kann."

"Es ist nicht jedem gegeben, viel über diese Mysterien im irdischen Leben zu erfahren und auch nicht im kommenden Leben, bis er Gnade erlangt hat, weit weg von der sterblichen Ebene. Doch da das irdische Verständnis des Menschen nicht ausreicht, seine inneren Bedürfnisse zu befriedigen, so werden ihm Einblicke in eine andere Richtung gewährt. Sie werden ihm jedoch geschenkt und können nicht hervorgerufen oder herbeigeführt werden.

Die mystische Erfahrung kann den sterblichen Menschen nie direkt zu einer anderen Seinsebene erheben. Es muß ein "Überbrückungselement" geben, wenn das irdische Bewußtsein sich auf jene Ebene begeben möchte.

Folglich ist die "Erhebung des Bewußtseins" eine Übung, die notwendigerweise einen hohen Grad der Begrenzung bedingt. Bei dieser Form der Bewußtseinserhebung, die bewußt und absichtlich einen Willensakt im Gebet darstellt, spielen allgemein keine Raum-Zeit-Koordinaten eine Rolle. Im Gebet dringt der Wille zum Herzen der Dinge vor, und bei der Begegnung mit dem allmächtigen Gott werden alle subjektiven Dinge transzendiert. Der gegenwärtige Augenblick ist ohne die geringste räumliche Bedeutung für die Begegnung zwischen Geschöpf und Schöpfer. Jedes Raum-Zeit-Bewußtsein beschränkt sich auf das Bewußtsein des "niederen Menschen" hinsichtlich seiner unmittelbaren Umgebung. Wahre Erinnerung überschreitet dies.

Die moralischen Empfindungen des sterblichen Menschen werden selten durch das Wunderbare berührt. Einigen scheint die Unversehrtheit der Geschöpfe, ihr Rhythmus und ihr Wesen gefährdet. Es besteht ein leichter Eindruck göttlicher Laune, den einige schockierend finden. Einigen erscheint die Idee eines Wunders zuwider und das gesamte betreffende Gebiet undurchsichtig.

Der zugrundeliegende Fehler aller dieser Reaktionen liegt in der Unfähigkeit, das Spektrum von Gottes Schöpfung und ihren multidimensionalen Charakter zu erfassen. Was deswegen entschieden außergewöhnlich im Sinn "einer höheren Dimension" erscheint, ist noch gar nichts, könnte man alle Dimensionen in ihrer Gesamtheit und Einheit...

Denn für jeden Geist, der willentlich auf den Geist des Alls und den Willen Gottes eingestimmt ist, können weder die Koordination von Raum und Zeit noch die "Naturgesetze", wie wir sie in einer Lebensdimension empfangen, die endgültige Offenbarung des Absoluten enthalten oder ausmachen. Ein sterblicher Mensch ist deswegen potentiell, im Namen der Liebe, genau so in der Lage alles zu transzendieren wie der Erzengel Gabriel.
Doch seine Gedanken müssen die Gedanken Gottes sein. Sein Wille muß Gottes Wille sein. Sein Mitgefühl muß beachtliche Objektivität erreicht haben, wo keine unbeherrschten Gefühle existieren. Es handelt sich um ein Werk der Gnade für die menschliche Seele, wobei große Selbsterkenntnis erlangt wird. Es geht um eine Aufgabe, wo das Selbst voll angenommen wird und das Mitgefühl jedes gewöhnliche sterbliche Verständnis überschreitet. Nur durch die Gnade kann der Mensch an die Schwelle der Transzendenz in seinem Leben kommen."
Es scheint, als sei seit den Aufzeichnungen des Altertums noch kein Jahr vergangen. Im 20. Jahrhundert mag man der mystischen Erfahrung weniger Aufmerksamkeit schenken, doch ist ihre Sprache im Grunde genommen noch die gleiche; "unverdiente Gnade", "errettende Gnade", "Gottes Gnade oder Geschenk" ziehen sich als Fundamentalstruktur durch die theologische Mystik. Da jedoch Gnade auf Erfahrung beruht, bleibt sie solange Hypothese, bis die Welt mehr versteht oder lernt, als sie bis jetzt verstanden oder gelernt hat. Wie Pierre Teilhard de Chardin, der Jesuitenpater und Wissenschaftler, in seinem Werk "Der Mensch im Kosmos" beobachtete:

"Nach Abschluß zweier Jahrhunderte leidenschaftlicher Kämpfe, ist es weder der Wissenschaft noch dem Glauben gelungen, den Gegner in Mißkredit

zu bringen. Im Gegenteil wird offensichtlich, keiner kann sich normal ohne den anderen entwickeln. Der Grund ist einfach: beide durchströmt dasselbe Leben. Weder in ihren Impulsen noch in ihrem Erreichen kann die Wissenschaft ihre Grenzen berühren, ohne einen Hauch der Mystik zu verspüren und vom Glauben erfüllt zu sein."

Eine weitere unterschiedliche Hypothese bezüglich der Gnade als dem Wesen der mystischen Erfahrung, entstammt der jüdischen Kabbala, die heutzutage Einflüssen des Christentums und sogar östlicher Glaubensrichtungen wie des Taoismus und Buddhismus aufweist.

Unter den Kabbalisten besitzt Z'ev Ben Shimon Halevi (Warren Kenton) weltweiten Ruf und betrachtet es als seine Aufgabe, dieses alte esoterische System in eine moderne Form zu übersetzen, die vom modernen Menschen verstanden und ausgeübt werden kann, welcher religiösen Gemeinschaft er auch immer angehören möge.

Das innere Licht

"Erlebt ein Mensch eine Glückseligkeitserfahrung bedeutet das, er hat Kontakt mit der höchsten Welt, er hat sich aus dem physischen Bereich über den psychischen in das Zentrum der geistigen Welt hinausbewegt. Im Zentrum der geistigen Welt befindet sich gemäß der kabbalistischen Theorie der tiefste Punkt der göttlichen Welt. Dort nimmt der Mensch Kontakt – im Hebräischen nennt man es Schechina – mit der Gegenwart Gottes auf. Es ist auch der gleiche Ort, von dem man behauptet, der Messias wohne dort, der der vollkommenste aller Menschen ist, und jener besondere Ort wird als der Ort bezeichnet, an dem sich die drei oberen Welten treffen. Berührt ein Mensch diesen Punkt, und dies ist für kurze Zeit möglich, erlebt er die Gegenwart des Lichtes, die Welt des Lichtes, die endlose Welt, und wir bezeichnen diesen Begriff plötzlicher Erleuchtung als Gnade.

Es gibt zwei Möglichkeiten, derartiges zu erleben; die häufigste für die meisten Menschen ist die Erfahrung der Gnade, die aufzeigt, daß das Leben mit

einer Straße vergleichbar ist, auf der gelegentlich Lampen aufleuchten, die auf diesen besonderen Bereich hinweisen. Es gibt große Augenblicke der Helligkeit im Leben eines Menschen. Doch einmal, wenigstens einmal, gibt es in manchem Leben einen Lichtblick, der die Straße in ihrer gesamten Länge erhellt. In diesem Augenblick sieht man alles, weiß man alles, weiß man, wer man ist, von wo man kam und wohin man geht.
Wie ich es verstehe, liegt der Sinn dessen darin, daß das Absolute die Allgegenwart des Göttlichen jedem Menschen übermitteln möchte; zu bestimmten Zeiten öffnen sich alle Welten und ein Lichtstrahl leuchtet aus der göttlichen Sphäre herab, durch die geistige Welt absteigend, über die psychische Welt zum Menschen, der im Körper inkarniert ist. In einem solchen Augenblick durchdringt der Lichtstrahl alles. Es ist ein unvergeßliches Erlebnis. Es kann nur einen Moment dauern oder viele Wochen.
Der Sinn dessen liegt darin, eine Ahnung davon zu erhalten, welche Möglichkeiten der Mensch besitzt. Ein altes Sprichwort sagt: „Macht man einen Schritt in Richtung des Absoluten, so kommt das Absolute einem zehn Schritte entgegen." Dies stellt eine Ermutigung dar, die Leiter zu erklimmen. Es wird auch ein Weg aufgezeigt, den der Kabbalist den Schleier des Leidens nennt, d.h. das gewöhnliche Leben, Geburt, Tod, Geburt, Leben, Tod, Leben... Damit der Mensch weiß, daß es einen Ort gibt, wo er hingehen kann, gibt es eine Erfahrung, auf die er sich zubewegen kann.

Wenn er den besonderen Weg beschreitet, beginnt er die Jakobsleiter durch die Welten emporzusteigen, heraus aus der Welt des Körpers, durch die Welt der Psyche, über die sieben Stufen in die Welt des Geistes zur Gegenwart des Göttlichen...
Entweder hatte er ein Gefühl für oder eine Erinnerung an jene göttliche Welt, die er im allgemeinen verliert, wenn er jung ist, oder der Augenblick erinnert ihn fraglos an einen solchen Moment. Dann hat er die Möglichkeit, einfach alles zu vergessen, was viele tun, es als bemerkenswerte Erinnerung zu bewahren oder danach zu handeln und etwas zu bewirken.
Schließlich kommt ein Punkt im Leben eines jeden Menschen, an dem ihm bewußt wird, er muß sich endlich in jene Richtung wenden. Ich würde dies

als Augenblick der Gnade bezeichnen, der den Menschen ermutigt, auf jene Ebenen in sich hinzuarbeiten, die im Universum gegenwärtig sind und den besonderen Weg erbauen.
Im Zusammenhang mit dem darwinistischen Evolutionsbegriff und um vom kabbalistischen Standpunkt aus zu sprechen, ist der Ort unseres Ursprunges die göttliche Welt. Von dort kommen wir und steigen von der Geisteswelt über die Welt der Psyche in den Körper hinab. Jener Funke, jenes Licht befand sich bereits in uns und als wir auf der Erde ankamen, als die Erde bereit war, uns aufzunehmen, und es einen Körper gab, der unserer Bewußtseinsebene entsprach, da machte auch die Erde einen weiteren Evolutionsschritt.
...vom kabbalistischen Standpunkt aus, gemäß der meisten (mündlichen) Überlieferungen, bringt der Körper nicht die Seele und den Geist hervor; es geschieht umgekehrt, und deswegen kehren wir zurück, erinnern uns, entdecken das, was sich dort befindet. Folglich ist es keine Frage der Evolution, es ist eine Frage der Verfeinerung des materiellen Körpers bis zu einem Grad, an dem das innere Licht den Körper durchdringt und er heller leuchtet.
Deswegen ist alles, was geschieht, das Zurückgewinnen, die Aufzeichnung, die Manifestation jener Anziehungskraft auf den einfachsten Ebenen der Erde. Der Sinn liegt darin, daß die Gegenwart Gottes, das Bewußtsein Gottes, sich auf der Erde manifestieren kann; deswegen erblicken wir Gott mit unseren Augen.
Im allgemeinen sprechen wir gemäß unserer Tradition niemals über unsere besondere Erfahrung, doch ich bin mir stets der göttlichen Gegenwart in mir bewußt. Denn es gibt Augenblicke, in denen der Geistkörper und der göttliche Körper meine körperliche Ebene berühren, und ich erlebe jene gewaltige Liebe und, um es mit biblischen Worten auszudrücken, der Herr ruft mich bei meinem Namen; er kennt mich, und ich weiß, er kennt mich. Dies erzeugt ein außerordentliches Hochgefühl in Verbindung mit der Welt; die Welt ist geordnet, alles ist an seinem Platz und eine Abweichung bedeutet keine Abwendung, sondern ist Teil der Erziehung. Man verspürt das tiefe Vertrauen, behütet und erkannt zu werden. Ich glaube, dies ist für mich die Essenz jener Erfahrung – zu wissen, daß man weiß, ist überwältigend.

Hinsichtlich der Symbolik des Lichtes und der Erleuchtung innerhalb der traditionellen kabbalistischen Lehre heißt es, daß es vor der Schöpfung... nur Gott gab, und da Gott Gott schauen wollte, schuf er ein Wesen, damit es auf der Erde lebe. Auf der ersten Stufe gab es die leere, unmanifeste Existenz, die inmitten von allem war. Dann trat in diese Leere der Wille Gottes in symbolischer Lichtform, was wir als erstes Wort der Erleuchtung bezeichnen. Es ist das göttliche Wort, von dem die traditionelle Lehre der Kabbala sagt: Gott umgab sich mit einem Lichtgewand.
Dieses Lichtgewand ist ein saumloses Gewand, das verschiedene Aspekte besitzt; tatsächlich spricht die mündliche Überlieferung der Kabbala von zehn Kristallen, durch die reines Licht scheint. Heutzutage ist das göttliche Wort der Erleuchtung makellos, ewig... Es ist die Quelle des Lichtes, das die Menschen erfahren. Es ist die größte Nähe, aus der wir Gott erfahren. Gott erfährt uns, ob wir es wissen oder nicht, doch wir meinen, die göttliche Gegenwart zu erfahren, wenn wir jene Erleuchtung erlebt haben, von der es in der kabbalistischen Tradition heißt: Wenn ein Mensch stirbt, strömt Licht zu ihm herab, und in jenem Augenblick kann er von einem Ende der Welt zum anderen sehen, da er mit jener Welt der Erleuchtung in Verbindung steht und deswegen Vergangenheit, Gegenwart und Zukunft kennt. Er weiß, von wo er kam und wohin er geht, und in diesem Moment (ich glaube, Sie finden es auch in den tibetischen Lehren) besitzt er die Möglichkeit, geradewegs durch die obere Welt hindurchzuschreiten – er besitzt wahrlich jene Möglichkeit.
Natürlich ist die Vorstellung des Lichtes, die das Wort Gottes oder die Gegenwart Gottes repräsentiert, eine sehr allgemeine Vorstellung. Jenseits des Lichtes ist Nichts, absolutes Nichts, und dort findet die totale Vereinigung mit Gott statt. So mag ein Mensch zu jener Lichtwelt emporsteigen und darüber hinausgelangen, denn die Lichtwelt ist nur eine Reflexion der Göttlichkeit und die Reflexion ist nicht Gott – es ist das Bild Gottes, durch das Gott Gott erblickt."
Vielleicht ist Gott mit Licht gleichzusetzen. Vielleicht ist die ursprüngliche Essenz des intelligenten Lebens Licht ist.
Arthur M. Young unternimmt in seinem Buch "Der kreative Kos-

mos“ eine wissenschaftlich-mystische Gleichung des Lichtes. Da es sich nicht bestimmten läßt, keine Zeit, keinen Raum, keine Aufladung oder Masse kennt, ist es beständige Geschwindigkeit und kennt keine Ruhe, es könnte der Erste Grund sein. Das Licht, durch das wir sehen, kann nicht gesehen werden. Doch wie Francis Bacon, ein Philosoph des 17. Jahrhunderts, von einem anderen Standpunkt aus meinte: *„Licht ist Geist und Geist ist das Licht der Welt... Wir sehen Licht mit Licht. Vielleicht ist das Licht, das sieht, das Licht der Gnade?"*

Der Sinn der Untrennbarkeit

Alan Watts, der 1974 starb, war Engländer; er besaß einen Titel auf dem Gebiet der Theologie sowie die Doktorwürde, doch insbesondere war er als Spezialist für Zen-Buddhismus und im allgemeinen als Spezialist für indische und chinesische Philosophie bekannt. Er schrieb zudem viele Bücher über Philosophie und die Psychologie der Religion. In einem von ihnen ("This Is It") schildert er seine wahrscheinlich tiefste Erfahrung, sein Eintauchen in die Transzendenz.

„Ich hatte versucht, das zu praktizieren, was die Buddhisten "innere Sammlung" (smriti) nennen oder beständige Bewußtheit der direkten Gegenwart, die sich von dem gewöhnlichen, zerstreuten Abschweifen der Gedanken und der Erwartung unterscheidet. Bei einer Diskussion sagte eines Abends jemand darüber zu mir: „Warum versuchst du, in der Gegenwart zu leben? Wir sind immer vollkommen in der Gegenwart, selbst wenn wir an die Vergangenheit oder Zukunft denken!" Diese ziemlich offensichtliche Bemerkung rief in mir das plötzliche Empfinden hervor, kein Gewicht zu haben. Gleichzeitig schien die Gegenwart zur bewegten Ruhe zu werden, zu einem ewigen Strom, von dem weder ich noch etwas anderes sich entfernen konnte. Ich sah alles, wie es jetzt ist – sah das Leben und das Universum. Ich sah, was die Upanishaden mit "das bist du!" oder "die ganze Welt

ist Brahman", meinten und erfaßte genau das, was sie meinten, was sie sagten. Jedes Ding, jedes Ereignis, jede Erfahrung ist ein unentrinnbares Jetzt und war in ihrer eigenen besonderen Individualität genau das, was es sein sollte und soviel, daß es göttliche Autorität und Originalität erlangte. Ich erkannte mit voller Klarheit, daß keines dieser Dinge von meiner Sichtweise abhing; so waren die Dinge, ob ich es verstand oder nicht, und falls ich es nicht verstand, dann war Es auch so. Desweiteren verstand ich jetzt, was das Christentum mit der Liebe Gottes meinen könnte – trotz aller Unvollkommenheit werden die Menschen von Gott geliebt, wie sie sind, und die ihnen geschenkte Liebe bedeutet gleichzeitig, in ihnen Gott zu sehen..."
Sein mystischer Einblick veranlaßte Alan Watts nicht, als Mystiker zu leben; er lehnte sich dagegen auf, die menschliche Erfahrung in allen ihren Unvollkommenheiten zurückzuweisen. Obgleich er größtenteils in Amerika lehrte und Vorlesungen hielt, schrieb er viel über das mystische Element des Lebens und wurde als eine Art westlicher "Guru" betrachtet; er zog den Standpunkt des Zen vor – insbesondere den von D. T. Suzuki, dessen Interpretationen der alten Schriften Zen für den Westen anziehend und unmittelbar machte – das Leben zu leben wie es kommt, die Gnade der Dinge in der Erfahrung selbst zu sehen, jeden Moment das zu geben, was gefordert wird, doch ohne daran festzuhalten.
Er lebte ein volles und buntes Leben, während er niemals vom erwachten Sinn der Einheit abwich. Er schrieb:

„In den buddhistischen Kulturen des Fernen Ostens ist es möglich, einen volkstümlichen Buddha zu haben, der ein dicker Trottel und ein ziellos umherwandernder Vagabund ist, Hotei, der eine große Tasche mit interessantem Zeug herumschleppt, das er den Kindern schenkt. (Es heißt, daß er ein exzentrischer Priester der späten T'ang Dynastie war. Im Amerika des 20. Jahrhunderts oder in China hätte man ihn als umherirrenden Verrückten festgenommen und in eine Nervenklinik eingewiesen.)

Denn Hotei weiß, was er als dritten Wunsch äußern soll – zu wünschen nicht mehr zu wünschen. Wenn man sieht, daß das Universum nicht von der

eigenen Handlung unterschieden werden kann, gibt es weder Schicksal noch freien Willen, weder das Selbst noch das Andere. Es geschieht einfach alles in einem, und die persönliche Empfindung zu leben existiert auf die gleiche Art, wie der Fluß dahinströmt und die Sterne im Weltraum leuchten. Es besteht keine Frage, dies anzunehmen, dem nachzugeben oder mitzugehen, denn was in dir und als du geschieht, unterscheidet sich nicht von dem, was als es passiert. An Nachgiebigkeit zu denken, bedeutet sich von ihr abzuspalten und negative und aggressive Energien gegen sie zu entwickeln.
Um diesen Augenblick so zu verstehen, sollte ich nicht versuchen, mich von ihm abzuspalten. Es ist vergleichbar mit dem Anhalten des Atems von zehn Minuten, das ich nicht tun sollte. In Realität ist es das einzige, das ich tun kann. Alles andere ist die Verrücktheit, das Unmögliche zu suchen."

Bezüglich seiner Ideen scheint es sicher, daß Alan Watts die "Erforschung des Nirvana" (beträchtlich gekürzt) durch Nagarjuna, einen Buddhisten des zweiten Jahrhunderts, geschätzt hätte. Nirvana, der buddhistische Ausdruck für Realisierung des "Seins", unterscheidet sich vom "Werden" und ist der ego-lose Zustand jenseits allen Wünschens und Verlangens, das höchste Glück, das als Ergebnis eintritt, folgt man den vier edlen Wahrheiten der buddhistischen Philosophie, der höchsten Gnade, der geheimnisvollen Hypothese der Untrennbarkeit, der letztendlichen Einheit:

Falls alles relativ ist,
ohne wirklichen Ursprung, ohne wirkliche Zerstörung,
wie kann man sich dann Nirvana vorstellen?
Durch welche Befreiung, durch welche Zerstörung,

Da alles relativ ist, wissen wir nicht,
was endlich und unendlich ist,
was endlich und unendlich gleichzeitig bedeuten,
was die Verneinung beider Dinge bedeutet.

Nirvana ist vor allem keine Form des Seins,
es würde dann Verfall und Tod kennen,
es gibt kein Sein,
das nicht dem Verfall und dem Tod unterliegt...

Glückseligkeit ist das Aufhören aller Gedanken,
in der Ruhe der Fülle,
keine (separate) Realität wurde verkündet
nirgendwo und niemals!

von Buddha

GLÜCKSELIGKEIT UND TOD

Wir fühlen und wissen, wir sind ewig. – Spinoza, Ethik V

Am Ende des Spektrums der Erforschung der mystischen Erfahrung steht das Versprechen ihrer Verbindung mit dem Sterben, mit dem Tod selbst.
Unter denen, die auf diesem Gebiet wissenschaftliche Forschungen betreiben, befindet sich Margot Grey, eine Psychologin mit einer psychotherapeutischen Praxis. Sie ist die Gründerin der internationalen Vereinigung über Studien von Nah-Tod-Erfahrungen in Großbritannien und hat kürzlich das erste Forschungsprojekt in diesem Lande durchgeführt, um die Ähnlichkeit der Nah-Tod-Erfahrungen mit den aus Amerika berichteten Ergebnissen zu überprüfen.
Ihr Interesse an diesem Thema erwuchs aus persönlicher Erfahrung: *"Als ich 1976 durch Indien reiste, befiel mich eine seltsame Krankheit, die niemals diagnostiziert werden konnte. Während der Krankheitsdauer von drei Wochen, befand ich mich am Rand des Todes; ich hatte ungefähr 40°C Fieber. Im Verlauf des Ein- und Austretens aus dem Bewußtsein erkannte ich, daß ich, wenn ich mich zwang, mich über meinen Körper erheben*

konnte und in einem Zustand der Levitation an der Decke des Zimmers in einer Ecke zu verweilen vermochte.
Zu jener Zeit schien mir das ganz natürlich, und es fühlte sich sehr angenehm und befreiend an. Ich erinnere mich, wie ich meinen auf dem Bett liegenden Körper betrachtete, und ich fühlte mich durch die Tatsache wahrscheinlich so, als ob ich bald in einem fremden Land, weit weg von Zuhause, der Familie und den Freunden sterben müßte. Trotzdem blieb ich dadurch vollkommen unerschüttert; es war wirklich ganz unbedeutend, wo ich meinen Körper verließ, der zufriedenstellend seinen Dienst getan hatte, der wie ein abgetragener Lieblingsmantel ausgedient hatte, und den ich jetzt aufgeben mußte. Ich erinnere mich, wie ich irgendwann zu Beginn meiner Krankheit in totaler Dunkelheit schwebte. Es schien der Weltraum zu sein, es war, als wäre ich Teil des absoluten Nichts oder im absoluten Nichts. Ich erinnere mich, wie ich dachte, "das passiert also, wenn man stirbt, es ist das absolute Nichts, nur schwarzer, grenzenloser Raum", und ich empfand weder Angst noch fühlte ich mich einsam. Ich war mir meiner eigenen Identität und meines Alleinseins bewußt, doch gleichzeitig fühlte ich mich "eins" mit dem unendlichen Raum, ich schien Teil von ihm zu sein, und er war Teil von mir.

Später schien ich durch einen endlosen Tunnel hindurchzugleiten; am Ende des Tunnels erblickte ich ein Licht, auf das ich mich zubewegte und das allmählich näherkam. Ich wußte mit absoluter Sicherheit, daß ich schließlich aus dem Tunnel ins Licht treten würde, das dem Licht eines sehr hellen Sternes glich, jedoch noch heller war. Eine Empfindung der Freude wurde vom Gefühl begleitet, mich sehr nahe an der "Quelle" des Lebens und der Liebe zu befinden, die eins zu sein schienen.

Ich fühlte mich von solchen Glückseligkeitsempfindungen durchströmt, daß es keine Worte gibt, sie zu beschreiben. Am ehesten ließe sich dergleichen noch mit dem Gefühl des Verliebtseins beschreiben, mit dem Gefühl, das man empfindet, wenn einem das erste Kind zum ersten Mal in den Arm gelegt wird, mit der Transzendenz des Geistes, die sich manchmal einstellt,

wenn man einem Konzert klassischer Musik lauscht, sich dem Frieden und der Größe der Berge, Wälder und Seen oder anderen großen Schönheiten in der Natur öffnet, die einem Freudentränen entlocken. Nimmt man all dies zusammen und vergrößert es tausend Mal, gewinnen Sie einen Eindruck des "Zustandes", in dem ich mich befand.
Als ich nach England zurückkehrte, nachdem ich mich genügend erholt hatte, um die Heimreise anzutreten, wurde mir bewußt, es hatte sich etwas sehr Bedeutendes ereignet, das ich nur mit einer geistigen Wiedergeburt vergleichen kann: Meine mentalen Energien schienen sich durch ein neues Bewußtsein ausgedehnt und verfeinert zu haben, und ich beabsichtigte, die Phänomene, die ich erfahren hatte, zu studieren, um herauszufinden, was andere Menschen erlebten, wenn sie sich an der Schwelle des Todes befanden."
Margot Greys Beitrag zu diesem Buch bezieht sich auf ihre laufenden Forschungen und ihr Buch "Return from Death", das 1985 veröffentlicht wurde:

"Im letzten Jahrzehnt erwuchs ein außerordentliches Phänomen von großer gegenwärtiger Bedeutung, das mit den modernen Bewußtseinstechniken übereinstimmt. Dieses Phänomen wird als "Nah-Tod-Erfahrung" bezeichnet. Man entdeckte, daß es zu dieser Erfahrung kam, wenn sich ein Mensch an der Schwelle des physischen Todes befand oder im Zustand des "klinischen Todes", der durch das Aussetzen des Herzschlages, der Atmung und anderer Lebensfunktionen charakterisiert wurde, einschließlich des Hirntodes, der als "das Aufhören neurologischer Funktionen, durch das Kriterium tiefer Bewußtlosigkeit ohne Reaktion auf schmerzhafte Reize und ein EEG (Elektroenzephalogramm), das für bestimmte Zeit keine elektrische Aktivität über zwei Mikrovolt bei maximaler Verstärkung zeigte, definiert wurde. Bei der Genesung berichteten diese Menschen oft von einer bemerkenswerten Erfahrung, die sie zu jener Zeit gemacht hatten.

Die Erforschung der Nah-Tod-Erfahrung hat gezeigt, daß sie neben anderen Merkmalen ein überwältigendes Gefühl des Friedens und der Freude bein-

haltet, ein Empfinden, daß das eigene Bewußtsein sich irgendwo vom Körper abgetrennt hat, die Wahrnehmung, sich durch einen dunklen Tunnel oder eine Leere zu bewegen, die Begegnung mit dem, was viele Menschen als "Lichtwesen" bezeichnen, die Lebensrückschau, die Bewußtheit über die Anwesenheit verstorbener geliebter Menschen und zahllose andere transzendente Elemente. Diese Erfahrung übt gewöhnlich eine tiefe Wirkung auf den betroffenen Menschen aus, nicht zuletzt die der festen Überzeugung, daß sich das Leben nach dem Tod fortsetzt.
Einer der bemerkenswertesten Aspekte dieser Erfahrung ist der transkulturelle, der sich beim einzelnen ungeachtet der Rasse, des kulturellen Hintergrundes und der religiösen Glaubensrichtung wenig unterscheidet. Das überall verbreitete Muster entspricht fast immer einer unaussprechlichen Schönheit, einer Euphorie und letztendlichen Transzendenz. Die Nachwirkungen dieser Erfahrung sind sowohl dramatisch als auch durchdringend. Die Angst vor dem Tod verschwindet und jene, die diese Erfahrung gemacht haben, werden liebevoller, und das Interesse am Materiellen läßt nach: jene Erfahrung läßt an eine "geistige Wiedergeburt" denken.

Natürlich ist bereits seit dem Altertum bekannt, daß der bevorstehende Tod tiefe Veränderungen im Bewußtsein des Sterbenden hervorzubringen vermag, und es gibt genügend historische Berichte über Menschen, die bestätigten, diese Erfahrung sei von einer transzendenten Realität gewesen, die von unvergleichlicher Bedeutung ist. Doch erst seit der kürzlichen Entdeckung neuer Bereiche in der Bewußtseinsforschung entwickelte sich die Erforschung der Nah-Tod-Erfahrung zu einem seriösen Studienbereich.
Ursprünglich geht die Studie auf Daten zurück, die von Raymond Moody gesammelt wurden, der die Ähnlichkeit unter den Berichten über die Erfahrung des klinischen Todes feststellte und anstatt nur zuzuhören, bat er seine Patienten, darüber zu sprechen. Sie schienen fast erleichtert darüber, dies tun zu dürfen; viele Menschen hatten gezögert, ihre mystisch-religiösen Empfindungen und Gefühle selbst Verwandten oder Freunden mitzuteilen, aus Angst als verrückt oder eigenartig betrachtet zu werden. Moody schloß einige Fälle in einem Buch ("Vom Leben nach dem Tod") zusammen, und

das Buch wurde zum Verkaufsschlager; andere Forscher nahmen die Untersuchungen auf und erweiterten sie.

Seit jener Zeit wurde die Existenz der Nah-Tod-Erfahrungen durch die Veröffentlichung einer zunehmenden Anzahl von Studien anerkannt, in denen die spezifischen Merkmale festgehalten wurden, die mit den Nah-Tod-Erfahrungen in Zusammenhang stehen.
Was jedoch immer noch beträchtliche Kontroversen auslöste, ist die Interpretation und Bedeutung der Nah-Tod-Berichte. Während es möglich ist, wissenschaftliche Studien darüber anzustellen, was die Ursachen dafür sind (z.B. Autounfall, Herzinfarkt, ernsthafte Erkrankung) und statistische Daten über die Häufigkeit der Nah-Tod-Erfahrungen zu erheben, kommt man zu einem Grenzpunkt, wo sich weiteres Wissen über die Nah-Tod-Erfahrung oder ein mystisches Erleben nicht durch wissenschaftliche Forschung allein gewinnen läßt.
Deshalb scheint es, wir müssen uns um andere Quellen kümmern, die das Verständnis für diese Themen fördern, und so wenden wir uns heutzutage den mystischen Konzepten zu, da sie in der Lage zu sein scheinen, uns mit vollständigen Berichten über alle Aspekte versorgen zu können. Es ist genau dieser Schritt zur Annahme esoterischer Lehren, der schwer zu erklären ist und den die orthodoxe Wissenschaft gutzuheißen sich nicht ermutigt fühlt.
Seit Jahrhunderten betonen sowohl östliche als auch westliche Mystiker die Tatsache, das Wesen der Realität sei so beschaffen, daß man es nicht durch intellektuelle Erkenntnis ergründen könne, daß die einzige Möglichkeit des Verständnisses in der direkten Erfahrung liege. Doch da Verständnis eine Seinsfunktion ist, ändert es sich in Übereinstimmung mit dem Seinszustand, in dem sich der Erfahrende befindet. Was uns so oft als neues Phänomen erscheint, ist in Realität wahrhafte Unregelmäßigkeit, die unser früherer Glaube nicht zu erfassen vermochte und die uns nur verständlich wird, wenn sich eine Veränderung der Vorstellung in unserem Sein vollzieht.
Doch welches ist der richtige Seinszustand, der uns in die Lage versetzt, erweitertes Bewußtsein zu erleben? Ein Schlüsselfaktor, der sowohl bei der

Nah-Tod-Erfahrung als auch beim mystischen Erlebnis existent zu sein scheint, ist der Punkt, an dem der Mensch den Kontakt mit der Welt der Sinnesempfindungen verliert, die wir als dualistisch kennen, und die Sinnesrealität erstirbt auf eine Weise, daß schließlich die gewöhnliche Funktion des Egos nicht mehr vorhanden ist oder unterbrochen wird. Dieses wesentliche transformative Ereignis befähigt den einzelnen, für die Realität einer anderen Existenzebene empfänglich zu werden.
Gemäß gewissen mystischen Traditionen löst sich an diesem Punkt das Bewußtsein in "nadi" auf, die als Bahnen für eine Energie beschrieben werden (Prana), die sich in der Wirbelsäule des Körpers befindet, und ein Gefühl inneren Leuchtens und der Glückseligkeit hervorruft. Das Leben, die Liebe und die Sexualenergie werden alle als Aspekte derselben allmächtigen Kraft betrachtet, die beim Menschen an der Basis der Wirbelsäule liegen soll und sich als physische Liebe und Sexualität manifestiert, die Leben hervorbringt und aufrechterhält. Wenn diese Energie sich von ihrer tiefsten materiellen Ebene fortbewegt, um sich auf der höchsten (Gott) Ebene zu manifestieren, die gemäß den esoterischen Lehren im Hirn liegt, dann schießt diese Energie oder Kraft in der Wirbelsäule nach oben, wo sie sich mit latenten Kräften vereinigt, die dazu führen, daß höhere oder kosmische Bewußtseinsebenen erreicht werden.

Der sich ergebende veränderte Gefühlszustand ist intensiv und beinhaltet eine gehobene Stimmung, während gleichzeitig ein Frieden, der alles Verstehen übertrifft, verspürt wird. Es besteht ein tiefgreifendes Gefühl umfassender Einheit und die Wahrnehmung leuchtenden Lichtes, das Selbstverströmen einer Strahlung und die Bewußtheit, daß die ganze Umgebung in flammenden Glanz getaucht ist. Es wird die Transzendenz irdischer Grenzen erfahren und das Gefühl, von einem Strom bedingungsloser Liebe davongetragen und aufgenommen zu werden. Die unaussprechliche Schönheit ist derart, daß es keine Worte gibt, um sie zu beschreiben, und versucht man es, vermag man niemals den Glanz und Zauber des Augenblickes zu vermitteln. Denn die Wahrheit kann nicht ausgesprochen werden, da sie nur im Augenblick wahr ist, in dem man seine eigene Wahrheit erfährt, jede spätere

Verbalisierung ist keine Wahrheit mehr, sondern nur Geschichte. Ich denke, solches wird durch das Gebot "du sollst nicht lügen" gemeint.
Die Tatsache des zunehmenden Auftretens und Aufzeichnens solcher Ergebnisse deutet auf die Möglichkeit, daß die Menschheit sowohl auf individueller als auch kollektiver Ebene auf einen großen Evolutionsschub vorbereitet ist, die eine Bewußtseinsveränderung von den alten Fehlinterpretationen der sogenannten "Wahrheit" zu einem Verständnis der höchsten Realität beinhaltet, die auf die wesentliche Einheit hinweist, die aller Existenz zugrunde liegt.
Wie immer die Antwort ausfallen mag, so läßt sich das erneuerte Vertrauen in ein Leben nach dem Tode nicht leugnen, das mit einer sehr verringerten Angst vor dem Tode einhergeht, die die Nah-Tod-Erfahrung vielen Menschen in unseren gefährlichen Zeiten geschenkt hat. Das Wissen, daß wir, wenn für uns die Zeit kommt, die Grenzen der physischen Existenz zu überschreiten, wahrscheinlich nicht nur eine bewußte Wesenheit bleiben, sondern auch unvorstellbare Glückseligkeit erfahren, ist die Quelle großer Hoffnung für viele. Denn so wie die Sonne auf jeden von uns ohne Unterschied scheint, ist die Bewußtwerdung der Liebe und des Lichtes, die uns nach unserem körperlichen Tod zugänglich werden, die Botschaft der Freude, die uns jene bringen, die von den "Pforten des Todes" zurückgekehrt sind."
Mit diesen Theorien einer Nah-Tod-Erforscherin findet das Spektrum der Untersuchung der mystischen Erfahrung seinen Abschluß; doch es könnte der Anfang für weitere und baldige Untersuchungen sein, was in den Worten von Brian Josephson, Nobelpreisträger der Physik, zum Ausdruck kommt:
"Der Wunsch, eingehender die Interaktion zwischen dem Menschen und der Welt, in der er lebt, zu untersuchen, wird letztendlich zum systematischen Studium der mystischen Erfahrung führen und zu ihrer Eingliederung in die Wissenschaft. Oder umgekehrt? Ist es nicht gleichermaßen möglich, daß das wissenschaftliche Studium der physikalischen Welt in die mystische Erfahrung eingegliedert wird, nachdem es systematische Studien des Transzendenten betrieben hat?"

VI. Kapitel

Die Bedeutung der Glückseligkeit Beobachtungen der Autorin

Es muß Geheimnisse geben. Ohne Geheimnisse würde es keine Enthüllung, keine Offenbarung geben. Und die ewige Enthüllung oder Offenbarung des SELBST durch das Selbst ist der natürliche Sinn und Ausdruck des Seins selbst. – Gedanken einer Meditation, während ich dieses Buch schrieb.

Der obere Text wird ohne Entschuldigung als Element zur Anregung vorgestellt, das sich einstellt, wenn man sich mit einem Thema längere Zeit beschäftigt. Während ich z.B. am Anfang des Buches erwähnte, daß ich niemals eine vollkommene, unmißverständliche Glückseligkeitserfahrung erlebt habe, sondern nur "Mini-" oder "Mikroerfahrungen" – prägte sich mit der Zeit das gesamte Material, mit dem ich es hier zu tun hatte, in mein Bewußtsein ein, und ich merkte, wie die "große Erfahrung" näherrückte und ihre überwältigenden Charakteristika zu einem erhabenen Strahlen aufleuchten würden.
Ich machte die seltsame Entdeckung, jene Erfahrung wahrscheinlich jederzeit machen zu können, wenn ich die Schwingung meines Bewußtseins veränderte und sie zuließ, anstatt sie als ein spontanes Ereignis, das vielleicht eines Tages eintreten würde, zu erwarten.

Ich glaube, ich wurde von der Idee durchdrungen, war von ihr auf vage Art überzeugt, daß ein beginnender Mystiker viel zu tun vermag, den Anfang in Realität zu wandeln. Man muß nicht beim “zeige mir,” “gib mir ein Zeichen,” hängen bleiben, sondern durch Vertiefung, Interesse, Aufdeckung und Vertrautheit kann man die Erfahrung gedanklich und gefühlsmäßig in den Vordergrund treten lassen, bis sie genauso wirklich erscheint wie jeder andere Lebensbereich, z.B. Essen, Schlafen und in einem Körper zu sein und sich zu bewegen, was geheimnisvoll genug ist und die Philosophie seit Tausenden von Jahren beschäftigt.

Doch diese “Kraft der Suggestion”, der ich mir wohl bewußt war, nachdem ich das Buch teilweise geschrieben hatte, besaß eine weitere, ziemlich unerwartete Gegenwirkung. Plötzlich war ich nicht mehr sicher, ob ich wirklich diese Erfahrung machen wollte, mit ihr umgehen konnte – mit dem Glückseligkeitsschock. Was würde mit mir, meinen Plänen, meinem Lebensstil, der Identität, an die ich mich so gewöhnt hatte, einschließlich ihrer Vorzüge und Schwächen geschehen? War ich bereit, bereit für den Blitz der Umwandlung? Würde sie mich bis zur Unkenntlichkeit erschüttern?
So geistig orientiert und geneigt ich bin in meinem Leben, wollte ich den ganzen Weg wirklich gehen, der so anschaulich von jenen Menschen in meinem Buch beschrieben wurde?
Es gab eine weitere Erwägung: konnte meine Körperstruktur die Farben, das Licht, die Grenzenlosigkeit dieses Erleuchtungsaugenblickes aushalten, ohne die selektive Funktion meines Bewußtseins, wodurch ich nackt der ungefilterten, blendenden Herrlichkeit überlassen war? (Jetzt finde ich sogar ihre Andeutung überwältigend!)
Damit entdeckte ich eine Zurückhaltung in meinen Gedanken, den Schuldkomplex, meine eigene Erlösung zu verhindern – nicht nur das, sondern meine Verantwortlichkeit, all das zu sein, was ich potentiell bin...
Doch auf der entsprechenden und positiven Seite meine ich einen gültigen Standpunkt gewonnen zu haben, egal ob die Glückseligkeitserfahrung für das gegenwärtige Leben oder das Leben im allgemeinen von Bedeutung ist. Als ich begann das Material zu sam-

meln, besaß ich natürlich ein beträchtliches Vorurteil: ich wollte, daß die mystische Erfahrung Bedeutung hatte. Ich hoffte zu entdekken, es wäre so. Ich vermutete, sie sei sehr bedeutend...

Tatsächlich hätte ich mich auch dafür oder dagegen entscheiden können. Ich habe dies unwissentlich ohnehin getan, doch statt Sicherheit entstand zunehmende Unsicherheit, statt Bestätigung tauchten Fragen auf.

Ich verfing mich im innewohnenden Paradoxon des Inhaltes, in der Sackgasse des Imperatives der einen Hand, der sich in der Literatur der Mystik wiederholt und lautet: Wenn man über die mystische Erfahrung sprechen kann bis einem die Worte ausgehen und die Sprache versagt, kann man auch darüber in tausend Bänden schreiben, die voller Gelehrsamkeit, Poesie, Offenbarung, Meinungsäußerung und Philosophie sind; man kann analysieren, zergliedern, eine Anzahl von Wahrscheinlichkeitspartikeln ad infinitum bilden.
Doch solange man die Erfahrung nicht gemacht hat, kennt man sie nicht. Kennt man sie, vermag man nicht auf eine Art über sie zu sprechen, die ihr gerecht wird. Wie Ravi Ravindra doch treffend bemerkte – man soll das Experiment nicht mit der Erfahrung verwechseln.
Hat es einen Sinn, sich überhaupt mit dem Thema zu befassen, wenn man (a) im Labor keine Spontanerfahrung macht; (b) man sie nicht erzwingen oder herbeiführen kann, um sie mit elektronischen Instrumenten zu messen. Die Wahrscheinlichkeit, daß jemand, der auf die richtige Weise meditiert und zufällig an ein EEG angeschlossen ist, den Zustand des Satori erlangt und es genau in jenem Augenblick treffend feststellt, damit es aufgezeichnet wird, scheint unendlich klein, fast unerheblich). Dann gab es noch den Unaussprechlichkeitsfaktor: Wenn man das Unaussprechliche schließlich durch zunehmende Kommunikation, wie von einigen unserer Autoren vorgeschlagen, aussprechlich machte, wäre dies nicht der Mühe

wert? Wenigstens könnten alle an ihrem Sinn teilhaben, so wie wir an den dargestellten Emotionen in Schauspielen und Filmen teilhaben.
Was ist jedoch mit dem sogar noch fundamentaleren Aspekt des Paradoxons, der ethischen Überlegung vieler sehr spiritueller Menschen, die es als schwierig betrachten, über ihre mystische Erfahrung zu sprechen – oder noch wichtiger – die Glückseligkeit anzustreben, die ihnen als direktes "Geschenk" Gottes erscheint?

Heikle Punkte, die jedoch nicht ausreichen, mich davon zu überzeugen, die mystische Erfahrung nicht zu erforschen, da sie im Alltagsleben des Menschen nicht von Bedeutung ist.
Ich zögerte jedoch bei der Möglichkeit, wir könnten die räumlichen Inhalte der mystischen Erfahrung überschätzen, indem wir sie einer unendlichen oder geistigen Quelle zuschrieben. Nehmen wir an, jene Wissenschaftler haben recht, die den Sitz aller menschlichen Erfahrung im Hirn suchen, die erklären, daß die mystische Erfahrung sich irgendwie als neutrale Reizleitung definieren läßt, daß man jedes wahrnehmbare Element der Glückseligkeit biologisch erklären könne, wenn man seinen immer noch latenten Potentialen mehr Verständnis entgegenbringen würde.

Andererseits scheint mir, hat eine große Ehrfurcht vor der Wissenschaft sie zu einem Ersatz für Gott im 20. Jahrhundert werden lassen. Erst kürzlich wurde festgestellt, daß das ganze Universum einen Beobachter benötigt, daß der Beobachtende das Beobachtete beinflußt. Existiert das Physische überhaupt ohne die Beobachtung des Beobachtenden? Wer vermag das gewiß zu sagen? Wer weiß, was wir wissen? Was ist die Selbsterkenntnis des Menschen, wenn es nicht die Selbsterkenntnis einer unendlichen Intelligenz ist?
Kann selbst der "Quantensprung" der neuen Physik mit seinem unteilbaren, subatomaren Universum, in dem jedes Teil ohne besondere Kommunikation weiß wie das andere sich verhält, die Schön-

heit, Harmonie, den Frieden, die Gerechtigkeit, Güte, das Strahlen, die Freude der mystischen Glückseligkeit erklären?
Ist es darüber hinaus anzunehmen, daß Glückseligkeit als eine gewisse Form der Resonanz (morphisch oder sonstwie) bezeichnet wird, die keinen Anfang besitzt? Hat desweiteren das schnellere Erlangen einer philosophischen Theorie, die die Resonanz beinhaltet, vielleicht überschreitet, tatsächlich die Glückseligkeit bedeutender im Leben gemacht als wir es wissen?

Bis hier gab es also nur versteckte Unentschlossenheit?

Jedoch zeigte sich bei der Nah-Tod-Erfahrung der Glückseligkeit der Schimmer einer Lösung. Wenn diese große mystische Herrlichkeit und Liebe durch den Schmerz des Todes eintrat, durch die Auflösung der gegenwärtigen Form oder des Körpers, dann scheint sie mit der Blüte vergleichbar, die am winterverwitterten Zweig nicht zu sehen ist, der Rose, die im verschrumpelten Samen verborgen liegt, bis der Frühling ihre Schönheit offenbart. Falls dies ein nicht beweisbares Ereignis einer größeren Wirklichkeit war, dachte ich, deutete es die Empfehlung der Mühe, wenn nicht des Vertrauens an: wie der Atheist im Schützengraben unter Feuer im Gebet auf die Knie fällt – für den Fall ....

Hinsichtlich der vorhandenen Unterlagen für dieses Buch schien alles daraufhinauszulaufen, daß man an den Nutzen der hervorgerufenen Erfahrung denken sollte.
Mit anderen Worten: Spielte die mystische Erfahrung eine nützliche und bedeutsame Rolle, leistete sie einen positiven Beitrag in allem Wirrwarr, in der Welt des zunehmenden Materialismus und der geistigen Interesselosigkeit? Falls sie diese Rolle in unserem täglichen Leben zu spielen hat, wäre es dann nicht angebracht zu kämpfen, um das Licht vor dem Verlöschen zu bewahren, sich zu bemühen

ihren Sinn herauszufinden? Sollen wir oder solen wir nicht versuchen mystische Erfahrung durch eigene Mühe hervorzurufen? Natürlich ist es verräterisch einfach die ganze Angelegenheit unter den Teppich der "Fortschrittsfeindlichkeit" zu kehren, Berichte eines Zeitraumes von tausend Jahren zu ignorieren, die Erfahrungen, auf die die Heiligen beständige, innere Lehren bauten, das Phänomen gegen den Lärm der Technik verlieren zu lassen.

Doch was fehlt uns, welche einzigartige Methode, das menschliche Schicksal umzuwandeln? Können wir es uns erlauben, weiterhin alle wiederholten Beweise mit den ihnen zugrundeliegenden Versprechen zu ignorieren? Ist das Versprechen für uns, unseren Planeten, unsere Zukunft als Mensch, einer Form des Lebens, nicht dringlich? Was könnte passieren, wenn wir weiterhin in die andere Richtung blicken? Geht es nur darum, das fernzuhalten, was Richard Bucke als unvermeidlichen Evolutionsprozeß erachtete? Falls ja, um was für eine schreckliche Zeitverschwendung des Lebens, eine unnötige Verlängerung des Leidens handelt es sich dann? Es wäre nicht nur bedauernswert und kurzsichtig, sondern vergleichbar mit der Tatsache, eine Million Mark zu besitzen und sie nicht zu nutzen, zu teilen, damit Hilfe zu bringen, sondern die Summe auf dem Speicher zu horten.

In meinem Denken erkannte ich die Bedeutung in strengerem Maße. Ich erkannte, es gab wirklich keine Wahl. Man kann der mystischen Erfahrung nicht ohne tiefes Unbehagen den Rücken kehren. Ich erkannte das Prinzip von Maharishi deutlicher, daß eine meditierende Welt sich zu einer "sanften" Welt entwickeln würde; die Feindlichkeit würde natürlicherweise zurückgehen und die Kriminalität sich deswegen verringern, nach einer Weile würde sie ganz verschwinden und für den lang ersehnten Frieden auf Erden Platz gewähren.
Wenn die Gesellschaft sich verändert, wenn der Mensch sich verän-

dert, wie C. G. Jung sagte, dann muß sich der Mensch einer tiefen Bewußtseinsumwandlung unterziehen, die die Veränderung bewirkt. Wir haben keine Wahl mehr, dürfen heute keine Zeit mehr mit materiellen Lösungen verlieren; beides hat noch niemals Bruderschaft hervorgebracht, hat noch niemals Haß in Einigkeit verwandelt und Chaos in Ordnung. Darf man in diesem Zusammenhang nicht behaupten, daß die mystische Erfahrung sehr bedeutend ist? Die Umwandlung müßte in Richtung des Spirituellen stattfinden, in Richtung Ganzheit, zum Größeren, niemals zum Geringeren.

Im Epilog ihres Buches "The New Mysticism" äußert Ursula King: *„Die Möglichkeit einer neuen Mystik bietet einen mächtigen Mittelpunkt der Anziehung, sie führt den Menschen eher in die Welt anstatt aus ihr heraus. Die Mystik der Handlung kann die Vergeistigung des Menschen in und durch die Einheit der Welt in allen Bereichen des Werdens inspirieren. Der Aufstieg des Menschen ist mehr als ein Aufstieg zum Wissen. Die Menschheit ist zu den Höhen des Geistes aufgerufen, doch niemand kann diesen Gipfel allein in Abtrennung von anderen erreichen."* Mit anderen Worten, wir müssen alle dazu beitragen; Spiritualität muß zum wahren, motivierenden Verlangen der ganzen Menschheit werden und muß bei der gegenwärtigen Generation beginnen. Aufgrund der offensichtlich dringenden Notwendigkeit dieser Veränderung in unserer gegenwärtigen Welt, gibt es bereits eine beachtliche Voraussetzung für die neue Mystik. Einstellungen der Aufgeschlossenheit, des Suchens, der Hinwendung, des Zuhörens und Experimentierens mit geistigen Dingen schaffen ein Klima der Umwandlung und setzen den verschlossenen, skeptischen Haltungen der Vergangenheit Kraft entgegen. Die Kirchen mögen ihre Gemeindemitglieder verlieren, doch die mystischen Philosophen gewinnen sie in zunehmender Zahl. Vor noch nicht allzu vielen Jahren zögerte man, die mystische Erfahrung oder irgendwelche weniger bekannten metaphysischen Ideen zu erwähnen; heutzutage dürfen sie in Betracht gezogen, bekanntgemacht werden.

Dies, wenn auch nichts anderes, verleiht der Glückseligkeit Bedeutung. Das Ganze nimmt Gestalt an, und es kommen mehr Plus- als Minuspunkte zusammen.

Desweiteren ist mir bewußt, ich gebe es zu, sie besitzt für unsere Zeit größere Bedeutung als irgendetwas anderes – was das auch immer sein möge! Ich erkenne, sie ist nicht nur ein Allheilmittel, ein sehnsuchtsvolles, weit entferntes Wunder für Idealisten und Utopisten, für Religiöse und mystisch Angehauchte – sie ist endgültige Wirklichkeit. Sie ist Nahrung und Trank unseres fundamentalen Seins, äußerste Notwendigkeit eines sinnvollen Lebens.
Ohne sie sind wir nur teilweise wach, lebendig; wir sind gelähmt, mangelhaft ausgerüstet, hilflos, um den Grund unserer Existenz zu erfassen oder Beherrschung über unsere Lebensumstände zu erlangen. Wir mögen kämpfen, drängen, stoßen, Ersatz im Geld, Erfolg, Ruhm, Sex (von jemandem als mystische Erfahrung des armen Menschen bezeichnet) suchen, unseren Intellekt und Verstand benutzen, um eine Bestätigung zu vermeiden, uns dem hinzugeben, was die mystische Erfahrung uns seit vielen Zeitaltern sagen will, der Schönheit, Harmonie und Freude schenkt …

Wie können wir möglicherweise dieses offene Angebot ignorieren, das für jeden von uns frei ist, das nur des Zuhörens, der Aufmerksamkeit und der Nachfolge bedarf? Wenn wir in der Wüste dursten und eine Oase erblicken, würden wir dann eine andere Richtung einschlagen? Wenn wir uns in einem dunklen Wald verirrt hätten und vor uns eine helle Lichtung sehen würden, würden wir dann in den Wald zurückkehren? Wenn wir uns in einem Rettungsboot auf dem sturmgepeitschten Meer befänden und einen Leuchtturm und die Küste erblickten, würden wir zulassen, wegzutreiben und die Möglichkeit der Rettung nicht zu nutzen?
Die Antwort ist plötzlich so offensichtlich, ich wundere mich, warum ich überhaupt fragen konnte …

Ehrlich wollen wir dem nachgehen; die Erfahrung auf jede Weise, die uns gefällt hervorrufen; fahren wir unsere Antenne aus, um jedes Zeichen zu empfangen – in den unerschöpflichen Wundern der Erde, der Unendlichkeit der Lebensformen, der Menschheit, Tiere, Vögel, Bäume, Blumen, Berge, Seen, des Himmels, der Ozeane, der Sterne, Planeten, Galaxien, die sogar weitere Formen eines zugrundeliegenden Ganzen versprechen. Nehmen wir von überall Beweise, von der erstaunlichen Kreativität der Kunst und den Erfindungen des Menschen, von der unschuldigen Reinheit kleiner Kinder, den Taten der Freundlichkeit und des Mitgefühls, der Tatsache, daß das Gute siegt, das Vorherrschende im menschlichen Charakter ist …

Ergreifen wir die Gelegenheit; wenden wir uns vom Vergänglichen, Fehlbaren und Unzufriedenstellenden ab; leben wir mit Liebe in der Welt, doch gleichzeitig auch in vollem Bewußtsein desjenigen, der uns erschuf, von dem wir niemals durch etwas getrennt werden können, es sei denn durch Illusion.

Vielleicht erleben wir die Erfahrung der Glückseligkeit eher als wir es uns in unserem noch vorhandenen Materialismus vorstellen können – spontan. Vielleicht verändern wir uns alle in einer Sekunde.

J.C. Gowan drückt es mit folgenden Worten aus: *„Es gibt ein El Dorado; die Karte ist entworfen, der Weg führt durch die inneren Reiche der latenten Kraft des menschlichen Geistes, und da wir von seiner Existenz wissen, die Karte in unseren Händen halten und die Straße uns bekannt ist, müssen wir zu dieser großen Reise aufbrechen."*

Bibliographie

Andrews, D.H. The Symphony of Life (Unity Books, 1966)

Arpita, Psychology of the Beatitudes (Himalayan International Institute of Yoga, Science and Philosophy (1979)

Assagioli, R. Psychosynthesis (USA: Viking, 1971; UK: Penguin, 1976)

Armor, R.C. Ernest Holmes the Man (Science of Mind Publications, 1977)

Aurobindo, Sri The Supramental Manifestation upon Earth (Sri Aurobindo Ashram Trust, Pondicherry, India, 1973)

Bancroft, A. Modern Mystics and Sages (Heinemann, 1976)

Bancroft, A. "In the Light of Experience" (Tonbandaufzeichnung)

Beardworth, T.A. Sense of Presence (R.E.R.U., Manchester College, Oxford, 1977)

The Bhagavad Gita (Autor unbekannt: Penguin, 1962; und viele andere Übersetzungen)

Bignall, C.E. Flame in The Heart (Vincent Stuart, 1965)

Bohm, D. Wholeness and the Implicate Order (Routledge & Kegan Paul, 1980-81)

Bohm, D. "Prof. D. Bohm talks with Krishnamurti, 1972" (Tonbandaufzeichnung, Großbritannien, 1978)

Bolen, J.S. The Tao of Psychology: Synchronicity and The Self (USA: Harper & Row, 1982; Großbritannien: Wildwood House, 1980)

Brown, S. Supermind: The Ultimate Energy (Harper & Row, 1980)

Brunton, P.A. Search in Secret India (Rider & Co., 1970)

Bucke, R.M. Cosmic Consciousness: a study in the evolution of the human mind (1901; wiederaufgelegt von E.P. Dutton, 1965)

Burt, E.A. (Ed.) The Teachings of the Compassionate Buddha (USA: N.A.L., 1955, Großbritannien: N.E.L., 1955)

Cade, C.M. und Coxhead, N. The Awakened Mind: Biofeedback and the Development of Higher States of Awareness (USA: De-

lacorte, 1979, Delta, 1980, Großbritannien: Wildwood House, 1979)
Campbell, A. The Seven States of Consciousness (USA: Harper & Row, 1974; Großbritannien: Victor Gollancz, 1973)
Campbell, J. Myths to Live By (Viking, 1972)
Capra, F. The Tao of Physics (USA: Shambhala, 1975; Großbritannien: Wildwood House, 1975)
Capra, F. The Turning Point (USA: Simon & Schuster, 1982; Großbritannien: Wildwood House, 1983)
Clarke, A.C. Childhood's End (USA: Ballantine, 1972; Großbritannien: Sidgwick and Jackson, 1964)
The Cloud of Unknowing (Autor unbekannt: Burns & Dates, 1925, 1951 und viele andere Übersetzungen)
Cohen, J.M. and Phipps, J.F. The Common Experience (USA: J.P. Tarcher; Großbritannien: Rider & Co., 1979)
Cooper, J.C. Taoism: The Way of the Mystic (The Aquarian Press, 1972)
Cox, M. Mysticism. The Direct Experience of God (The Aquarian Press, 1983)
Coxhead, N. Mindpower (USA: St. Martin's, 1977, Penguin, 1978; Großbritannien: Heinemann, 1976, Penguin, 1979)
Davis, C. Body as Spirit (Hodder & Stoughton, 1976)
De Riencourt, A. The Eye of Shiva – Eastern Mysticism & Science (Souvenir Press, 1980)
Eastcott, M. The Silent Path, an Introduction to Meditation (USA: Rider & Co., 1969; Großbritannien: Hutchinson, 1969)
Ferguson, J. Encyclopedia of Mysticism (Thames & Hudson, 1976)
Ferguson, M. The Aquarian Conspiracy (USA: J.P. Tarcher, 1980; Großbritannien: Routledge & Kegan Paul, Grenada, 1983)
Franck, F. Book of Angelus Silesius (USA: Vintage, 1976; Crossroad, 1982 – unter dem Titel Messenger of the Heart; Großbritannien: Wildwood House, 1976)
Goldman, D., und Davidson, R.J. (Eds). Consciousness: Brain, States of Awareness, and Mysticism (Harper & Row, 1979)

Goldsmith, J.S. The Mystical "I" (USA: Harper & Row, 1971; Großbritannien: Allen & Unwin, 1972)
Gopi Krishna, The True Nature of Mystical Experiences (New Concepts, 1978)
Gopi Krishna, The Biological Basis of Religion and Genius (USA: N.C. Press, 1971; Großbritannien: Turnstone, 1973)
Gopi Krishna, The Dawn of New Science (Kundalini Research Foundation)
Gowan, J.C. Development of the Psychedelic Individual (Creative Education Foundation, 1974)
Gowan, J.C. Operations of Increasing Order (vom Autor privat veröffentlicht, 1980)
Gowan, J.C. Trance, Art & Creativity (Creative Education Foundation, 1975)
Greeley, A. Ecstasy – A Way of Knowing (Prentice-Hall, 1974)
Griffiths, D. B. Return to the Centre (Collins, 1976)
Grof, S. Realms of the Unconsciousness (USA: The Viking Press, 1975; Großbritannien: Souvenir Press, 1979)
Grof, S. und C. Beyond Death (Thames and Hudson, 1980)
Group for the Advancement of Psychiatry, "Mysticism: Spiritual Quest or Psychic Disorder?" (Report, 1976)
Happold, F.C. Mysticism: A study and an anthology (Pelican, 1963)
Hardy, Sir A. The Spiritual Nature of Man (Oxford University Press, 1979)
Hay, D. Exploring Inner Space (Pelican, 1982)
Hilton, W. The Seal of Perfection (Burns & Oates, 1953)
Huxley, A. Perennial Philosophy (Chatto & Windus, 1946)
Huxley, A. "The Visionary Experience" (Tonbandaufzeichnung)
Huxley, A. Heaven and Hell (USA: Harper & Brothers, 1955; Großbritannien: Chatto & Windus, 1956; neu aufgelegt in einem Band zusammen mit "The Doors of Perception")
James, W. The Varieties of Religious Experience (Longmans Green, 1945; USA: New American Library, 1960; Großbitannien: Collins, 1960)

Jantsch, E. The Self-Organizing Universe (Pergamon Press, 1982)
Jeans, Sir James, The Universe Around Us (Cambridge University Press, 1930)
Johnson, R.C. The Imprisoned Splendour (Hodder & Stoughton, 1953)
Johnson, R.C. The Watcher on the Hill (Hodder & Stoughton, 1959)
Johnston, W., The Inner Eye of Love (Collins, 1978)
Joy, B. Joy's Way (J.P. Tarcher, 1979)
Jung, C. G. Memories, Dreams & Reflections (USA: Random House, 1961; Großbritannien: Collins und Routledge & Kegan Paul, 1963)
King, U. Towards a New Mysticism (Collins, 1980)
Koestler, A. Janus, A Summing Up (Hutchinson, 1978)
Krishnamurti, J. Krishnamurti's Notebook (Gollancz, 1976)
Kriyananda, Swami, The Path: Autobiography of a Western Yogi (Ananda, 1977)
Laing, R.D. The Politics of Experience (USA: Ballantine, 1969; Großbritannien: Penguin, 1967)
Laski, M Ecstasy (Cresset Press, 1961)
Lewis, C.S. Surprised by Joy (Geoffrey Bles, 1955; Fontana, 1974)
Lilly, J. Simulations of God (Bantam Books, 1976)
Lilly, J. The Centre of the Cyclone (USA: Julian Press, 1972; Calder, 1973)
Maharshi, Ramana, Collected Works (Rider, 1959)
Maslow, A. Religious Values and Peak Experiences (Ohio State University Press, 1964)
Maslow, A. The Farther Reaches of Human Nature (USA: Viking, 1971; Großbritannien: Penguin, 1973)
Metaphysical Bible Dictionary, (Unity School of Christian Publications, 1962)
Moody, R. Life after Life (Bantam, 1976)
Moody, R. Reflections of Life after Life (USA: Stackpole, 1977; Großbritannien: Corgi, 1978)

Muktananda, B. Play of Consciousness (Harper & Row, 1974)
Murray, M. Seeking the Masters: A Guide to the Ashrams of India (Neville Spearman, 1981)
Muses, C. und Young, A. M. (Eds) Consciousness and Reality (E.P. Dutton, 1972; Avon/Discus, 1974)
Needleman, J. On The Way to Self-Knowledge (Knopf, 1976)
Needleman, J. The New Religions (USA: Doubleday, 1970; Großbritannien: Allen Lane, 1972)
Needleman, J.A. Sense of the Cosmos (Dutton, 1977)
Niendorf, J.S. Listen to the Light (Science of Mind Publications, 1981)
Nikhilananda, S. The Gospel of Sri Ramakrishna (Ramakrishna Center, 1973)
O'Brian, E. Varieties of Mystic Experience (USA: Holt, Rinehart & Winston, 1964; Großbritannien: N.E.L., 1965)
Patanjali Aphorisms of Yoga (Faber, 1973; auch enthalten in The Yoga Philosophy of Patanjali, University of Calcutta, 1981)
Pierce, C. The Bond of Power (Routledge & Kegan Paul, 1982)
Poulain, A. The Graces of Interior Prayer (Routledge & Kegan Paul, 1910)
Pribram, K. What all the Fuss is About (Re-Vision Journal, 1978)
Prigogine, I. From Being to Becoming (W. H. Freeman, 1980)
Raine, K. The Land Unknown (Hamis Hamilton, 1975)
Ram Dass Be Here Now (Lama Foundation, 1971)
Reed, B. Rebel in the Soul: A sacred text of Ancient Egypt (USA: Inner Traditions, 1978; Großbritannien: Wildwood House, 1978)
Robinson, E.A. Tolerating the Paradoxical (R.E.R.U., Mancester College, Oxford, 1978)
Russell, P. The Awakening Earth (USA: J. P. Tarcher, 1983; Großbritannien: Routledge & Kegan Paul, 1982)
Sannella, L. Kundalini – Psychosis or Transcendence? (H.S. Dakin, 1976)
Satprem, The Mind of the Cells (Harper & Row, 1982)

Schaefer, G. Holistic Philosophy of Nature (Wrekin Trust: Tonbandaufzeichnung)
Schaefer, G. Universe with Man in Mind: The New Paradigm (Translational Press, 1982)
Schneider, R., Kuhn, K., und Gollwitzer, H. Dying We Live: The final messages and records of some Germans who defied Hitler (The Harvill Press, 1956)
Sheldrake, R. A New Science of Life: The Hypothesis of Formative Causation (USA: J.P. Tarcher, 1982; Großbritannien: Blond & Briggs, 1981)
Sheldrake, R. Wrekin Trust Lecture (Tonbandaufnahme)
Spink, P. The Path of the Mystic (Darton, Longman & Todd, 1983)
Stace, W.T. Mysticism and Philosophy (USA: Macmillan, 1960; Großbritannien: 1961)
Stace, W.E. Teachings of the Mystics (N.E.L., 1960)
Starbuck, E.M. "Psychology and Religion" (Manuscript collection quoted by William James in Varieties of Religious Experience)
Starr, I. The Sound of Light: Experiencing the Transcendental (De Vorss & Co., 1976)
Stromberg, G. Man, Mind and the Universe (Science of Mind Publications, 1966)
Suzuki, D.T. Essentials of Zen Buddhism (Rider & Co., 1963)
Swedenborg, E. Journal of Dreams (Sweden, 1859, neu aufgelegt von der Swedenborg Foundation, 1977)
Tart, C.T. (Ed.) Altered States of Consciousness (Wiley, 1969)
Tart, C.T. Tonbandaufzeichnung (Wrekin Trust)
Talbot, M. Mysticism and the New Physics (Routledge & Kegan Paul, 1981)
Teilhard de Chardin, P. Let Me Explain (Collins, 1974)
Trine, W. In Tune with the Infinite (G. Bell, 1970)
Troward, T. The Creative Process in the Individual (USA: Dodd, Mead, 1956; Großbritannien: Fowler, 1956)
Tulku, T. Time, Space and Knowledge (Dharma, Press, 1972)

Underhill, E. Mysticism (USA: E.P. Dutton, 1961; Großbritannien: Methuen, 1977)
Watson, L. Gifts of Unknown Things (Hodder & Stoughton, 1976)
Watts, A.W. The Joyous Cosmology (USA: Vintage Books, 1965; Großbritannien: Abacus, 1977)
Watts, A. W. The Supreme Identity (Wildwood House, 1973)
White, J. (Ed.) The Highest State of Consciousness (Doubleday, 1972)
Wilber, K. Up From Eden (USA: Anchor, 1971; Großbritannien: Routledge & Kegan Paul, 1971)
Wilber, K. The Atman Project (Quest Theosophical Publications, 1980)
Wilber, K. (Ed.) The Holographic Paradigm and Other Paradoxes (Shambhala, 1982)
Wolf, F. Taking the Quantum Leap (Harper & Row, 1980)
Wolf, F., Toben, B. & Sarfatti, J. Space-Time and Beyond (USA: E.P. Dutton, 1975; Großbritannien: Wildwood House, 1977)
Wilson, C. The New Existentialism (Hutchinson, 1966; neu aufgelegt: Wildwood House, 1980)
Winslow Hall, W. Observed Illuminates (C.W. Daniel, 1926)
Yogananda, P. Autobiography of a Yogi (USA: Rider & Co., 1950; Großbritannien: Hutchinson, 1950)
Yogi, Maharishi Mahesh On the Bhagavad Gita (Indien und Großbritannien: SRM Publications, 1967; Penguin, 1969)
Young, A. Bell Notes: A Journey from Physics to Metaphysics (Delacorte Press/Seymour Lawrence, 1979)
Young, A. The Reflexive Universe (USA: Delacorte Press, 1976; Großbritannien: Wildwood House, 1977)
Zaehner, R.C. Mysticism: Sacred and Profane (Oxford University Press, 1957, 1961)
Zukav, G. The Dancing Wu Li Masters (USA: Morrow, 1979; Großbritannien: Rider/Hutchinson, 1979)

Index: